EURODÉLICES

PÂTISSERIES

À LA TABLE DES GRANDS CHEFS

KÖNEMANN

Remerciements

Nous remercions toutes les personnes, restaurants et entreprises cités ci-dessous pour leur précieuse collaboration à la réalisation de ce livre :

Ancienne manufacture royale, Aixe-sur-Vienne ; Baccarat, Paris ; Chomette Favor, Grigny ; Christofle, Paris ; Cristalleries de Saint-Louis, Paris ; Grand Marnier, Paris ; Groupe Cidelcem, Marne-la-Vallée ; Haviland, Limoges ; Jean-Louis Coquet, Paris ; José Houel, Paris ; Lalique, Paris ; Les maisons de Cartier, Paris ; Maîtres cuisiniers de France, Paris ; Philippe Deshoulières, Paris ; Porcelaines Bernardaud, Paris ; Porcelaine Lafarge, Paris ; Puiforcat Orfèvre, Paris ; Robert Haviland et C. Parlon, Limoges ; Société Caviar Petrossian, Paris ; Villeroy & Boch, Garges-lès-Gonesse ; Wedgwood Dexam-International, Coye-la-Forêt.

Notre remerciement tout particulier à : Lucien Barcon, Georges Laffon, Clément Lausecker, Michel Pasquet, Jean Pibourdin, Pierre Roche, Jacques Sylvestre et Pierre Fonteyne.

Degré de difficulté des recettes :

★   facile
★★   moyennement facile
★★★   difficile

Copyright © 2000 pour la présente édition
Könemann Verlagsgesellschaft mbH
Bonner Strasse 126, D-50968 Cologne

Réalisation : Studio Pastre, Toulouse
Révision : Catherine Juston et Marie-Laurence Sarret
Lecture : France Varry, Cologne
Fabrication : Ursula Schümer
Impression et reliure : Neue Stalling, Oldenbourg
Imprimé en Allemagne

ISBN 3-8290-5275-8

10 9 8 7 6 5 4 3 2 1

Sommaire

Avant-propos

Eurodélices apportera à votre cuisine les plaisirs d'une gastronomie de tout premier ordre. Une centaine de chefs de restaurants renommés – originaires de 17 pays et la plupart moult fois primés – ont participé à la réalisation de cette collection de livres de cuisine. Ceux qui ont déjà eu le privilège d'apprécier l'hospitalité de certains d'entre eux pourront se réjouir d'en retrouver le raffinement ; les autres découvriront une nouvelle passion.

Ils n'ont pas seulement créé pour chaque gourmand une collection indispensable en 6 tomes et plus de 1 900 pages, mais aussi un document culinaire unique de la culture européenne, au-delà des modes éphémères. Dans ce volume, nos chefs vous offrent leurs meilleures recettes pour des pâtisseries inégalables.

Avec une approche captivante, cette collection reflète les racines communes de l'art culinaire européen dans sa fantastique variété.

Car manger est bien plus que la simple satisfaction d'un besoin naturel. À chaque occasion, cuisiner devient un art, surtout s'il s'agit d'une fête, ou d'un événement particulier de la vie privée ou publique. Sous le regard attentif des cuisiniers, des couples d'amoureux se mettent à table pour construire l'avenir. De la même manière, on se réunit autour d'une table pour conclure une affaire, signer un contrat ou tout simplement fêter une réconciliation.

Souvent, on apprend à connaître la culture de nos voisins à travers leur cuisine. Ainsi des gourmandises culinaires peuvent-elles aider à être plus tolérant. Qui peut mieux transmettre cela que des chefs cuisiniers de premier rang venus de différents horizons ?

Des saveurs provenant des quatre coins de l'Europe montrent que l'amour pour les plaisirs de la table reste immuable dans ce vieux continent, berceau de la gastronomie. Cette collection unique de 750 recettes soigneusement sélectionnées éveille en nous le désir de faire de plus en plus de découvertes. Elle ouvre la voie des plaisirs classiques hérités de nos ancêtres qui ont forgé les traditions culinaires durant des siècles pour donner naissance à la cuisine contemporaine. On y découvre également des nouveautés surprenantes : ici des ingrédients sont employés de manière inédite, là des saveurs délicates sont créées à partir d'éléments originaires de régions lointaines dont nous faisons parfois connaissance pour la première fois.

La gastronomie ne connaît pas de frontières. Elle parle une langue authentique qu'apprécient les amateurs de saveurs originales. Cette langue se transmet à travers nos sens et nous fait apprécier la qualité et le raffinement de préparations provenant des méridiens les plus différents. Enfin, elle nous entraîne dans l'empire infini des saveurs et des couleurs opulentes.

Cette collection contient tout cela, de l'élément le plus infime mais unique aux luxueux plats festifs. Vous trouverez ici des recettes pour chaque occasion, de la délicate collation facile à réaliser au menu exquis à plusieurs plats. Environ 5 000 photos en couleurs ainsi que des descriptions pas à pas garantissent une parfaite réussite. Ces recettes n'invitent pas seulement à l'imitation, elles renforcent aussi la créativité, car, tout comme les auteurs de cette collection, les gourmands de tous les continents se consacrent à la culture de la cuisine et de la dégustation.

Ainsi réunis autour de spécialités raffinées, les us et les coutumes, les plaisirs et les secrets de tout un continent nous permettent de donner libre cours à notre imagination et d'apprécier les bonheurs simples de la vie.

Préparation	*45 minutes*
Cuisson	*30 minutes*
Difficulté	★ ★ ★

Pour 8 personnes

Crème au riesling :
50 ml de riesling
50 g de sucre
3 jaunes d'œufs
3 feuilles de gélatine
20 ml d'eau-de-vie de poire (williamine)
175 ml de crème fleurette

**Biscuit viennois, pâte brisée au beurre
et pâte à macarons :** voir p. 296

Garniture :
3 poires williams
30 g de sucre
150 ml de riesling
jus d'$^1/_2$ citron

Couverture :
25 g de chocolat au lait

Gelée :
30 g de sucre
1 cuil. à soupe de flocons d'agar-agar
200 ml de sirop de pochage des poires

Abricots :
25 g de confiture d'abricots

Il fallait bien qu'un jour Adolf Andersen réglât ses comptes avec son homonyme danois Hans Christian, celui de *La Petite Sirène*. On appréciera pourtant chez l'un comme chez l'autre une imagination très active et un réel talent de légèreté. Pour le reste, Adolf Andersen attache de l'importance à la sauvegarde du goût naturel et à la qualité des produits.

Il était une fois la poire williams, un tendre fruit largement répandu sur tout le vieux continent où son exceptionnelle tenue face à l'alcool et à la cuisson attira bien des amateurs. Elle accompagne dans cette recette un macaron qui doit être très frais et parfaitement moelleux, bien qu'il se compose presque uniquement de pâte d'amandes et ne comporte ni sucre ni œufs.

Vous façonnerez l'appareil à macarons comme une pâte à modeler. Il faut y incorporer de l'air, comme dans la crème au riesling, mais sans pour autant travailler trop longtemps ces deux masses, qui viendraient s'affaisser à la cuisson.

Plutôt que la gélatine, notre chef conseille les flocons d'agar-agar, une substance extraite de certaines algues marines qui dégage à la cuisson un mucilage favorisant la gelée. Très connu en Extrême-Orient et tout particulièrement au Japon, ce produit devrait vous apporter toute satisfaction pour mettre un point final à ce conte de fées, ce qui correspond à la célèbre formule : « Ils vécurent heureux et eurent beaucoup d'enfants »…

1. Pour la crème au riesling, porter à ébullition le vin et le sucre, puis monter en sabayon avec les jaunes d'œufs ; continuer à fouetter hors du feu. Avant complet refroidissement, ajouter la gélatine ramollie à l'eau et bien égouttée. Laisser refroidir, ajouter la williamine et incorporer délicatement la crème fleurette montée en chantilly. Préparer le biscuit viennois et la pâte brisée.

2. Préparer la pâte à macarons. Placer la masse dans une poche munie d'une grosse douille et dresser des cercles de 26 cm de diamètre. La pâte ne doit pas être trop liquide, sinon elle s'étale à la cuisson. Cuire au four 12 à 15 minutes à 160 °C jusqu'à coloration. Éplucher les poires, les couper en quartiers et les verser dans le sirop en ébullition. Retirer les poires du feu et les laisser refroidir jusqu'à ce qu'elles soient tendres mais encore fermes. Les égoutter et les passer à l'eau froide.

au riesling

3. Abaisser un fond de pâte brisée de 26 cm de diamètre. Le piquer plusieurs fois avec une fourchette et cuire au four 20 minutes à 160 °C. Une fois cuit, l'enduire de chocolat au lait fondu. Poser dessus trois cercles de macarons. Diviser le biscuit viennois en deux disques et couper l'un deux encore une fois en deux. Déposer le disque le plus épais au fond et le garnir jusqu'à 1 cm du bord en intercalant crème et biscuit. Terminer par un disque de biscuit et achever de remplir avec la crème au riesling.

4. Pour la gelée, mélanger le sucre et les flocons d'agar-agar au sirop de pochage. Porter à ébullition 3 minutes en remuant constamment. Couper les poires en tranches fines et les disposer en rond sur l'entremets. Glacer avec la gelée et placer au frais pendant 2 heures. Abricoter les cercles de macarons avec la confiture chaude juste avant de servir.

Gâteau à la

Pour 8 personnes

Biscuit viennois :
50 g de beurre
4 œufs (250 g)
180 g de sucre
1 pincée de sel
100 g de farine type 550
110 g de fécule de blé

Pâte brisée au beurre :
voir p. 288

Crème framboise :
400 ml de crème fraîche
300 g de framboises
140 g de sucre
1 cuil. à café de jus de citron frais
6 feuilles de gélatine

Décoration :
200 ml de crème fleurette
2 cuil. à café de sucre
1 feuille de gélatine
quelques petites framboises

Garniture :
50 g de chocolat au lait

Déjà bien connue dans l'Antiquité qui célébrait son origine crétoise (et l'appelait d'ailleurs « ronce de l'Ida », de la montagne insulaire du même nom), la framboise ne semble pas aussi répandue en Allemagne qu'en France. Mais cette recette, qui lui donne un rôle à sa mesure et glorifie la saveur veloutée qu'on lui connaît, n'en est que plus appréciée de nos voisins d'outre-Rhin.

Il s'agit de réaliser une compote de framboises qui respecte à la fois la vive couleur des fruits et leur teneur essentielle en vitamines. Ne lavez surtout pas les framboises avant l'usage : contentez-vous de vérifier qu'elles ne sont pas endommagées et de les essuyer avec du papier absorbant. Il est possible de

préparer la compote en saison et de la congeler en prévision des longues soirées d'hiver.

Pour leur conserver tout leur arôme, il faut éviter de travailler les fruits trop longtemps ou même trop vigoureusement. Pour Adolf Andersen, mieux vaut plus de fruits que de crème, et surtout le moins de sucre possible.

Ce gâteau n'est pas éloigné de la mousse de fruits et peut facilement tolérer d'autres parfums : la pâtisserie Andersen l'a d'ailleurs longtemps préparé avec des fraises et l'on atteindrait sans doute un summum de délicatesse en exploitant ici les fraises des bois, pourvu qu'elles soient en quantité suffisante.

1. Pour le biscuit viennois, faire fondre le beurre et le laisser refroidir. Monter en sabayon les œufs, le sucre et le sel au bain-marie jusqu'à obtention de la température du corps. Retirer du bain-marie et battre jusqu'à complet refroidissement. Incorporer délicatement la farine et la fécule, puis ajouter le beurre fondu. Garnir d'un papier sulfurisé le fond d'un moule beurré de 24 cm de diamètre. Y verser la préparation et cuire au four 30 minutes à 170 °C. Laisser refroidir dans le moule.

2. Préparer la pâte brisée, puis découper un cercle de 28 cm de diamètre sur 3 mm d'épaisseur. Piquer la pâte à l'aide d'une fourchette et cuire au four 20 minutes à 160 °C. Pour la crème framboise, monter la crème fraîche en chantilly. Écraser grossièrement les framboises avec le sucre et le jus de citron. Liquéfier au bain-marie la gélatine ramollie et essorée, puis l'ajouter à la purée de framboises. Incorporer un quart de la crème Chantilly, puis le reste.

rème framboise

3. Pour la décoration, battre la crème fleurette en chantilly. Ajouter le sucre et stabiliser avec la gélatine liquéfiée. Enduire le fond de pâte brisée de chocolat au lait fondu et poser dessus un disque de biscuit viennois d'1 cm d'épaisseur. Couvrir avec la moitié de la crème framboise. Couvrir du second cercle de biscuit, d'un diamètre légèrement inférieur, et masquer de crème framboise jusqu'à 1/2 cm du bord. Mettre au froid 3 heures et finir de remplir le cercle avec la crème de décoration.

4. Démouler l'entremets. Déposer sur le bord du gâteau des champignons de crème Chantilly et placer une framboise sur chacun d'eux.

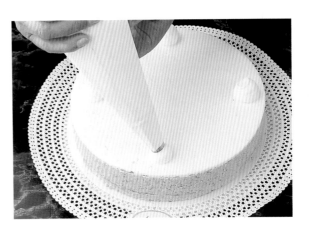

Préparation   1 heure 30 minutes
Cuisson   1 heure 30 minutes
Difficulté   ★ ★ ☆

Pour 8 personnes

Pâte à glacer :
100 g de chocolat de couverture au lait
20 ml de sirop
20 g de miel
4 cuil. à soupe de lait concentré

Fond de caracas, biscuit sacher, gâteau baumkuchen : voir p. 288 et suivantes

Crème de décoration :
15 g de chocolat demi-amer
1 œuf

50 g de sucre glace, 100 g de beurre

Crème ganache :
300 ml de crème fraîche
100 g de beurre
200 g de sucre
2 jaunes d'œufs
200 g de chocolat demi-amer
70 ml de jus de citron

Glaçage :
75 g de chocolat demi-amer

Couverture :
150 g de pâte d'amandes nature
3 cuil. à soupe de sucre glace (30 g)

Hambourg bénéficie d'un statut administratif particulier, en raison de son remarquable passé marchand et de la puissance de la ligue hanséatique qu'elle formait avec notamment Brême et Lübeck, et qui regroupait au Moyen Âge plus de 90 cités. Aujourd'hui encore, Hambourg est un Land à part entière, administré par un Sénat qui lui est propre, d'où le nom de « gâteau des sénateurs » que porte aussi cette création.

Le plein essor de la ganache qui le compose ne saurait se concevoir sans un tremplin en rapport, que l'on trouve sous les espèces du biscuit de caracas – pâte d'amandes et pralin –, mais aussi du curieux biscuit baumkuchen, sorte de pièce montée hybride qui trouve une réplique inattendue au cœur des Pyrénées, peut-être en souvenir des incursions wisigothes.

En Allemagne, ce biscuit tourné à la broche est généralement préparé pour Noël et se voit après la cuisson découpé en rondelles, comme on le fait parfois des troncs d'arbres. Mais sa confection demande à l'exécutant quelque savoir-faire et l'on peut, en dehors de la période des fêtes, le remplacer par de petits biscuits nappés de chocolat.

Il n'y a pas d'échappatoires pour la ganache, qui ne devra pas être trop compacte. Enfin, le choix des amandes d'Italie s'impose, dont la bienfaisante humidité ne manquera pas de renforcer le moelleux de la pâte du même nom.

1. Pour la pâte à glacer, faire fondre au bain-marie le chocolat au lait avec 1 cuil. à soupe de sirop à 30° Beaumé, 20 g de miel et 4 cuil. à soupe de lait concentré. Chauffer à une température de 38 à 40 °C. Confectionner les fonds de caracas et le biscuit sacher. Pour la crème de décoration, faire fondre le chocolat au bain-marie. Monter l'œuf et le sucre glace en sabayon. Battre le beurre en pommade, puis incorporer le sabayon refroidi et le chocolat fondu.

2. Pour la ganache, faire bouillir la crème, le beurre et le sucre la veille. Le lendemain, mélanger les jaunes d'œufs avec une partie de la crème. Rassembler le tout et faire cuire à la nappe (jusqu'à ce que la crème épaississe). Hors du feu, incorporer le chocolat demi-amer haché, puis le jus de citron fraîchement pressé. Conserver au frais.

3. Poser un moule en inox sur une tourtière, placer à l'intérieur un fond de caracas et le masquer du quart de la ganache. Déposer au centre le fond de biscuit sacher et tout autour les demi-cercles de gâteau baumkuchen. Finir de remplir avec le reste de ganache ; bien tasser pour éviter les vides. Égaliser la surface et mettre au frais pendant 2 heures. Retourner l'entremets sur un carton à gâteau et glacer le fond de biscuit avec 75 g de chocolat fondu. Laisser prendre et retourner sur une grille.

4. Étaler la pâte d'amandes et en recouvrir le gâteau. Remettre à température la pâte à glacer au chocolat. Verser au centre de l'entremets et lisser à la spatule. Laisser refroidir. Sur du papier sulfurisé, dessiner des fleurs de chocolat. Avec la crème de décoration, appliquer tout autour du gâteau une bordure de champignons et déposer une fleur sur chacun d'eux.

Gâteau de Lübeck

Préparation	1 heure
Cuisson	30 minutes
Difficulté	★

Pour 8 personnes

Pâte brisée au beurre :
60 g de beurre
1 jaune d'œuf (18 g)
3 cuil. à soupe de sucre glace (30 g)
1 pincée de sel
contenu d'$1/2$ gousse de vanille
90 g de farine type 550

Crème noisette :
160 g de noisettes grillées moulues
4 feuilles de gélatine
600 ml de crème fleurette
50 g de sucre
contenu d'$1/2$ gousse de vanille
Biscuit viennois : voir p. 288
Garniture :
50 g de chocolat au lait
Masquage :
400 g de pâte d'amandes nature
sucre glace (pour étendre)
Décoration :
100 ml de crème fleurette
1 cuil. à soupe de sucre
quelques cerneaux de noix

On peut ne pas connaître Johann Georg Niederegger, figure emblématique de Lübeck au début du XIXᵉ siècle qui eut le mérite de populariser dans sa ville et dans toute l'Europe l'usage et la consommation du massepain (en allemand, *marzipan*). Mais on ne peut ignorer la multiplicité des formes que revêt le massepain, les figurines fourrées ou à la liqueur et les divers sujets que produit en cette matière la ville qui fut « la reine de la Hanse ».
Pour Adolf Andersen, cette recette exige un soin particulier dans la sélection des noisettes : les rondes du Piémont, grillées avec leur peau, sont un allié précieux dont il importe de conserver intacte la subtile saveur. De plus, leur teneur en phosphore, calcium et potassium s'accommode fort bien de l'absence de sucre.

La pâte d'amandes ne supporte pas la négligence et encore moins le mauvais goût : assurez-vous qu'elle est assez légère, pas trop compacte, gardez-vous de la chauffer à l'excès (car elle épaissit) et fuyez les colorants douteux.

L'essentiel est de « travailler dans le sens du produit », comme le dit notre chef qui compose en pâte d'amandes des troupeaux entiers d'animaux sauvages et domestiques.

Les vivaces traditions gourmandes de l'Allemagne septentrionale sont superbement illustrées dans des romans comme *Les Budenbrooks*, œuvre essentielle de Thomas Mann, enfant du pays et prix Nobel de littérature en 1929.

1. Pour la pâte brisée, pétrir en une pâte lisse tous les ingrédients dans la cuve du batteur, sauf la farine. Incorporer progressivement la farine et bien mélanger. Envelopper la pâte dans un torchon et la mettre au frais jusqu'au lendemain. Découper un cercle de 26 cm de diamètre, le piquer plusieurs fois avec une fourchette et cuire au four 20 minutes à 160 °C.

2. Pour la crème noisette, broyer grossièrement les noisettes au mixeur, puis les faire griller au four. Mettre la gélatine à ramollir dans l'eau froide. Monter la crème fleurette en chantilly et la mélanger aux noisettes. Ajouter la gélatine liquéfiée, le sucre, le contenu de la gousse de vanille et bien mélanger le tout.

à la crème noisette

3. *Découper un disque d'1 cm d'épaisseur dans le biscuit viennois et un second plus mince. Faire fondre les 50 g de chocolat au lait, l'étaler sur le fond de pâte brisée et poser dessus le disque de biscuit le plus épais. Réduire le diamètre du fond le plus mince en coupant la périphérie sur 1 cm. Placer dans un moule. Étaler la moitié de la crème noisette sur le fond viennois, poser dessus le fond le plus mince et finir de garnir avec le reste de crème. Mettre au frais pendant 2 heures.*

4. *Étaler la pâte d'amandes. Démouler l'entremets et le recouvrir de l'abaisse de pâte d'amandes. Presser avec les mains pour la fixer. Couper les bords superflus et presser délicatement les bords pour éviter la formation de fissures ou de plis. Monter la crème fleurette en chantilly avec le sucre. Décorer de champignons de crème Chantilly et poser sur chaque pointe un cerneau de noix.*

Gâteau de Schöppensted

Préparation	*1 heure*
Cuisson	*30 minutes*
Difficulté	✱ ✱ ✱

Pour 8 personnes

Biscuit à la Schöppenstedt :
40 g de farine
40 g de fécule
30 g de cacao en poudre
50 g de poudre d'amandes
100 g de pâte d'amandes
4 jaunes d'œufs (80 g)
2 pincées de sel
1 cuil. à café de cannelle
4 blancs d'œufs (145 g)
110 g de sucre

Crème au chocolat :
300 ml de lait
40 g de sucre
1 pincée de sel
1 jaune d'œuf (20 g)

20 g de fécule
2 cuil. à soupe de cacao en poudre

Crème à la vanille et pâte brisée au beurre :
voir pp. 291 et 296

Masquage :
50 g de chocolat au lait

Crème à la schöppenstedt :
3 feuilles de gélatine
50 g de nougatine « pralin » aux noisettes
2 cuil. à soupe de lait
350 ml de crème fleurette

Copeaux de chocolat :
100 g de chocolat au lait

C'est lors de son apprentissage à Brünswick et dans l'école voisine de pâtisserie qui a formé bon nombre de chefs de notre époque qu'Adolf Andersen s'est initié aux principes généraux de montage des gâteaux et qu'il a adopté les règles qu'il applique aujourd'hui. Avec un vaste répertoire de crèmes aux parfums divers, allégées à la chantilly, et de multiples variétés de fonds (pâtes ou biscuits), il est possible de décliner presque à l'infini les délices d'une pâtisserie largement créatrice.

Mais la gestion simultanée de ces différents éléments du gâteau n'est pas si facile, car leur manipulation relève aussi de principes intangibles. Il faut donc aborder avec beaucoup de prudence toute leur préparation.

Le fond et la crème qui le surmontent doivent ainsi être prêts simultanément, et s'unir sans tarder, car la plupart des crèmes ne peuvent guère s'appliquer après qu'elles ont refroidi. D'autre part, toute surface de crème censée demeurer à l'air libre un moment doit être protégée sous un film alimentaire, pour éviter la formation d'une pellicule (ou même d'une croûte).

En Allemagne, on appelle «Nougat» la nougatine aux noisettes, base de la crème à la Schöppenstedt qui comporte un chocolat très foncé proche du pralin, et dont le goût est nettement plus fort que le chocolat au lait du masquage et de la décoration. Pour une finition parfaite, un séjour au congélateur avant le démoulage donne à l'ensemble une consistance adéquate.

1. Pour le biscuit à la Schöppenstedt, tamiser la farine, la fécule, le cacao et les mélanger à la poudre d'amandes. Dans un récipient, travailler en crème la pâte d'amandes, les jaunes, le sel et la cannelle. Monter les blancs en neige avec le sucre. Mélanger un quart des blancs à la pâte d'amandes, puis incorporer le reste avec une spatule en bois. Ajouter la farine. Dresser sur une plaque recouverte de papier sulfurisé dans un moule à tarte de 28 cm de diamètre. Cuire au four 18 à 20 minutes à 160 °C.

2. Couper le biscuit en trois morceaux. Pour la crème au chocolat, porter à ébullition 250 ml de lait, le sucre et le sel. Battre le jaune d'œuf avec le reste de lait, la fécule et le cacao en poudre. Verser en remuant dans le lait bouillant et cuire comme une crème. Préparer la crème à la vanille. Confectionner un disque de pâte brisée du diamètre du moule du montage (28 cm). Cuire au four et masquer avec 50 g de chocolat au lait fondu.

la crème

3. Pour la crème à la Schöppenstedt, ramollir la gélatine à l'eau froide. Faire fondre au bain-marie la nougatine, ajouter la gélatine essorée et le lait tiède pour obtenir une pâte lisse. Monter la crème en chantilly et en mélanger un quart à la masse de nougat refroidie. Incorporer délicatement le reste de chantilly à l'aide d'une spatule en bois. Pour les copeaux, faire fondre le chocolat au bain-marie, l'étaler sur une plaque et laisser prendre. Former des copeaux à l'aide d'un triangle.

4. Pour le montage, masquer le fond de pâte brisée avec 50 g de chocolat au lait fondu. Poser dessus un fond de biscuit, le masquer de crème à la vanille encore chaude, déposer un deuxième fond de biscuit et masquer de crème au chocolat chaude. Recouvrir du troisième fond en gardant 1 cm pour la crème à la Schöppenstedt. Mettre au frais 2 à 3 heures. Étaler la crème à la Schöppenstedt, remettre au frais, démouler et décorer de copeaux de chocolat.

Gâteau du por

Préparation   *1 heure*
Cuisson   *15 minutes*
Difficulté   ★ ★ ☆

Pour 8 personnes

Biscuit :
220 g de pâte d'amandes nature
2 cuil. à soupe d'eau
6 jaunes d'œufs
1 cuil. à café de cannelle en poudre
3 blancs d'œufs
65 g de sucre
50 g de farine type 550

60 g de cacao en poudre
4 cuil. à soupe de chapelure de biscuits

Crème au beurre (voir p. 291) :
500 g de beurre
200 g de sucre
5 œufs (250 g)
1 pincée de sel
50 g de chocolat semi-amer
25 ml de rhum
25 ml de liqueur d'arak

Décoration :
30 à 35 feuilles de chocolat

Afin de contrôler parfaitement la qualité de ses produits et de leur éviter tout transport, Adolf Andersen concentre son activité dans l'unique cité de Hambourg, que ce soit dans sa pâtisserie où l'une de ses nombreuses succursales. Pour que ce gâteau soit digne de porter le nom de la ville-phare de la Hanse, il lui fallait évidemment des trésors de savoir-faire et de subtiles nuances.

On y parvient notamment par l'alliance de deux alcools d'origines différentes, le rhum et l'arak, que l'on écrit aussi arack ou arac. Il existe plusieurs versions de cette eau-de-vie aux saveurs d'anis, initialement fabriquée aux Indes à partir de mélasse de canne à sucre, voire de riz, et enfin de raisin, de sève de palmier ou de dattes .

La crème au beurre, avec environ 40 % de matières grasses (ce qu'en Allemagne on dénomme « crème française »), doit être aromatisée en une seule opération avec le rhum et l'arak alors qu'elle est encore tiède. Le tout doit comporter un peu d'air (on bat séparément le beurre et les œufs en mousse) et conserver une élasticité suffisante.

Une attention particulière doit être portée à la confection des feuilles de chocolat qui constituent le décor final : préparez-les sur une plaque rigide, de préférence transparente, et découpez-les à la règle pour obtenir une surface plane et brillante, un véritable miroir qui flattera la vue des (nombreux) amateurs.

1. Pour les fonds de biscuits, travailler la pâte d'amandes (massepain), l'eau, les jaunes d'œufs et la cannelle jusqu'à l'obtention d'une pâte bien lisse. Monter les blancs d'œufs en neige avec le sucre. Mélanger la moitié des blancs avec la pâte d'amandes et incorporer ensuite le reste des blancs ainsi que la farine, le cacao et la chapelure de biscuits tamisés, à l'aide d'une spatule en bois.

2. Recouvrir une plaque à pâtisserie de papier sulfurisé et y déposer trois moules à tarte de même diamètre. Garnir de préparation et cuire au four 10 à 12 minutes à 190 °C. Diviser la crème au beurre en deux parties. Parfumer la première avec le chocolat fondu et le rhum, et la seconde avec l'arak.

de Hambourg

3. Poser sur une tourtière un moule en inox de 28 cm de diamètre. Placer au fond un cercle de biscuit, masquer d'une partie de crème chocolat-rhum, recouvrir du deuxième cercle de biscuit, masquer d'une partie de crème à l'arak et déposer le dernier cercle en le retournant. Mettre au frais 2 heures environ. Démouler.

4. Travailler le reste des crèmes en masses onctueuses avec un fouet. Remplir une poche munie d'une douille n° 8 avec la crème à l'arak et une poche munie d'une douille n° 6 avec la crème chocolat-rhum. Masquer la surface en dressant alternativement des lignes droites de chacune des crèmes. Coller tout autour de l'entremets les feuilles de chocolat.

Préparation   *1 heure*
Cuisson   *20 minutes*
Difficulté   ✯ ✯

Pour 8 personnes

Biscuit de caracas :
60 g de beurre
60 g de pâte de pralin
60 g de farine type 550
60 g de chapelure de biscuits
70 g de pâte d'amandes nature

7 jaunes d'œufs (125 g)
40 g de sucre

1 pincée de sel
7 blancs d'œufs
150 g de sucre

Crème au beurre :
4 œufs (250 g)
200 g de sucre
1 pincée de sel
500 g de beurre
100 ml de Grand Marnier

C'est un architecte allemand qui commanda pour son mariage cette savoureuse création pâtissière à Adolf Andersen. L'art de dresser les gâteaux dans l'équilibre et la légèreté n'est-il pas, à sa manière, un autre genre d'architecture ? Mais n'allons surtout pas rêver du Venezuela quand il nous faut choisir et peser exactement les éléments, les préparer dans le calme et la concentration, et les assembler sans fausse note.

Avec 500 g de beurre dans la crème au beurre (pour seulement 200 g de sucre), il va de soi que l'on ne peut accepter qu'un beurre de première qualité, d'une parfaite douceur : prenez garde à ne pas fouetter trop longtemps cette crème, pas plus de 8 minutes en tout, car elle perdrait sa légèreté.

Vous gagnerez sans doute à préparer le fond de biscuit de caracas la veille, car il doit être bien cuit et bien ferme. Il se peut d'ailleurs qu'il le soit trop, auquel cas vous le couvrirez à la sortie du four, pour condenser la vapeur d'eau qu'il contient encore et l'assouplir du même coup.

Les goûts diffèrent selon les régions : Adolf Andersen considère ainsi que le Nord de l'Allemagne est davantage porté sur la chantilly, alors que la crème au beurre se prévaut d'un excellent accueil au Sud. Dans l'un ou l'autre cas, il se montre également sévère dans ses choix : une production de cette envergure nécessite un ensemble d'ingrédients d'une exceptionnelle qualité.

1. Pour le biscuit de caracas, faire fondre le beurre, mélanger la pâte de pralin, la farine tamisée et la chapelure de biscuits. Travailler au fouet la pâte d'amandes, les jaunes d'œufs, 40 g de sucre et le sel jusqu'à l'obtention d'une pâte bien lisse. Monter les blancs en neige avec les 150 g de sucre. En mélanger un tiers avec les jaunes. Incorporer le reste des blancs au mélange farine-pralin, ajouter le beurre et finir de mélanger avec les jaunes d'œufs en évitant de fouetter trop longtemps.

2. Recouvrir de papier sulfurisé une plaque à pâtisserie de 60 x 40 cm. Étaler avec une spatule la pâte à biscuit et cuire 15 minutes à 170 °C. Pour la crème au beurre, monter les œufs, le sucre et le sel en sabayon au bain-marie jusqu'à 37 °C. Retirer du bain-marie et continuer de battre jusqu'à complet refroidissement. Travailler le beurre jusqu'à ce qu'il devienne blanc et crémeux, puis y incorporer progressivement le sabayon.

Caracas

3. Étaler l'abaisse de biscuit sur le plan de travail. Incorporer le Grand Marnier dans la crème au beurre et en masquer l'ensemble du biscuit.

4. Couper cette abaisse en bandes de 9, 7, 6, 5, 4, 3 et 1,5 cm de large, puis monter en triangle en assemblant les lanières les unes sur les autres. Terminer en recouvrant de crème au beurre. Décorer l'entremets en délimitant les tranches de biscuit de caracas d'un trait de crème au beurre. Mettre au frais pendant 2 heures.

Préparation   *40 minutes*
Cuisson   *15 minutes*
Difficulté   ★ ★

Pour 4 personnes

Biscuit :
30 g de fécule de blé
30 g de farine type 550
5 jaunes d'œufs (90 g)
5 blancs d'œufs (160 g)
75 g de sucre

Crème :
3 feuilles de gélatine
350 ml de crème fleurette
2 jaunes d'œufs (36 g)
2 cuil. à soupe de sucre
contenu d'¹/₂ gousse de vanille

Garniture :
500 g de fraises ou framboises

Décoration :
sucre glace

Il faut d'abord choisir les fraises. Plus elles sont petites et rouges, couvertes de nombreux akènes bruns, plus elles ont de saveur et de charme. En outre, de petites fraises vous donneront moins de peine pour leur mise en place. Et puisque les rêves découlent d'une logique inexplicable, Adolf Andersen vous permet aussi d'y incorporer des framboises ou d'autres fruits de saison.

La préparation du biscuit qui sert de support demande un peu d'attention. Vous procéderez la veille, si vous le pouvez, sans oublier la fécule de blé, qui facilite la découpe finale. Il faut que le biscuit ait bien refroidi pour le garnir de crème, puis de fruits, et enfin du couvercle – à poser avec délicatesse, car la moindre pression nuirait au bel équilibre de la construction.

Notre chef recommande aux amateurs d'effets visuels de couper une part avant de présenter le gâteau, pour qu'apparaissent en coupe le fond, la crème et les fraises, et que soit ainsi flatté l'œil des convives avant la dégustation.

1. Pour le biscuit, tamiser ensemble la fécule et la farine. Battre les jaunes d'œufs en crème. Monter les blancs en neige avec le sucre et en mélanger un tiers avec les jaunes. Mélanger le tout à la farine et à la fécule à l'aide d'une spatule en bois. Terminer en incorporant très délicatement le reste des blancs d'œufs.

2. Recouvrir une plaque de pâtisserie de papier sulfurisé et dresser des cercles de biscuit à l'aide d'une poche munie d'une douille unie n° 9 de 16 cm de diamètre. Faire cuire 10 à 12 minutes au four à 180 °C. Laisser refroidir et retirer le papier.

le fraises

3. Pour la crème, faire ramollir les feuilles de gélatine à l'eau froide. Monter la crème en chantilly. Mélanger les jaunes d'œufs, le sucre et la vanille, puis monter en sabayon au bain-marie. Liquéfier la gélatine et la mélanger au sabayon avec un dixième de la crème montée, puis ajouter délicatement le reste de crème. Poser les fonds de biscuit sur le plan de travail et les recouvrir de fruits.

4. Verser la crème dans une poche munie d'une douille unie n° 10 et en masquer les fruits. Poser dessus le second biscuit et presser légèrement. Laisser reposer 2 heures au frais. Saupoudrer de sucre glace avant de servir.

Préparation   *45 minutes*
Cuisson   *20 minutes*
Difficulté   ✲ ✲

Pour 10 personnes

Biscuit :
50 g de farine type 550
40 g de cacao en poudre
50 g de chocolat semi-amer
6 blancs d'œufs (210 g)
175 g de sucre

Crème au beurre à la mangue :
2 œufs (125 g)
200 g de sucre
1 pincée de sel
250 g de beurre
2 mangues pas trop mûres

On imagine volontiers que pendant l'hiver, dans le climat souvent maussade où évoluent les Hambourgeois, l'apparition dans les pâtisseries d'une spécialité aux mangues produit l'impression d'un soudain rayon de soleil. C'est bien l'effet que vise Adolf Andersen en soulignant d'un nom fort séduisant cette création, dont l'exotisme a déjà rencontré de vifs succès. La mangue, qui joue ici un rôle essentiel, est aujourd'hui bien connue des Européens. Ils ne savent pourtant pas toujours que l'on en recense plus de 1 000 variétés… Dans le cas présent, vous choisirez des fruits bien mûrs, dépourvus de filaments (évitez les mangues sauvages, généralement très fibreuses), sans oublier que vous aurez quelque peine avec leur noyau, très adhérent à la chair.

Notre chef préconise d'abord la mangue d'Afrique du Sud, pour sa texture et son goût ; mais on rencontre aussi la variété julie, des Antilles françaises, dont les qualités sont très appréciables. L'une et l'autre s'uniront volontiers au chocolat du biscuit, pour un mariage dont la subtilité déconcerte et ravit les amateurs.

Pour que le biscuit de la roulade ait la souplesse voulue, vous êtes invité à lui réserver beaucoup de jaunes d'œufs, sachant que les blancs serviront à confectionner des glaces, meringues ou fonds de gâteau. Évitez de trop le dessécher à la cuisson et couvrez-le d'un film à la sortie du four si vous ne pouvez pas l'employer tout de suite.

1. Pour le biscuit, tamiser ensemble farine et cacao. Faire fondre au bain-marie le chocolat. Battre les blancs au bain-marie tiède. Les sortir et continuer à battre en incorporant le sucre en pluie. Mélanger le chocolat aux blancs, incorporer farine et cacao. Dresser la pâte à biscuit sur une plaque garnie de papier sulfurisé ; cuire au four à 160 °C 14 à 17 minutes. Renverser le biscuit sur un linge saupoudré de sucre. Mouiller le papier avec un pinceau et décoller. Rouler le biscuit avec le linge et laisser refroidir.

2. Pour la crème au beurre, monter en sabayon les œufs, le sucre et le sel au bain-marie. Lorsque la température atteint 37 °C, retirer du feu et continuer à battre jusqu'à complet refroidissement. Travailler le beurre jusqu'à ce qu'il devienne blanc et crémeux (environ 15 minutes), puis le mélanger au sabayon. Éplucher l'une des mangues et la couper en lanières très fines.

à la mangue

3. Éplucher la seconde mangue, enlever le noyau, écraser la chair et la passer au chinois pas trop fin. Mélanger la purée obtenue avec la crème au beurre et mettre au frais.

4. Dérouler le biscuit, le recouvrir de lanières de mangue, masquer le tout de crème à la mangue, rouler à nouveau et mettre au frais 2 à 3 heures. Pour servir, couper en tranches.

Gâteau Sache

Préparation	30 minutes
Cuisson	1 heure 30 minutes
Difficulté	✳ ✳

Pour 8 personnes

Biscuit sacher :
140 g de beurre
80 g de sucre
1 pincée de sel
contenu d'1/2 gousse de vanille

175 g de chocolat demi-amer
4 jaunes d'œufs (70 g)
3 blancs d'œufs (90 g)
40 g de sucre
70 g de farine

Garniture au chocolat :
50 g de chocolat au lait
1/2 cuil. à soupe de miel liquide
2 cuil. à soupe de lait concentré

Que serait la pâtisserie viennoise, que saurait-on des fastes de la double monarchie s'il n'y avait pas depuis 1832 le gâteau Sacher, imaginé à 16 ans par Franz Sacher dans les cuisines du grand Metternich ? Les débats qui ont opposé sur ce point les deux plus célèbres pâtissiers de Vienne, Demel et la « diligente maison Sacher », traduisent assez la valeur symbolique et l'importance de ce régal, qu'apprécie bien au-delà de l'Autriche un public recueilli.

Pour sa part, Adolf Andersen applique à sa version du sacher toute la sérénité requise et rappelle que les pâtissiers de Dresde ont jadis voulu lui donner leur label. Adaptée de ce qui a filtré de la recette originale (dont le secret, paraît-il, est jalousement conservé), elle fait l'objet de multiples confidences.

Une bonne quantité de beurre et de chocolat, une heureuse harmonie dans la température des ingrédients, une force bien mesurée dans le battage, un degré de cuisson habilement tempéré : telles sont les conditions de la réussite. Avec une proportion minimale de farine, votre préparation n'aura plus vraiment l'allure d'un biscuit, mais d'une tranche de chocolat très onctueuse, à déguster avec un délicat diadème de crème fouettée.

C'est dans la version allemande seulement que figure cette garniture au miel, qui améliore la présentation générale du gâteau. Il est indispensable de la préparer à l'avance, car elle doit avoir bien pris au moment de servir pour ne pas courir de risques inutiles au moment de la découpe.

1. Pour le biscuit Sacher, travailler en crème le beurre, le sucre, le sel et la vanille. Faire fondre le chocolat au bain-marie. Incorporer les jaunes d'œufs et le chocolat refroidi dans la masse au beurre. Monter les blancs d'œufs en neige avec le sucre, en ajouter un tiers à la masse au beurre et finir de mélanger délicatement, à l'aide d'une spatule en bois, le reste des blancs ainsi que la farine.

2. Cuire au four 90 minutes à 140 °C dans un moule beurré de 26 cm de diamètre. Laisser refroidir dans le moule. Démouler sur une grille et laisser reposer à couvert pendant une nuit. Pour la garniture, faire fondre au bain-marie le chocolat au lait, puis le laisser tiédir. Mélanger avec le miel et le lait concentré légèrement chauffé pour obtenir une préparation bien lisse.

3. *Égaliser le biscuit au couteau, garder les parures et les passer au tamis. Masquer entièrement le biscuit avec la préparation au chocolat au lait.*

4. *Terminer la décoration du gâteau en recouvrant tout le tour de parures de biscuit passées au tamis. Mettre au frais 45 minutes environ avant de servir.*

Baba

Préparation	30 minutes
Cuisson	40 minutes
Difficulté	★ ★ ☆

Pour 12 personnes

Pâte à baba :
125 ml de lait
15 g de levure de boulanger
200 g de farine
3 jaunes d'œufs
1 pincée de sel
vanille en poudre
zeste râpé d'1/2 citron

25 g de sucre
100 g de beurre
80 g de raisins de Corinthe

Sirop :
500 ml de jus d'orange
250 ml de rhum
250 g de sucre
zeste râpé d'1/2 orange

Décoration :
250 g de fondant
cerises griottes
angélique

L'origine polonaise du baba ne semble faire aucun doute : le mot « baba » désignerait là-bas, par altération enfantine de « babka », une vieille femme ventrue dont l'allure générale serait en rapport avec cette pâtisserie traditionnelle. On accorde à Stanislas Leszczynski, roi de Pologne puis duc de Lorraine, le mérite d'avoir introduit en France le baba, qui portait le nom d'Ali-Baba, son héros préféré des *Mille et une Nuits*. Mais les Autrichiens n'ont pas les mêmes traditions et considèrent que le baba est originaire de Bohême. Quoi qu'il en soit, cette préparation n'est pas des plus faciles et réclame une attention soutenue. Les ingrédients, par exemple : farine bien tamisée, levure fraîche et rhum brun, exclusivement, pour imbiber le baba.

Vous prendrez soin de les travailler tous à température ambiante, à l'exception du lait qui doit être un peu plus chaud (35 °C). On obtient une pâte qui n'est ni trop ferme ni trop liquide : choisir la consistance exacte relève d'une expérience lentement acquise. On garnit ensuite à la poche des moules beurrés et sucrés, à hauteur des deux tiers : en cours de cuisson, le baba doit gonfler et finalement dépasser du moule pour un tiers de son volume.

À la sortie du four, on réserve les gâteaux la tête en bas pour que le moule pèse sur le baba. Après refroidissement, il est temps de l'imbiber du mélange à base de rhum, ce même rhum dans lequel vous aurez fait mariner les raisins secs.

1. Pour la pâte à baba, préparer un levain en faisant tiédir le tiers du lait. Dans un récipient, délayer la levure dans le lait. Ajouter le quart de la farine, mélanger et mettre à lever dans un endroit tempéré. Dans la cuve du batteur, verser le reste de la farine, les œufs, le sel, la vanille, le zeste de citron, le sucre et le reste de lait. Pétrir le tout. En fin de pétrissage, ajouter le levain et, pour finir, le beurre fondu tiède et les raisins.

2. Verser la pâte dans un récipient suffisamment grand et mettre à lever à température ambiante. Couvrir le récipient d'un torchon (la pâte doit doubler de volume). Beurrer des moules à baba et les garnir aux deux tiers de pâte. Remettre à lever et cuire 20 minutes environ à 200 °C.

u rhum

3. Démouler les babas. Pour le sirop, verser le jus d'orange, le rhum, le sucre et le zeste d'orange râpé dans une casserole, puis porter à ébullition. Laisser tiédir. Piquer les babas sur le côté avec une fourchette pour une meilleure pénétration du sirop. Remplir à moitié les moules de sirop et y faire tremper les babas.

4. Égoutter les babas sur une grille. Dans une casserole, faire chauffer le fondant et en glacer chaque baba. Disposer sur l'assiette et décorer avec les griottes et l'angélique.

Préparation	1 heure
Cuisson	30 à 40 minutes
Difficulté	✷ ✷

Pour 8 personnes

Biscuit au chocolat (20 à 24 cm de diamètre):
6 œufs
240 g de sucre
180 g de farine
30 g de cacao en poudre
150 g de beurre

Biscuit blanc (20 à 24 cm de diamètre):
6 œufs
240 g de sucre
250 g de farine
70 g de beurre

Crème au beurre:
350 g de beurre
120 g de sucre glace
50 g de chocolat
80 g de fruits confits macérés au Grand Marnier

Décoration:
Nappage à l'abricot
250 g de pâte d'amandes verte

Les rapports austro-italiens n'ont pas toujours été paisibles et chacun des deux pays garde le souvenir des humiliations qu'il a subies: ainsi la défaite italienne de Caporetto (1917), dont le nom reste symbole en italien d'une épouvantable catastrophe (comme « notre » Bérézina). Mais la pâtisserie n'est pas un art militaire et notre chef viennois ne dédaigne pas de s'inspirer de la pratique des glaciers siciliens pour nous offrir ce délectable entremets mâtiné de fruits confits.

Pour l'esthétique autant que le goût, il importe que ces petits dés de fruits confits soient de couleurs variées et qu'ils aient mariné longuement pour prendre une consistance optimale, bien que secs et fermes à l'origine.

Rien n'est plus utile, pour la confection d'une bombe, qu'un moule bombé dans lequel on procède à une minutieuse installation. Il faut en effet maintenir un heureux contraste entre les parties sombres (chocolat) et les parties claires, sachant bien sûr que les fruits confits s'y répartissent également.

Mieux vaut se réserver une découpe sereine en offrant à l'entremets un séjour prolongé dans le fond du réfrigérateur (une nuit au moins). La consistance de l'ensemble y gagne en fermeté, la résistance au couteau sera meilleure et l'effet produit par les tranches bigarrées, où les fruits confits présentent une ponctuation vivement colorée, réjouira vos convives.

1. Pour le biscuit au chocolat, travailler dans la cuve du mélangeur les œufs et le sucre jusqu'au ruban. Mélanger ensuite à l'écumoire la farine et le cacao tamisés ensemble, puis le beurre fondu tiède. Verser la préparation dans un moule de 20 à 24 cm de diamètre et cuire au four 20 minutes à 180 °C. Procéder de même pour le biscuit blanc.

2. Pour la crème au beurre, travailler au fouet pendant 7 à 8 minutes le beurre ramolli et le sucre glace. Parfumer un tiers de la crème au beurre avec le chocolat fondu au bain-marie. Dans les deux tiers restants, mélanger les dés de fruits confits marinés dans le Grand Marnier et les chutes du biscuit blanc coupées en petits dés.

3. Couper le biscuit au chocolat et le biscuit blanc en quatre abaisses dans le sens de la hauteur. Chemiser un moule rond avec le biscuit au chocolat et le masquer de crème au beurre au chocolat. Recouvrir avec le biscuit blanc et garnir le centre du moule avec le mélange de crème au beurre, de fruits confits et de dés de biscuit.

4. Recouvrir d'un disque de biscuit blanc et placer au réfrigérateur pendant 12 heures. Démouler, enduire entièrement l'entremets de nappage à l'abricot à l'aide d'un pinceau et le recouvrir d'une abaisse de pâte d'amandes verte.

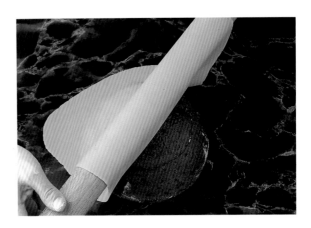

Dürnsteiner

Préparation	30 minutes
Cuisson	30 minutes
Difficulté	★ ★

Pour 8 personnes

Biscuit :
8 jaunes d'œufs
150 g de sucre glace
50 g de farine
150 g de poudre d'amandes
120 g de cacao en poudre
8 blancs d'œufs

Crème au beurre au chocolat :
150 g de beurre
100 g de sucre glace
50 g de chocolat de couverture

Décoration :
200 g d'amandes effilées
sucre glace
quelques motifs en chocolat

La Croisade ne valut que des ennuis à Richard Cœur de Lion, roi d'Angleterre (1157-1199). Après avoir offensé Léopold d'Autriche au siège de Saint-Jean d'Acre, il fit naufrage en revenant vers l'Angleterre et tomba au pouvoir de ce même Léopold, qui le fit enfermer dans son château de Dürnstein, dans la vallée de la Wachau. C'est là que, si l'on en croit la tradition romantique, son ami le troubadour Blondel retrouva Richard, en chantant par hasard une romance anglaise à deux pas de son cachot.

Cette émouvante légende plante le décor où naquit sans doute le Dürnsteiner, aujourd'hui exclusivement fabriqué par la maison Demel, fondée en 1786 et fournisseur de la cour impériale et royale depuis le début du XIXᵉ siècle.

La préparation du gâteau suppose un commerce assidu avec les amandes, qu'il faut employer ici avec leur peau, contrairement à l'habitude. Ce dispositif affirme leur goût et permet une meilleure liaison avec la farine lors de la délicate élaboration de l'appareil. Aucun autre produit ne pourrait en l'occurrence se substituer à l'amande, car son parfum, son huile essentielle et ses divers sels minéraux sont indispensables à cette composition. Pour tirer le meilleur parti de leur arôme, il faut griller les amandes et les rafraîchir en temps utile.

La réussite de la crème au beurre dépend en partie du respect de la température ambiante à laquelle doivent se trouver tous les ingrédients si vous souhaitez lui donner une consistance convenable.

1. Pour le biscuit, travailler les jaunes d'œufs avec la moitié du sucre jusqu'au ruban dans la cuve du batteur. Incorporer la farine, la poudre d'amandes et le cacao tamisés. Mélanger délicatement les blancs d'œufs montés en neige avec le reste de sucre, puis verser l'appareil dans un moule beurré et fariné. Cuire au four 20 minutes environ à 180 °C.

2. Pour la crème au beurre au chocolat, travailler au fouet pendant 7 à 8 minutes le beurre ramolli et le sucre glace. Ajouter en dernier le chocolat fondu au bain-marie presque froid.

3. Découper le biscuit en trois abaisses d'égale épaisseur. Monter l'entremets en recouvrant tour à tour les abaisses de biscuit avec la crème au chocolat. Étaler les amandes effilées sur une plaque à pâtisserie, les saupoudrer de sucre glace et les faire griller sous le gril du four.

4. Masquer entièrement l'entremets avec le reste de crème et le recouvrir d'amandes effilées grillées. Saupoudrer le tout de sucre glace et terminer le décor avec des motifs en chocolat.

Préparation   *30 minutes*
Cuisson   *30 minutes*
Difficulté   ★ ★

Pour 8 personnes

Pâte à brioche :
125 ml de lait
20 g de levure
250 g de farine
35 g de sucre
1 cuil. à café de sucre vanillé

1 pincée de sel
2 jaunes d'œufs
jus et zeste râpé d'1/2 citron
40 g de beurre
100 g de raisins de Corinthe macérés
     dans le rhum

Finition :
1 œuf pour dorer

Cette brioche finement tressée offre exactement l'apparence de la natte de cheveux que devait sacrifier la veuve éplorée à son défunt époux lors de ses funérailles. Mais cette coutume barbare (à l'origine, il semble même que la femme devait suivre son époux dans la mort) n'a guère survécu à l'aube du Moyen Âge et cette brioche n'évoque plus aujourd'hui que les douillets petits déjeuners du Kohlmarkt, accompagnés de l'incontournable et savoureux café viennois.

N'hésitez surtout pas à composer cette brioche avec un beurre fortement pourvu de matières grasses (96 %), dont la texture facilitera l'élaboration de la pâte. Cette dernière doit reposer deux fois : une fois roulée en boule à couvert, juste après le pétrissage, et une fois après avoir façonné la tresse (en autrichien, *striezel*).

Pour que cette préparation soit plus aisée, tous les éléments doivent être à température ambiante, sauf le lait qui sera porté à 35 °C. Entre les deux phases de repos, vous aurez pris soin d'incorporer les raisins de Corinthe, macérés ou non, selon votre goût, dans le rhum. La brioche prendra enfin le chemin du four, pour y gagner à peu près le tiers de son volume.

Signalons en outre qu'un pain brioché presque identique fait aussi l'ordinaire des communautés juives pendant le Shabbat.

On y retrouve le principe de la tresse, typique de l'Europe centrale, mais la composition diffère : il n'y a pas de lait et le beurre est remplacé par une huile végétale.

1. Pour la pâte à brioche, confectionner le levain en faisant tiédir la moitié du lait dans un récipient. Délayer la levure dans le lait. Ajouter environ le quart de la farine, mélanger et laisser lever dans un endroit tempéré.

2. Dans un récipient, verser le reste de farine et de lait ainsi que le sucre, le sucre vanillé, la pincée de sel, les jaunes d'œufs, le jus et le zeste râpé du citron, et le beurre fondu. Travailler le tout jusqu'à l'obtention d'une pâte bien homogène. Ajouter en dernier les raisins macérés dans le rhum ainsi que le levain. Déposer dans un récipient et laisser lever à température ambiante.

brioche

3. Lorsque la pâte a doublé de volume, la rabattre. La détailler en six morceaux d'égale grosseur et les rouler en boudins. Disposer les six boudins sur le plan de travail.

4. Poser un poids sur le haut de la tresse, puis confectionner la tresse en croisant les boudins. Badigeonner d'œuf et laisser lever à température ambiante jusqu'à ce que la pâte ait doublé de volume. Dorer une seconde fois et enfourner environ 30 minutes à 190 °C.

Kipfer

Préparation   30 minutes
Cuisson   20 minutes
Difficulté   ✷ ✷

Pour 6 personnes

Sucre vanillé :
2 gousses de vanille
20 g de sucre glace

Pâte à kipferl :
200 g de beurre
60 g de sucre
180 g de farine
100 g de poudre de noisettes
50 ml de rhum

Sauce vanille : voir p. 297

Décoration :
sucre glace

Les invasions turques en Autriche furent l'occasion d'y répandre le croissant, symbole de l'Empire ottoman. On prétend que c'est après la paix de Passarovitz (1718), qui marqua le retrait définitif des envahisseurs, qu'un pâtissier autrichien créa le croissant tel que nous le connaissons aujourd'hui. Cette influence turque était bien sensible dans l'Autriche du XVIIIe siècle, comme l'atteste dans la 11e sonate de Mozart (KV 331) la présence d'un *rondo alla turca*, la célèbre « marche turque ».

Pour les amateurs de précisions, rappelons que l'on distingue deux kipferl en Autriche, l'un solide et l'autre plus fluide. Dans la version qui nous occupe ici, les kipferl à la vanille constituent chez Demel l'un des accompagnements privilégiés du thé.
Pour cette recette, il faut utiliser des noisettes grillées

fraîchement hachées. Laissez reposer la pâte au réfrigérateur après l'avoir pétrie et travaillez-la ensuite à l'ancienne, en la roulant à la main comme les ménagères d'antan. Façonnez de belles cornes, car elles pourraient brûler pendant la cuisson si d'aventure elles étaient trop fines. Sur la plaque du four, espacez suffisamment les kipferl pour les séparer sans problème après la cuisson.

L'addition de sucre se fait en deux fois : d'abord dans la pâte crue – que le sucre rend plus savoureuse –, mais sans excès ; ensuite pour la décoration et l'équilibre final. Ce procédé doit être strictement observé pour conserver tout leur caractère aux gâteaux.

1. Pour le sucre vanillé, fendre les gousses de vanille en deux dans le sens de la longueur. À l'aide d'un couteau, en extraire les graines et les mélanger au sucre glace.

2. Pour la pâte à kipferl, travailler dans la cuve du batteur le beurre en pommade avec le sucre vanillé et le sucre semoule. Ajouter la farine, la poudre de noisettes, le rhum et bien mélanger le tout.

3. Confectionner des rouleaux avec la pâte obtenue. Laisser reposer au réfrigérateur jusqu'au lendemain.

4. Détailler chaque rouleau en morceau de 20 g et les façonner en forme de croissant. Disposer sur une plaque à pâtisserie et faire cuire au four 10 minutes environ à 210 °C. Laisser refroidir et saupoudrer de sucre glace. Servir accompagné d'une sauce vanille.

Préparation   *30 minutes*
Cuisson   *15 à 20 minutes*
Difficulté   ★

Pour 6 personnes

Pâte à œufs kipferl :
200 g de beurre
150 g de sucre glace
6 œufs
200 g de farine

Crème d'amandes :
100 g de pâte d'amandes
100 ml de rhum

Glaçage :
250 g de chocolat de couverture

On aurait tort de croire trouver ici des œufs ou quoi que ce soit de forme ovoïde. Si l'on a brisé, battu, monté, fait cuire ou décoré plusieurs dizaines de millions d'œufs chez Demel depuis la fondation de cette digne maison en 1786, on n'a pas moins développé le talent qui consiste à traiter avec brio des pâtes à forte proportion de blancs, de jaunes ou encore des deux conjugués. Cette recette est d'ailleurs une exclusivité de Demel, qui veille jalousement sur son orthodoxie.

Vous n'emploierez que du beurre, et du meilleur, pour cette préparation qui accepte les œufs l'un après l'autre, avec une minutieuse période d'incorporation pour chacun. La pâte ne prendra sa parfaite consistance que si tous ses éléments sont initialement portés à température ambiante.

Franz Augustin préconise impérativement la pâte d'amandes crue originaire de Lübeck, cette ville du Nord de l'Allemagne où l'on fabrique le massepain le plus réputé d'Europe. Un léger délayage à base de rhum brun la détendra, mais sans excès, car le bouquet de l'alcool pourrait effacer l'arôme des amandes et dénaturer la composition. Le dressage de la pâte sur un papier huilé ne saurait se concevoir que sur une fine épaisseur.

Si vous le souhaitez, vous pouvez réaliser le décor final de glaçage au chocolat avec du cacao en poudre : il sera plus discret et plus léger que du chocolat de couverture, et vous n'aurez ainsi pas besoin de le faire fondre au bain-marie.

1. Pour la pâte, travailler dans la cuve du batteur le beurre et le sucre glace. Ajouter les œufs un par un en mélangeant bien à chaque fois. Terminer par la farine.

2. Recouvrir une plaque à pâtisserie d'une feuille de papier sulfurisé. Verser la pâte obtenue dans une poche munie d'une douille unie et coucher les kipferl en V. Cuire au four 10 minutes environ à 200 °C.

kipferl

3. Pour la crème d'amandes, travailler la pâte d'amandes et le rhum dans un récipient jusqu'à l'obtention d'un appareil bien lisse. En garnir la moitié des kipferl et recouvrir des autres moitiés.

4. Pour le glaçage, faire fondre le chocolat de couverture au bain-marie et en tremper les extrémités des kipferl.

Palet.

Préparation	30 minutes
Cuisson	15 minutes
Difficulté	✳ ✳

Pour 25 palets

Pâte à palets :
400 g de beurre
300 g de sucre glace
3 œufs
650 g de farine

Pâte à pistache :
200 g de pâte d'amandes nature
rhum
40 g de pistaches hachées
20 g de pâte de pistaches

Décoration :
250 g de chocolat de couverture

Così fan tutte, «ainsi font-elles toutes»: ce serait un bel exergue pour un livre de recettes où l'on invite avant tout le lecteur à se dépouiller de toute son originalité pour suivre exactement les conseils qu'on lui prodigue. Mais c'est aussi, bien sûr, le titre d'un opéra déluré de Wolfgang Amadeus Mozart, auquel certains verront peut-être une allusion dans le titre de cette recette.

Ceux-là seront cruellement déçus, car ce n'est pas directement le plus célèbre des enfants de Salzbourg qu'évoque ici Franz Augustin, mais le seul contraste des trois couleurs juxtaposées : le vert de la pâte d'amandes, le brun sombre du chocolat et la clarté du biscuit qui leur sert de base.

Pour veiller à la consistance de la préparation, vous travaillerez les ingrédients à froid, surtout le beurre et les jaunes d'œufs. Pour la pâte d'amandes, assurez-vous qu'elle provient de Lübeck et qu'elle est crue, ce qui lui donne une plus forte capacité d'absorption du sucre. On vous accorde enfin le droit d'employer du chocolat liquide à la place de la couverture, dont la fusion réclame une température élevée.

Au moment d'étaler la pâte, le *nec plus ultra* consiste à la décorer au moyen d'un rouleau cannelé et de garantir la pérennité de ce décor par un séjour préalable au réfrigérateur. Il en résulte un aspect crénelé du biscuit, flatteur pour l'œil, au cours de la dégustation.

1. Pour la pâte à palets, travailler le beurre en pommade avec le sucre glace, ajouter les œufs et bien mélanger le tout. Incorporer la farine tamisée et laisser reposer au frais 1 heure environ. Étaler la pâte sur une épaisseur de 3 mm.

2. Découper à l'emporte-pièce rond uni des cercles de 4 cm de diamètre. Les disposer sur une plaque à pâtisserie et cuire au four 15 minutes à 200 °C.

l'Amadeus

3. Une fois les palets cuits, les déposer sur une grille et laisser refroidir. Pour la pâte à pistache, travailler au fouet la pâte d'amandes avec le rhum. Lorsque le mélange est bien lisse, ajouter les pistaches hachées et la pâte de pistaches. Garnir la moitié des palets de pâte à pistache et recouvrir avec les autres moitiés.

4. Dans une casserole, faire fondre le chocolat de couverture au bain-marie. Glacer à moitié chaque palet avec le chocolat à l'aide d'une spatule en bois ou d'une cuillère pour éviter de répandre du chocolat sous le palet. Servir quatre à cinq palets par personne.

Préparation	*20 minutes*
Cuisson	*1 minute*
Difficulté	✫

Décoration :
queues de cerises

Pour 6 personnes

500 ml de calvados
250 g de pâte d'amandes nature
1 jaune d'œuf
colorant rouge

Il s'agit de fruits déguisés, comme on l'entend d'ordinaire dans l'univers des pâtissiers et confiseurs. Beaucoup rivalisent d'adresse dans la sculpture et la coloration de ces fruits miniatures en pâte d'amandes, l'un des fleurons de la tradition autrichienne : bananes, cerises, poires voisinent d'ailleurs avec la copie de certains légumes, judicieusement choisis parmi les plus spectaculaires – aubergines, choux-fleurs, choux frisés…

Franz Augustin rappelle au préalable que la couleur joue dans l'affaire un rôle déterminant, et qu'il faut strictement respecter l'harmonie discrète du jaune et du rouge pour s'inscrire dignement dans les habitudes de la séculaire maison Demel. Ainsi le veut la nature qui colore à sa façon les vraies pommes.

La pâte d'amandes doit provenir de Lübeck, la capitale historique du massepain, et présenter les critères de souplesse utiles au façonnage des pommes. Pour cette raison – et pour donner aux fruits déguisés l'arôme des pommes –, vous détendrez la pâte au calvados, natif par définition de notre Pays d'Auge, qui jouit d'une appellation d'origine contrôlée (A.O.C.). Enfin, notre chef recommande après coloration de lustrer les pommes à la gomme arabique pour les revêtir du brillant qui séduit.

Encore un conseil pour finir : les queues de cerises qui représenteront les tiges des pommes devront avoir séché plusieurs jours à l'air et être légèrement raccourcies.

1. Incorporer le calvados à la pâte d'amandes. Donner à cette pâte la forme d'un rouleau et le découper en morceaux de 10 g.

2. Rouler chaque morceau entre les mains pour lui donner la forme d'une pomme. Déposer les pommes sur une plaque allant au four recouverte de papier sulfurisé. Badigeonner de jaune d'œuf et faire sécher à l'étuve.

pâte d'amandes

3. À la sortie de l'étuve, colorer les pommes au pinceau avec un peu de colorant rouge détendu avec une goutte d'eau. Remettre à l'étuve pour finir de sécher.

4. Décorer chaque pomme d'une petite queue de cerise.

Tarte à la

Préparation   45 minutes
Cuisson   30 à 40 minutes
Difficulté   ★ ★

Pour 10 à 12 personnes

Biscuit (voir p. 288) :
6 œufs
250 g de sucre
250 g de farine
50 g de beurre

Fraises confites :
100 g de sucre
eau
300 g de grosses fraises

Coulis de fraises :
150 g de fraises
100 g de sucre

Crème au beurre :
300 g de beurre
100 g de sucre glace

Masquage :
200 g de marmelade de fraises

Décoration :
300 g de fondant
2 cuil. à soupe de coulis de fraises
colorant rouge
quelques violettes confites

Comment concilier l'envie des amateurs de fraises et les caprices de la nature qui ne les fait mûrir que pendant une trop brève saison ? Franz Augustin se flatte ici d'une solution qui satisfait les gourmets les plus exigeants : les fruits bien mûrs sont rigoureusement sélectionnés en été, cuits et sucrés, mis en bocaux et conservés dans les caves pour servir toute l'année à cet usage exclusif. Ainsi conservent-ils aisément leur parfum et leur consistance, tout ce qui fonde une pâtisserie de grande qualité.

On constate aujourd'hui que la plupart des fraisiers cultivés sont des plants d'origine américaine (Virginie ou Chili) qui produisent des fruits relativement petits. Notre chef recommande au contraire des fraises bien grosses, plus riches en arôme.

Vous aurez soin de préparer le biscuit la veille pour qu'il repose toute la nuit : la marmelade dont on badigeonne la tarte sera donc bien ferme pour accueillir sans risque le fondant, tout comme la crème qui garnit le biscuit, dont la consistance aura pris son degré optimal. Il est important de procéder ainsi, sinon la moindre pression que vous exercerez dans la phase de décoration pourrait avoir sur l'équilibre des différents composants des effets catastrophiques.

1. Préparer le biscuit et le cuire au four environ 20 minutes à 200 °C. Une fois refroidi, le couper en quatre abaisses. Pour les fraises confites, faire un sirop avec le sucre et l'eau, puis mettre les fraises à feu doux en les conservant entières le plus possible. Pour le coulis, passer les fraises au tamis et ajouter le sucre. Pour la crème au beurre, travailler au fouet 7 à 8 minutes le beurre ramolli et le sucre glace. Parfumer la crème avec le coulis de fraises.

2. Garnir le biscuit de crème au beurre couche par couche et le parsemer de fraises confites. Masquer l'entremets de marmelade de fraises et placer au frais 2 heures environ.

crème de fraises

3. Dans une casserole, faire chauffer le fondant, ajouter le coulis de fraises et finir la coloration avec une goutte de colorant rouge.

4. Sortir la tarte du réfrigérateur. Glacer le dessus avec le fondant rose. Décorer tout autour à l'aide d'un cornet et terminer en disposant des violettes confites.

Anneau de nouga

Préparation	1 heure 30 minutes
Cuisson	40 minutes
Difficulté	★ ★

Pour 8 personnes

Anneau de nougat, crème vanille, crème charlotte et crème au beurre : voir p. 291

Crème au beurre au kirsch :
crème au beurre
150 ml de kirsch

Crème vanille légère :
150 g de crème charlotte
1 gousse de vanille
150 g de crème vanille
600 ml de crème fouettée

Nougatine :
200 g de sucre
150 g d'amandes hachées
1 cuil. à soupe de glucose

Bien qu'il soit originaire du Mexique, le vanillier s'est fort bien accommodé d'autres climats, par exemple celui de l'île de la Réunion, dont sa gousse a gardé l'ancien nom de Bourbon. C'est une liane de section ronde, charnue, de la famille des orchidacées. Dans sa version initiale, le fruit se présente sous la forme d'une capsule verte oblongue, de 15 à 20 cm de long, et légèrement triangulaire.

Après la cueillette, la gousse est plongée dans l'eau frémissante, puis séchée au soleil avant de subir un assez long séjour en séchoir (parfois plusieurs mois, le temps que son arôme prenne de la maturité). C'est alors qu'elle est commercialisée et qu'elle parvient sur nos marchés, presque noire et très souple. On en parfume par exemple le sucre cristallisé par broyage simultané, puis on le laisse quelque temps en bocaux pour obtenir le sucre vanillé des pâtissiers.

La présente composition doit encore son élégance à sa couverture de nougatine pilée, qu'il faut préparer à l'avance et préserver de l'humidité. La cuisson du nougat demande une belle coloration, mais sans nuire au goût des amandes et de la vanille. Notez enfin qu'il faut prévoir pour la crème légère à la vanille un beurre de très grande qualité : la consistance de la crème doit être suffisante pour ne pas compromettre le montage final, ce qui vous amènera peut-être à la faire séjourner quelque temps au congélateur.

1. Préparer le biscuit pour l'anneau ainsi que la crème vanille et la crème charlotte. Fouetter la crème fleurette en chantilly. Beurrer et fariner un moule à savarin, le garnir aux deux tiers de pâte à biscuit et cuire au four environ 40 minutes à 170 °C. Réaliser la crème au beurre et la parfumer au kirsch.

2. Pour la crème vanille légère, faire ramollir la crème charlotte à feu doux, y ajouter la gousse de vanille coupée en deux dans la longueur et laisser infuser 10 minutes hors du feu. Ôter et vider la gousse de vanille, remettre les graines dans la préparation et ajouter la crème vanille. Bien mélanger, puis incorporer la crème fouettée.

à la vanille de Bourbon

3. Couper le biscuit en trois abaisses dans le sens de la hauteur, masquer chaque abaisse de crème vanille légère (environ 2 cm d'épaisseur) et réserver 30 minutes au congélateur. Pendant ce temps, préparer la nougatine : faire fondre à sec le sucre avec les amandes hachées et le glucose jusqu'à l'obtention d'une couleur dorée. Laisser refroidir, puis écraser.

4. Sortir l'entremets du congélateur, le masquer entièrement d'une fine couche de crème au beurre au kirsch et le recouvrir de nougatine pilée. Laisser refroidir 4 heures.

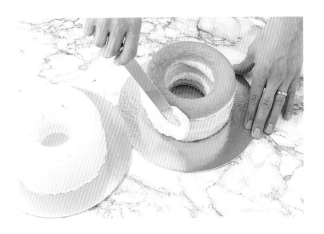

Birnenweggl

Préparation	*45 minutes*
Cuisson	*35 minutes*
Difficulté	☆

Pour 16 birnenweggli

Pâte à gâteau :
500 g de farine
325 g de beurre
165 ml d'eau
15 g de sel

Farce de base :
voir p. 292

Farce à birnenweggli :
100 g d'orangeat (écorces d'oranges confites)
100 g de noix hachées
100 g de raisins de Smyrne
1,25 kg de farce de base

Épices à birnenweggli :
10 g d'anis en poudre
10 g de cannelle en poudre
5 g de clous de girofle en poudre
5 g de noix muscade en poudre
5 g de coriandre en poudre

Finition :
1 jaune d'œuf pour dorer

Pour Éric Baumann, ces petits pains aux poires sont porteurs de savoureux souvenirs d'enfance. Son grand-père, pâtissier à Lausanne, les réalisait déjà vers la fin du siècle dernier. Toutes les occasions de les consommer aujourd'hui sauraient-elles valoir la nostalgie des cours de récréation et des goûters où chacun de ses camarades exhibait fièrement les petites pâtisseries qu'avaient fourrées leur mère ou grand-mère ? Mais la nostalgie n'est pas prétexte à traiter à la légère cette préparation.

Même si la composition de la farce ne semble pas très difficile, on aura soin de la mixer très finement et d'éviter de la surcharger d'épices : les quelques morceaux de fruits qui subsistent ne doivent pas être masqués par un excès d'anis ou de cannelle.

Les amateurs d'arômes subtils seront sans doute comblés du voisinage des divers fruits séchés ou confits : écorces d'oranges, raisins sultans (gonflés environ 1 heure dans l'eau) et noix hachées.

Dorure et cuisson réclament toute votre attention. L'épaisseur de l'abaisse a également son importance, mais on doit selon notre chef « apprécier la pâte, mais aussi la farce ». En dernier lieu, vous dessinerez à la surface les croisillons traditionnels.

Rappelons enfin qu'à Zurich on réalise aussi d'autres biscuits, par exemple le leckerle, qui comporte du miel, des amandes, des clous de girofle et de la cannelle.

1. Pour la pâte à gâteau, fraiser la farine avec le beurre, puis ajouter l'eau et le sel. Mélanger, puis pétrir jusqu'à l'obtention d'une pâte bien homogène. Mettre au frais. Pour la farce de base, mélanger tous les ingrédients, puis les broyer finement au robot-coupe. Pour la farce à birnenweggli, hacher grossièrement les écorces d'oranges confites et les noix, ajouter le reste des ingrédients ainsi que les épices, puis mélanger le tout avec la farce de base.

2. Abaisser la pâte à gâteau sur 1,5 mm d'épaisseur. Enfoncer un moule en bois spécial birnenweggli en laissant déborder la pâte de 3 cm de chaque côté. À l'aide d'une poche, garnir de farce.

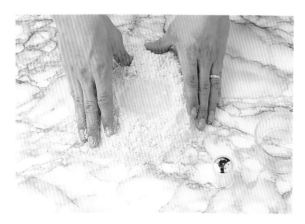

3. Dorer les bords de la pâte et les rabattre sur la farce ; presser légèrement pour les faire adhérer. Réserver au frais 10 minutes environ. Sur un marbre fariné, démouler le gâteau et le découper en morceaux de 10 cm de long.

4. Disposer les morceaux sur une plaque de cuisson et les dorer au jaune d'œuf. Dessiner des croix et piquer la pâte trois fois avec une fourchette. Cuire au four 35 minutes environ à 170 °C. Laisser refroidir 10 minutes avant de servir.

Entremets de mandarines

Préparation   40 minutes
Cuisson   40 minutes
Difficulté   ★

Pour 8 personnes

Crème charlotte :
250 ml de lait
90 g de sucre
7 à 8 jaunes d'œufs (150 g)
15 g de gélatine en feuilles

Crème d'orange :
200 ml de crème charlotte
110 ml de jus d'orange concentré
500 ml de crème fouettée

Génoise : voir p. 294

Sirop d'orange :
100 ml de jus d'orange frais
50 ml de sirop de sucre

Garniture :
quartiers de mandarines au sirop

Nougatine :
200 g de sucre
150 g d'amandes hachées
1 cuil. à soupe de glucose

Gelée miroir suisse : voir p. 294

Décoration :
crème fouettée
amandes effilées grillées

On verra peu d'objections à faire se côtoyer l'orange et la mandarine. Sans doute originaire de Chine (c'est bien l'«orange des mandarins»), la mandarine est peu courante en Suisse, bien qu'elle ensoleille de multiples marchés d'Europe en novembre et décembre. Éric Baumann s'efforce donc de la faire mieux connaître à ses compatriotes au travers de cette savoureuse préparation.

Vous choisirez des mandarines espagnoles (l'Espagne en est l'un des plus importants producteurs), mais en sachant que les quartiers au sirop vendus dans le commerce sont ensuite conditionnés… au Japon ! Belle performance de nos capacités contemporaines en matière de circulation et de conservation des fruits.

Du goût et de la couleur de la mandarine, on retiendra qu'ils sont différents de ceux de l'orange, présente ici sous la forme d'un jus concentré de qualité, à préparer le plus tard possible pour lui conserver toutes ses propriétés. Par le fait, la crème d'orange devra être réalisée dans l'instant, à la différence de la génoise et de la crème charlotte que vous aurez pu préparer la veille.

Il faut enfin, pour un décor à la mesure de ce mets, préparer la nougatine avec beaucoup de soins. Pour griller les amandes effilées, étalez-les convenablement sur une plaque, passez-les au four à 150 °C et retournez-les toutes les 5 minutes. Et enfin, pourquoi se refuser le plaisir d'un accompagnement au Grand Marnier ?

1. Pour la crème charlotte, porter à ébullition le lait et le sucre. Travailler les jaunes d'œufs au fouet. Mélanger les deux masses et cuire à 82 °C comme une crème anglaise. Ajouter la gélatine ramollie à l'eau froide et mettre au frais. Pour la crème d'orange, remettre à température la crème charlotte et ajouter le jus d'orange concentré. Mélanger le tout et terminer en incorporant la crème fouettée.

2. Confectionner la génoise. Chemiser les moules d'une bande de Rhodoïd et les déposer sur un carton à gâteau. Poser dans le fond une abaisse de génoise d'1 cm d'épaisseur, l'imbiber de sirop d'orange, masquer de crème d'orange et ajouter les quartiers de mandarines au sirop.

la crème d'orange

3. Recouvrir les mandarines de crème d'orange. Poser par-dessus la seconde abaisse de génoise, l'imbiber de sirop et la masquer avec le reste de crème. Réserver au froid environ 4 heures. Pendant ce temps, préparer la nougatine : faire fondre à sec le sucre avec les amandes et le glucose jusqu'à l'obtention d'une couleur dorée. Laisser refroidir, puis écraser.

4. Démouler l'entremets et le masquer entièrement de crème fouettée. Décorer le bord du gâteau d'une couronne de quartiers de mandarines au sirop et les lustrer avec la gelée. Garnir le centre d'une rosace de crème fouettée et parsemer de nougatine pilée. Masquer le tour d'amandes effilées grillées. Servir frais.

Madeleines

Préparation   20 minutes
Cuisson   40 minutes
Difficulté   ★

Pour 16 madeleines

400 g d'amandes blanches fines
400 g de sucre
10 g d'amandes amères
3 blancs d'œufs (120 g)
6 g de zeste de citron râpé
5 jaunes d'œufs (100 g)

6 œufs (320 g)
120 g de sucre
140 g de Maïzena
140 g de beurre

Chemisage des moules :
chapelure de biscuits

Si l'on en croit De La Reynière, Madeleine Paumier était cuisinière chez Madame Perrotin de Barmond lorsqu'elle inventa le gâteau qui depuis porte son prénom. Cette hypothèse ne nous avance guère, puisque l'on ne sait rien de ces dames. La madeleine semble faire nos délices depuis le Moyen Âge et quelques villes en revendiquent jalousement la paternité : Commercy en Lorraine (efficacement promue au XVIIIᵉ siècle par Stanislas Leszczynski), Illiers-Combray à côté de Chartres (à cause de Proust), Saint-Yrieix en Limousin, etc.

Inspiré de la coquille Saint-Jacques dans sa forme, ce petit gâteau sec réclame de nombreuses précautions, notamment dans le choix des amandes, à broyer par deux fois pour les réduire en une poudre assez fine. Vous vous en tiendrez à des amandes blanches, espagnoles (*marcona*), italiennes (*avola*) ou provençales (*aï*). L'objectif du double broyage est d'évacuer l'huile d'amandes et d'offrir une masse sèche – mais un broyage trop efficace pourrait avoir de fatales conséquences en cours de cuisson. Il faut donc trouver le juste milieu et laisser les amandes reposer quelques minutes après broyage.

Vous devrez doser la cuisson, car ce gâteau déteste noircir : la température du four doit être assez modérée pour que les madeleines gardent une belle couleur dorée, mais assez forte pour que leur croûte ne soit pas trop épaisse. Conservez-les ensuite quelques jours enveloppées dans un film alimentaire.

1. Broyer finement par deux fois au robot (ou mieux encore, dans une broyeuse) les amandes fines, le sucre et les amandes amères.

2. Verser la préparation obtenue dans un récipient. Y mélanger les blancs d'œufs, le zeste de citron râpé, puis broyer finement le tout encore une fois.

...ux amandes

3. Travailler cette masse, puis incorporer petit à petit les jaunes et les œufs jusqu'à l'obtention d'un mélange bien homogène. Terminer en incorporant le sucre, la Maïzena et, en dernier, le beurre fondu.

4. Beurrer les moules et les chemiser d'une fine chapelure de biscuits. Répartir la pâte dans les moules, soit environ 100 g pour une madeleine. Cuire au four 40 minutes environ à 170 °C. Laisser refroidir avant de servir.

Mousse légère

Pâte à cigarettes et biscuit roulade nature :
voir pp. 296 et 290

Préparation	2 heures
Cuisson	10 minutes
Difficulté	★

Pour 8 personnes

Biscuit roulade spécial :
225 g de poudre d'amandes
225 g de sucre glace
60 g de farine
4 œufs
45 g de beurre
6 blancs d'œufs
30 g de sucre
colorant jaune

Crème au citron :
130 ml de jus de citron vert
15 ml de concentré de citron vert
45 g de sucre, zeste râpé d'1 citron vert
2 jaunes d'œufs (35 g)
12 g de gélatine en feuilles
Sirop de citron :
25 ml de sirop de sucre tiède
50 ml de jus de citron
Meringue italienne :
130 g de sucre, 45 ml d'eau
4 blancs d'œufs (145 g), 70 g de sucre
450 ml de crème fouettée
Décoration :
glaçage vert et jaune, gelée miroir (voir p. 294)
quelques groseilles

Vous ne trouverez nulle part un agrume plus accommodant que le citron. Un arôme d'une puissance exceptionnelle, des vitamines comme s'il en pleuvait, une étonnante capacité à mûrir artificiellement : tout concourt à faire du citron l'un des fruits les plus généreux que nous connaissons. C'est donc justice que de lui offrir des entremets légers comme celui-ci, qui met brillamment en valeur ses qualités.

Éric Baumann présente ici une tourte fruitée peu habituelle en Suisse. Il y fait une belle place au citron mexicain, le citron vert (ou lime), sensiblement plus petit que les différentes variétés de citrons jaunes puisqu'il a grosso modo le calibre d'une belle noix. C'est un fruit à très faible teneur en lipides et en protides, mais très riche en goût.

S'il n'est pas toujours d'un maniement commode (par exemple, lorsqu'il faut le râper), le citron vert constitue le principal élément de la crème, qu'il parfume avec force. Pour éviter tout inconvénient, vous seriez bien inspiré de préparer cette crème la veille, car il faut prendre le temps de bien la laisser refroidir avant de lui incorporer la meringue. Dans tous les cas, réservez-vous assez de temps, le succès n'étant pas compatible avec la fébrilité.

Il en est de même pour le biscuit roulade : préparez-le partiellement à l'avance et réservez-le sous un film alimentaire. Les novices commenceront par des préparations de petit diamètre, quitte à les développer à mesure de la confirmation de leurs talents.

1. Pour le biscuit roulade spécial, travailler la poudre d'amandes, le sucre glace et la farine avec la moitié des œufs. Ajouter peu à peu au fouet le reste des œufs, puis le beurre fondu. Monter les blancs en neige avec le sucre, mélanger les deux masses et colorer légèrement en jaune. En étaler une fine couche sur une feuille plastique, la rayer au peigne et la mettre au congélateur. À la sortie, masquer d'une couche de pâte à cigarettes et cuire au four 6 à 7 minutes à 220 °C.

2. Pour la crème au citron, porter à ébullition le jus de citron, le concentré, le sucre et le zeste râpé. Travailler les jaunes au fouet, mélanger les deux masses et cuire à la nappe comme pour une crème anglaise. Hors du feu, ajouter la gélatine ramollie à l'eau froide. Préparer le sirop de citron en mélangeant le sirop de sucre à 28 °C avec le jus de citron.

u citron

3. Pour la meringue italienne, chauffer le sucre et l'eau à 121 °C. Verser en filets sur les blancs montés en neige avec le sucre et fouetter jusqu'à complet refroidissement. Mélanger la meringue avec la crème au citron et terminer en incorporant la crème fouettée. Chemiser le moule d'une bande de Rhodoïd. Couper des bandes de biscuit roulade spécial et les appliquer à l'intérieur du moule (elles doivent être inférieures d'1 cm à la hauteur du moule).

4. Disposer un disque de biscuit roulade nature au fond du moule et garnir de crème au citron aux deux tiers de la hauteur du moule. Recouvrir d'un disque de biscuit, l'imbiber de sirop de citron et finir de remplir le moule avec le reste de crème au citron. Déposer 4 heures au congélateur. Glacer la surface de l'entremets d'un miroir vert et jaune, puis napper d'une fine couche de gelée. Décorer de quelques groseilles. Servir frais.

Pudding

Préparation   15 minutes
Cuisson   35 minutes
Difficulté   ✶

Pour 8 personnes

Pâte de Linz :
150 g de beurre
80 g de sucre
2 œufs (70 g)
1 pincée de sel
2 g de cannelle en poudre
zeste râpé d'1/2 citron
130 g de poudre de noisettes
200 g de farine

Pâte à pudding :
160 g de pain de mie (sans croûte)
200 ml de lait
100 g de beurre
1 pincée de zeste de citron râpé
1 pincée de cannelle en poudre
100 g de poudre d'amandes blanches
100 g de sucre
4 jaunes d'œufs (80 g)
4 blancs d'œufs (120 g)
40 g de sucre
30 g de fécule
600 g de cerises noires

Le pudding est avant tout le domaine de prédilection des pâtissiers anglais et Éric Baumann se garde bien de vouloir leur faire concurrence. Mais cette recette vous permet de présenter un dessert savoureux, économique et plutôt facile à réaliser, puisqu'il vous suffit de disposer d'un pain de mie ordinaire et bien sûr d'un raisonnable contingent de cerises noires très parfumées.

Le pain est un aliment essentiel à notre équilibre alimentaire dont tous les pays d'Europe ont décliné presque à l'infini les préparations. C'est d'ailleurs en Europe continentale, comme le rappelle notre chef, que se trouvent les plus gros consommateurs de pain, en Allemagne, Belgique et Danemark.

Pour le reste, il faut scrupuleusement respecter les consignes et broyer finement le pain mis à tremper dans le lait avant de l'intégrer à la masse. On aura légèrement dosé la cannelle et le citron râpé dans le trempage, afin d'en obtenir une harmonie qui ne cause aucun préjudice aux autres ingrédients.

Si vous ne craignez pas de trahir l'orthodoxie, vous remplacerez dans la pâte de linz une part des noisettes par du biscuit séché et râpé. La cuisson sera interrompue dès que les puddings seront souples au toucher. Bien sûr, nul ne pourra vous empêcher de substituer aux cerises d'autres fruits de saison, pêches, abricots ou autres… Quant à la forme du pudding – et donc du moule en rapport –, chacun fait ce qu'il lui plaît.

1. La veille, faire tremper le pain de mie dans le lait. Pour la pâte de Linz, travailler le beurre en pommade avec le sucre, puis ajouter petit à petit les œufs, le sel, la cannelle, le zeste de citron et la poudre de noisettes. Incorporer en dernier la farine. Bien mélanger jusqu'à l'obtention d'une pâte bien lisse. Garder au frais.

2. Pour la pâte à pudding, battre en mousse le beurre, le zeste de citron râpé et la cannelle. Mélanger les amandes en poudre, le sucre et les jaunes d'œufs. Ajouter le tout au beurre, ainsi que le pain trempé finement broyé. Monter les blancs d'œufs en neige avec le sucre, ajouter la fécule et mélanger délicatement les deux masses. Ajouter les cerises noires à la fin.

ux cerises

3. Étaler finement la pâte de Linz. Foncer les moules à pudding beurrés. Piquer plusieurs fois avec une fourchette pour que l'air s'échappe.

4. Garnir à moitié les moules de pâte à pudding. Disposer par-dessus les cerises. Finir de garnir avec le reste de pâte. Disposer quelques cerises sur le dessus et cuire au four environ 35 minutes à 170 °C. Laisser refroidir les puddings avant de servir.

Tourte à la noisette

Préparation	*1 heure 15 minutes*
Cuisson	*40 minutes*
Difficulté	★ ★

Pour 8 personnes

**Génoise aux noisettes et biscuit roulade
 spécial :** voir p. 290

Mousse au chocolat à la vanille :
2 jaunes d'œufs (45 g)
60 g de sirop tiède
110 g de chocolat blanc de couverture
 à la vanille

35 g de noisettes hachées
230 ml de crème fouettée

Mousse aux noisettes :
2 jaunes d'œufs (45 g)
60 ml de sirop tiède
2 feuilles 1/2 de gélatine
120 g de pralin de noisettes en poudre
 très fine
360 ml de crème fouettée

Décoration :
quelques copeaux
 de chocolat de couverture
noisettes hachées
sucre glace

Les puristes s'en donnent à cœur joie pour établir la pertinence de l'usage du mot « tourte » au lieu de « tarte », selon qu'elle est recouverte – ou non – d'une abaisse de pâte. Mais savent-ils que l'on désignait sous ce nom, au début de ce siècle, les pédants les plus ridicules ? Laissons de côté ces explications pour nous tourner vers l'origine latine du mot – le « *torta* », qui désigne un pain rond –, car l'étymologie de la tarte est moins certaine.

Ce dessert de saison décline la noisette en pralin et hachée, ce qui nécessite des fruits de la meilleure qualité. Les noisettes rondes du Piémont, de belle taille et soigneusement rôties, vous procureront beaucoup d'agrément.

Pour la mousse, Éric Baumann procède tout d'abord au mélange des jaunes d'œufs et du sirop, selon le principe de la pâte à bombe. Pour une parfaite réussite, il rappelle que tous les ingrédients doivent être d'une fraîcheur irréprochable, qu'on les travaille sur l'instant et que la pâte ne doit pas trop chauffer (pas plus de 80 °C), puis refroidir pour prendre légèreté.

Le chocolat à la vanille doit être de qualité, mais pas trop acide. De même, si vous préférez un chocolat plus amer, n'en choisissez pas à plus de 60 % de cacao. Vous ne sauriez traiter le chocolat qu'avec finesse, en hommage à l'affection que lui portent les Suisses, notamment depuis 1792, lorsque s'ouvrit à Berne la chocolaterie des frères Josty.

1. Confectionner la génoise ainsi que le biscuit roulade spécial. Pour la mousse au chocolat à la vanille, préparer d'abord la pâte à bombe : dans un récipient, au bain-marie, monter en sabayon serré les jaunes d'œufs et le sirop. Ôter du bain-marie et fouetter jusqu'à complet refroidissement.

2. Ajouter ensuite, dans l'ordre, le chocolat blanc à la vanille fondu, les noisettes hachées, la crème fouettée et bien mélanger le tout. Pour la mousse aux noisettes, préparer la pâte à bombe comme précédemment. Faire chauffer la gélatine préalablement ramollie à l'eau froide dans un peu de sirop et l'ajouter à la pâte à bombe. Incorporer le pralin de noisettes en poudre et enfin la crème fouettée.

et au chocolat

3. Chemiser le moule d'une bande de Rhodoïd, puis d'une bande de biscuit roulade spécial aux trois quarts de la hauteur du moule.

4. Poser au fond du moule une abaisse de génoise aux noisettes d'1 cm d'épaisseur. Masquer avec 1,5 cm de mousse au chocolat et finir de remplir l'entremets avec la mousse aux noisettes. Décorer le centre du gâteau de copeaux de chocolat et parsemer sur la surface disponible des noisettes hachées. Saupoudrer légèrement de sucre glace. Servir après avoir laissé refroidir 4 heures.

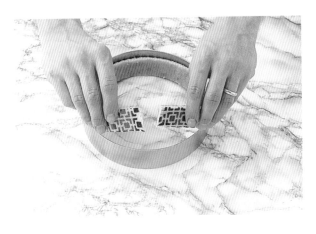

Tourte au carame

Préparation	1 heure 30 minutes
Cuisson	40 minutes
Difficulté	★★

Pour 8 personnes

Mousse au chocolat au lait :
3 jaunes d'œufs (60 g)
100 ml de sirop tiède
190 g de chocolat de couverture au lait
375 ml de crème fouettée

Mousse au caramel :
3 jaunes d'œufs (70 g)
55 ml de sirop tiède

3 feuilles 1/2 de gélatine
300 ml de crème fouettée

Caramel :
115 g de sucre
50 ml de glucose
15 g de beurre
165 ml de crème (35 % de matières grasses)

Biscuit roulade spécial, génoise et gelée miroir : voir pp. 290 et 294

Sirop au caramel :
caramel liquide
eau

Trois générations de Baumann ont célébré la pâtisserie suisse, successivement à Lausanne, Bienne et Zurich, en maintenant le même souci de rigueur et de qualité. Il en résulte une tradition familiale bien ancrée et un patrimoine culinaire assez riche pour ne pas craindre l'innovation, qu'un art consommé du contraste introduit peu à peu.

Fort de ce principe, Éric Baumann, actuel représentant de la dynastie, s'est penché sur le caramel et a recherché le moyen d'obtenir un arôme puissant, savamment dosé entre la douceur et l'amertume. Il nous recommande un sucre anglais d'une parfaite pureté, à cuire jusqu'à coloration soutenue.

Pour garder l'équilibre avec le caramel, le chocolat au lait, qui figure aussi dans notre recette, ne doit pas être trop doux. On ne saurait traiter le chocolat sans respecter ses critères traditionnels : arôme, fondant et facilité d'exécution.

Il subsiste pourtant quelque risque au moment de mélanger le chocolat à la pâte à bombe : il faut donc tempérer celui-ci et le convertir en une masse lisse, au moyen de crème fraîche ou d'eau, de sorte qu'il puisse intégrer sans dommage la pâte à bombe. On peut aussi préparer cette tourte sans caramel, à base de noisettes, d'amandes ou de café.

1. Pour la mousse au chocolat, monter en sabayon serré, dans un récipient au bain-marie, les jaunes d'œufs avec le sirop. Ôter du bain-marie et fouetter jusqu'à complet refroidissement. Épaissir le chocolat chaud avec un peu d'eau (consistance d'une mayonnaise), l'incorporer dans la pâte à bombe froide et ajouter la crème fouettée. Verser cette mousse à l'aide d'une poche à douille dans des moules de 2 cm de hauteur. Placer au congélateur.

2. Pour la mousse au caramel, préparer la pâte à bombe comme précédemment. Pour le caramel, faire chauffer le sucre jusqu'à ce qu'il devienne assez brun et y faire fondre le glucose. Ajouter ensuite le beurre et la crème bouillante. Cuire le tout à 103 °C, puis laisser refroidir.

la Baumann

3. Mélanger le caramel et la pâte à bombe froide. Chauffer la gélatine (préalablement ramollie dans l'eau froide) avec un peu de sirop tiède et la mélanger au caramel. Terminer en incorporant la crème fouettée. Chemiser un moule d'une bande Rhodoïd et poser dessus une bande de biscuit roulade spécial aux trois quarts de la hauteur.

4. Déposer au fond du moule une abaisse de génoise d'1 cm d'épaisseur. Imbiber de sirop au caramel et masquer aux deux tiers du moule de mousse au caramel. Poser dessus un disque de mousse au chocolat. Laisser refroidir 4 heures. Terminer de remplir le moule avec la mousse au caramel. Réserver au froid. Marbrer la surface de l'entremets avec les miroirs au caramel et nature. Décorer l'entremets de motifs en chocolat et servir frais.

Tourte au kirsch

Préparation	1 heure 30 minutes
Cuisson	40 minutes
Difficulté	✷ ✷

Pour 8 personnes

Crème :
120 ml de lait
60 g de sucre
1 gousse 1/2 de vanille
5 jaunes d'œufs (100 g)
60 g de sucre
lait

Meringue italienne :
1 blanc d'œuf (40 g)

10 g de sucre
80 g de sucre
30 ml d'eau
400 g de beurre

Crème au beurre au kirsch :
90 ml de kirsch à 50°
450 g de crème au beurre
1 à 2 gouttes de colorant rouge

Biscuit japonais et génoise : voir p. 293

Sirop au kirsch :
100 ml de sirop tiède
150 ml de kirsch à 50°

Décoration :
amandes effilées grillées
sucre glace
quelques pistaches
quelques cerises à l'eau-de-vie

Le canton de Zug (ou Zoug), proche de Zurich, est une ancienne possession des Habsbourg, entrée dans la Confédération suisse en 1352. Selon des procédures médiévales complexes, cette intégration ne fut définitive qu'en 1415, lorsque le canton bénéficia des mêmes droits que ses homologues. Côté pâtisserie, on y déguste de remarquables biscuits poivrés ; mais c'est par le moyen de cette tourte au kirsch que notre chef rend hommage à la gastronomie de ce canton.

Il faut dire que cette eau-de-vie blanche, très fine, soutient heureusement le chocolat tout autant que divers fruits, même l'ananas. Dans le cas présent, elle parfume une crème au beurre légèrement colorée de rouge, en rappel des cerises (mais les cerises à kirsch, toutes petites, donnent un jus très noir).

Éric Baumann soutient d'ordinaire qu'il faut maintenir l'unité entre les fruits de garniture d'un gâteau et l'eau-de-vie qui le parfume. Mais cette fois, il accepte une dérogation et convient que l'ananas serait bienvenu dans cette préparation.

Cela ne l'empêche pas de parsemer de cerises le dessus de l'entremets, pour sauver le principe. Ces griottes auront d'abord séjourné deux mois dans le kirsch.

Pour le biscuit japonais, les novices devront soigneusement graisser la plaque avant de l'y coucher, puis le soumettre à une cuisson très lente et régulière qui respecte son uniformité. Le biscuit se conserve ensuite dans une boîte hermétique.

1. Pour la crème, porter à ébullition le lait, le sucre et la vanille. Travailler au fouet les jaunes d'œufs et le sucre, verser un peu de lait, remuer et remettre le tout dans la casserole. Cuire à la nappe (82 °C) comme une crème anglaise. Laisser refroidir. Pour la meringue, monter les blancs en neige avec 10 g de sucre. Chauffer l'eau et les 80 g de sucre à 121 °C, puis verser doucement sur les blancs en neige. Battre le beurre en pommade, y incorporer la crème et finir avec la meringue italienne.

2. Pour la crème au beurre au kirsch, ajouter le kirsch à 450 g de crème légèrement colorée en rouge. Confectionner le biscuit japonais. À l'aide d'un cercle de 0,5 cm d'épaisseur, l'étaler sur du papier sulfurisé. Cuire au four 10 à 12 minutes à 150 °C. Lorsque le biscuit a bien refroidi, le partager en deux morceaux. Préparer la génoise, la dresser sur une plaque recouverte de papier sulfurisé et cuire au four environ 20 minutes à 170 °C.

de Zoug

3. Pour le sirop, mélanger le kirsch au sirop tiède. Masquer un fond japonais d'un peu de crème au beurre, poser dessus un disque de génoise imbibé de sirop au kirsch et le couvrir d'une couche de crème au beurre. Recouvrir avec le second biscuit japonais.

4. Terminer l'entremets en le masquant entièrement avec le reste de crème au beurre. Appliquer tout autour les amandes effilées grillées. Saupoudrer de sucre glace et décorer d'une tache de pistaches broyées et de cerises à l'eau-de-vie. Placer au frais 4 heures avant de servir.

Tourte kiwi a

Préparation   40 minutes
Cuisson   40 minutes
Difficulté   ★

Pour 8 personnes

Génoise et crème charlotte :
  voir pp. 294 et 291

Crème aux fruits de la Passion :
200 g de crème charlotte
100 g de sucre glace
100 g de coulis de fruits de la Passion
500 ml de crème fouettée

Sirop :
20 g de coulis de fruits de la Passion
80 ml de sirop

Décoration :
300 ml de crème fouettée
3 kiwis
200 g d'amandes effilées grillées

Gelée neutre : voir p. 288

Éric Baumann est un grand amateur de fruits exotiques, aujourd'hui largement répandus sur nos marchés. Après plusieurs essais, il s'est convaincu de la parfaite compatibilité du kiwi et du fruit de la Passion, dans la version très originale et savoureuse qu'il nous propose ici.

Les meilleurs kiwis, que l'on appelle également « groseilles de Chine », viennent sans aucun doute de Nouvelle-Zélande où est cultivée la variété hayward. Depuis quelques années, on célèbre les grandes propriétés vitaminiques et caloriques de ce fruit qui couvre à lui seul, paraît-il, la totalité de nos besoins quotidiens. Vous le choisirez certes bien mûr, mais encore ferme et résistant au toucher.

Le fruit de la Passion (dit aussi grenadille) n'est pas d'une manipulation facile. On l'emploie en extrait pour éviter de liquéfier la crème, tout en conservant le mieux possible son arôme. À partir de fruits mûrs et fripés, vous devrez donc séparer la pulpe des graines, la réduire après addition d'eau, passer le tout au tamis et réduire à nouveau le jus. Ce concentré de Passion se conserve assez bien au congélateur.

Pour fouetter la crème, il faut la choisir avec 35 % de matières grasses et la battre très froide avec le vingtième de son poids en sucre. Vous n'en battrez d'abord que 80 %, le reste servant à la phase ultérieure. Gardez-vous de faire chauffer la crème à l'excès (pas plus de 82 °C) avant d'incorporer la gélatine.

1. Confectionner la génoise et la crème charlotte. Pour la crème aux fruits de la Passion, remettre à température la crème charlotte, puis ajouter le sucre glace et le coulis aux fruits de la Passion. Bien mélanger le tout et incorporer pour finir la crème fouettée.

2. Chemiser un moule d'une bande de Rhodoïd. Déposer dans le fond une abaisse de génoise d'1 cm d'épaisseur et l'imbiber de sirop de fruits de la Passion. Masquer aux deux tiers de la hauteur de crème aux fruits de la Passion, poser une seconde abaisse de génoise et l'imbiber. Couvrir l'entremets avec le reste de crème. Mettre au froid 4 heures environ.

la crème de Passion

3. Démouler l'entremets et enlever la bande de Rhodoïd. Masquer entièrement l'entremets de crème fouettée. Garnir la surface de lamelles de kiwis jusqu'à 2 cm du bord, puis les napper de gelée.

4. Griller à la salamandre (appareil électrique pour gratiner ou brunir un plat) les amandes effilées. En recouvrir le tour et la surface du gâteau. Dresser une couronne de crème Chantilly. Servir frais.

Bûche

Préparation | 1 heure 15 minutes
Cuisson | 15 minutes
Difficulté | ★

Pour 8 personnes

Génoise simple (voir p. 295) :
3 œufs
90 g de sucre
90 g de farine
30 g de beurre

Ganache simple (voir p. 293) :
300 g de chocolat de couverture ou à croquer
250 ml de crème fraîche

Crème pâtissière (voir p. 292) :
600 ml de lait
4 jaunes d'œufs
150 g de sucre
50 g de farine
1 gousse de vanille
1 pincée de sel

Sirop au rhum :
100 ml de rhum
100 ml d'eau
100 g de sucre

Décoration :
cigarettes, copeaux et vermicelles de chocolat

Peut-on fêter Noël sans clore le repas d'une savoureuse bûche, à l'exemple des plus anciennes traditions familiales ? Qu'elle soit aux marrons, meringuée, au chocolat, glacée, au Grand Marnier ou de tout autre variété, la bûche est bien la quintessence de Noël : Maurice et Jean-Jacques Bernachon se font un devoir de perpétuer cette inébranlable tradition.

La préparation d'une bûche est une opération complexe qu'il faut de préférence répartir sur les trois ou quatre jours précédant le réveillon. Pour commencer, étalez sur la plaque une génoise très fine, qu'une rapide cuisson rendra moelleuse et facile à rouler.

Cette dernière opération posera moins de problèmes encore lorsque vous aurez étalé la crème pâtissière et le mélange de chocolat : une légère condensation se produira et ramollira la génoise.

La maison Bernachon emploie ici un mélange exclusif de douze variétés de cacao, où figure le très recherché chuao qui tire son nom d'une ville montagnarde du Venezuela. Ce cru exceptionnel ne parvient en Europe que par l'entremise d'un seul importateur, Touton S.A.

L'effet produit par la bûche, servie très fraîche, procède évidemment de ce mélange de saveurs et de subtilités : génoise, ganache et rhum vieux agricole, qui font de ce dessert de fête un inoubliable moment. Vous le compléterez d'une glace à la vanille, voire d'une délicate crème anglaise.

1. Préparer la veille la génoise et la ganache. Réaliser également une crème pâtissière classique. Pour le sirop, faire bouillir l'eau et le sucre, laisser refroidir, puis ajouter le rhum. Imbiber la génoise de sirop au rhum. Prélever le tiers de la ganache, la ramollir au bain-marie sans cesser de remuer jusqu'à ce qu'elle soit moelleuse, puis l'incorporer à la crème pâtissière. Étaler ce mélange sur toute la surface de la génoise dont vous aurez préalablement découpé un rectangle.

2. Enrouler sur elle-même la génoise ainsi garnie et la maintenir bien serrée, enveloppée dans du papier d'aluminium. Mettre au réfrigérateur 1 heure environ.

u chocolat

3. Couper net en biseau les extrémités de la bûche avec un couteau dont la lame aura été trempée dans de l'eau chaude. Disposer ces morceaux sur le tronc pour simuler les nœuds de la bûche.

4. À l'aide d'une poche à douille dentelée, masquer la bûche avec la ganache restante sur toute sa surface. Le décor final peut être augmenté, selon l'humeur, de copeaux, cigarettes, vermicelles ou figurines en chocolat.

Préparation	45 minutes
Cuisson	25 minutes
Difficulté	★ ★ ★

Pour 8 personnes

Ganache simple :
250 ml de crème fraîche
375 g de chocolat avelines en tablette
100 g de chocolat de couverture

Génoise :
6 œufs
170 g de sucre
1 noisette de miel (facultatif)
200 g de farine
120 g de beurre

Finition et décoration :
10 griottes macérées au cherry
120 ml de cherry
200 g de chocolat amer
cacao en poudre
quelques violettes confites

Initialement offerte au président Giscard d'Estaing lors de la solennelle remise de la Légion d'honneur à Paul Bocuse, vieil ami et complice de Maurice Bernachon, cette génoise, inspirée du traditionnel montmorency aux cerises et complétée d'arômes subtils, a reçu tour à tour les noms de « Valéry », « Anne-Aymone » et enfin « Élysée », spécialement pour *Eurodélices*. La ganache « Élysée » comporte en plus de la crème et du chocolat le praliné aux noisettes, cependant qu'elle est imbibée de cherry et parsemée de bigarreaux, pour garder quelque fidélité aux cerises d'origine.

Toutefois, la symbolique et la particularité de l'entremets résident dans le décor final, une sculpture délicate à base de copeaux de chocolat, qu'il faut naturellement travailler sur un marbre, mais aussi à la broyeuse.

Bien évidemment, la place qu'occupent ici les copeaux rend malaisée la découpe en parts trop nombreuses. À titre d'anecdote, le record en la matière fut remporté par la maison Hermès, lors d'une réception de 500 personnes à Lyon, pour laquelle ont dut même procurer un engin de transport spécifique.

Maurice Bernachon ne manque jamais de citer à ce sujet la déclaration d'un client anonyme, qu'il considère avec émotion comme le plus beau des compliments : « C'est un gâteau que l'on mange deux fois : la première avec les yeux… ».

1. Pour la ganache, faire bouillir la crème dans une casserole, casser le chocolat en petits morceaux et le verser dans la crème. Retirer du feu et remuer au fouet jusqu'à l'obtention d'un mélange homogène. Couvrir et laisser refroidir au moins 12 heures au réfrigérateur. Ramollir la ganache au bain-marie sans cesser de remuer. En conserver un quart pour masquer le gâteau et mélanger les griottes hachées au reste de ganache.

2. Pour la génoise, mélanger et faire tiédir au bain-marie les œufs, le sucre et le miel. Continuer hors du feu au batteur électrique jusqu'à l'obtention d'un ruban. Incorporer à la spatule la farine tamisée et le beurre fondu. Verser dans un moule à manqué et cuire 20 minutes environ au four à 200 °C. Couper la génoise en trois abaisses. Poser la première sur un carton à gâteau, l'imbiber de cherry et la recouvrir de ganache aux griottes.

3. Poser la deuxième abaisse, l'imbiber et la recouvrir de ganache aux griottes. Déposer dessus la troisième abaisse, l'imbiber avec le reste du cherry et laisser reposer 1 heure au réfrigérateur. Masquer entièrement le gâteau avec la ganache mise de côté et lisser à l'aide d'une spatule.

4. Faire fondre le chocolat amer au bain-marie à 31 °C, l'étaler et le laisser refroidir sur un marbre. Former ensuite de petits rouleaux, les poser sur le gâteau et saupoudrer de cacao. Décorer de quelques violettes confites. Accompagner, selon l'humeur, de crème anglaise et d'une quenelle de glace à la pistache.

Préparation   *40 minutes*
Cuisson   *30 minutes*
Difficulté   ★ ★ ★

Pour 8 personnes

Pâte à choux :
125 ml de lait entier
5 g de sucre
1 pincée de sel
60 g de beurre
100 g de farine
3 œufs
Crème pâtissière au kirsch (voir p. 292) :
600 ml de lait entier

4 jaunes d'œufs
150 g de sucre
50 g de farine
1 gousse de vanille
2 pincées de sel
kirsch
Caramel :
200 g de sucre
3 cuil. à soupe d'eau
Nougatine :
200 g de sucre
1/2 gousse de vanille
150 g d'amandes hachées grillées
Décoration :
dragées

En bien des circonstances, les pièces montées sont un prétexte à commettre des flagrants délits de gourmandise. Maurice et Jean-Jacques Bernachon le savent très bien et ont voulu faire preuve d'originalité en adoptant le principe du panier de nougatine pour y loger quantités de petits choux. C'est une belle occasion de mettre en avant leur talent dans la manipulation de cette savoureuse confiserie.

C'est aussi le moment de rappeler qu'il existe de nombreuses variétés d'amandes, surtout provençales, que l'on apprécie pour leur texture et leur saveur : la grasse matrone, la béraud, la royale et la tournefort, sans oublier la princesse, hélas devenue très rare.

À en croire les historiens, la « pâte à chaud », puis pâte à choux, figure avec le macaron parmi les plus anciennes recettes de pâtisserie. Elle doit être consommée dans la journée, car sa composition au lait et au beurre ne lui permet pas d'attendre, mais on doit toujours la « dessécher » quelques minutes et la travailler lentement sur le feu. Une cuisson prudente est recommandée, sans ouvrir sous aucun prétexte la porte du four.

Le façonnage de la nougatine exige un peu de savoir-faire : il vous faut surtout achever le caramel dans un poêlon de cuivre avant d'y incorporer les amandes et huiler soigneusement le marbre sur lequel vous travaillez.

1. Pour la pâte à choux, porter à ébullition le lait, le sucre, le sel et le beurre coupé en petits morceaux. Dès que celui-ci a fondu, verser la farine et remuer énergiquement sur feu doux à l'aide d'une spatule en bois, jusqu'à l'obtention d'un mélange homogène. Sans cesser de remuer, laisser « dessécher » la pâte 1 minute et incorporer deux œufs hors du feu. Bien mélanger et ajouter le troisième œuf progressivement.

2. Confectionner de petits choux à l'aide d'une poche à douille n° 6. Cuire au four à 200 °C pendant 2 minutes environ. Entailler les choux sur le côté et les garnir de crème pâtissière parfumée au kirsch. Préparer le caramel, en glacer les choux et laisser refroidir sur une grille.

3. Pour la nougatine, faire caraméliser à sec dans un poêlon, en cuivre de préférence, le sucre et la demi-gousse de vanille. Ajouter les amandes grillées et mélanger.

4. Verser la nougatine sur un marbre préalablement huilé. Détailler à chaud à l'aide d'un rouleau et d'un emporte-pièce. Foncer un moule à brioche à tête avec la nougatine. Ranger les choux dans le panier de nougatine et décorer de dragées.

Préparation	*45 minutes*
Cuisson	*15 minutes*
Difficulté	★

Pour 8 personnes

Ganache simple :
250 ml de crème fraîche
200 g de chocolat de couverture ou à croquer

Crème de marrons :
150 g de marrons égouttés
50 g de beurre

Pâte à biscuit :
180 g de sucre
180 g d'amandes mondées
6 blancs d'œufs

Décoration :
cacao en poudre
sucre glace
rose en chocolat
marrons au sirop

Le marron comestible n'est pas le fruit du marronnier d'Inde, mais d'une variété particulière de châtaignier dont les bogues ne comportent qu'un fruit : le marron est plus rond et plus gros que la châtaigne, mais leur texture est identique. Pour Maurice Bernachon, le marron reste le symbole de l'automne et des balades matinales en Dauphiné que lui proposait son père en cette saison.

L'Ardèche voisine est un terroir privilégié pour les châtaigniers et leurs marrons jouissent d'une légitime réputation. En l'occurrence, il faut les blanchir à l'eau bouillante, les envelopper de tulle et les confire à l'ancienne dans de grandes bassines en cuivre. Mais le marron est un fruit fragile dont il faut soigneusement contrôler la cuisson.

Selon leur taille et leur tournure, vous sélectionnerez certains marrons pour la décoration ; les autres, même brisés, constitueront la base de la crème et seront de préférence plus tendres et plus moelleux. Si vous utilisez des marrons au sirop, égouttez-les suffisamment pour éviter qu'ils ne détrempent la pâte et l'empêchent de prendre une consistance optimale. Vous la travaillerez d'ailleurs à la spatule sans discontinuer, avec souplesse, pour l'aérer.

La ganache sera préparée la veille, afin qu'elle présente elle aussi la consistance requise. Quant à la pâte à biscuit, elle ne supporte que des œufs d'une absolue fraîcheur et dont le blanc a été parfaitement séparé du jaune, sous peine d'échec.

1. Préparer la veille la ganache : faire bouillir la crème fraîche à feu vif 1 minute en remuant au fouet, puis retirer du feu. Casser le chocolat en petits morceaux, les ajouter à la crème bouillie et remuer jusqu'à l'obtention d'un mélange homogène et lisse. Couvrir et laisser refroidir au moins 12 heures au réfrigérateur. Avant de préparer l'entremets, ramollir la ganache au bain-marie sans cesser de remuer.

2. Pour la crème de marrons, mixer ou broyer les marrons. Incorporer le beurre ramolli et mélanger délicatement pour obtenir une pâte homogène. Préparer trois abaisses de pâte à biscuit d'environ 16 cm de diamètre : broyer au mixeur le sucre et les amandes. Monter les blancs d'œufs en neige très ferme. Mélanger tous les éléments le plus délicatement possible. Dresser sur une plaque beurrée et farinée, puis faire cuire 7 à 8 minutes au four à 250 °C.

3. Pour le montage du gâteau, déposer sur la première abaisse une couche de ganache de 2 cm environ et bien lisser à l'aide d'une spatule. Poser une seconde abaisse et recouvrir de crème de marrons. Terminer par la troisième abaisse avec le reste de ganache. Masquer le dessus et les bords de l'entremets, puis laisser refroidir au réfrigérateur 1 heure environ.

4. Pour la décoration, poudrer entièrement le gâteau de cacao. Délimiter la moitié avec du sucre glace. Décorer avec une rose au chocolat ou quelques marrons au sirop égouttés.

Caracao

Préparation — 1 heure
Cuisson — 20 minutes
Difficulté — ✶ ✶

Pour 8 personnes

Ganache élysée:
250 ml de crème fraîche
375 g de chocolat avelines
100 g de chocolat de couverture

Génoise au chocolat (voir p. 294):
3 œufs
90 g de sucre
90 g de farine
30 g de beurre

15 g de cacao amer en poudre
25 g de noisettes hachées (facultatif)

Crème au beurre praliné:
300 ml de lait entier
1/2 gousse de vanille
1 pincée de sel
2 jaunes d'œufs
75 g de sucre
25 g de farine
50 g de beurre
50 g de praliné
Sirop au marasquin (voir p. 297):
100 ml de marasquin
100 ml d'eau
100 g de sucre
Décoration:
amandes hachées grillées
rose au chocolat

Capitale du Venezuela et citadelle du chocolat de haute origine, Caracas veille avec rigueur, du haut de ses 900 m d'altitude, sur la qualité de ses fèves de cacao. Sur la recommandation de Maurice et Jean-Jacques Bernachon, on se doit d'adopter ici son enfant chéri, la caraque, un cacao très amer aux saveurs acides, de la famille des *forasteros*, récoltée de janvier à avril. Quelques autres chocolats sont également conviés à parfaire le résultat: du chocolat avelines, originaire d'Avellino en Campanie, qui comporte chocolat amer et praliné noisette, des paillettes pour la décoration et du cacao en poudre pour la génoise, améliorée d'une noisette de miel. Le biscuit pourra être préparé de préférence la veille, tout comme la ganache qui trouvera de la sorte le temps d'épaissir convenablement.

Le mélange est assurément des plus harmonieux entre le praliné qui parfume délicieusement la crème et le marasquin qui vient imbiber la triple abaisse de génoise. On n'utilise que trop rarement cette délicieuse eau-de-vie issue de la marasque, une espèce particulière de cerise acide que l'on cultive notamment en Dalmatie. Pour la bonne règle, le marasquin doit vieillir plusieurs années avant d'être considéré comme propre à la consommation.

Le masquage final, dont le résultat doit être parfaitement lisse, gagnera sans doute à se voir précéder d'un «prémasquage» destiné à fixer les particules de génoise qui subsistent toujours en périphérie.

1. Pour la ganache élysée, faire bouillir la crème fraîche à feu vif pendant 1 minute tout en remuant au fouet, puis retirer du feu. Casser le chocolat et l'incorporer à la crème. Continuer à remuer jusqu'à l'obtention d'un mélange homogène. Couvrir et laisser reposer au frais 12 heures. Préparer de préférence la veille la génoise au chocolat. La couper horizontalement en trois abaisses d'égale épaisseur.

2. Pour la crème au beurre, porter à ébullition 250 ml de lait, la gousse de vanille fendue et le sel; maintenir la cuisson pendant 2 minutes. Dans un récipient, battre énergiquement les jaunes d'œufs et le sucre. Incorporer la farine et 50 ml de lait froid (afin d'éviter la formation de grumeaux), puis le lait bouilli. Verser le tout dans la casserole, porter à ébullition et maintenir 2 minutes en remuant constamment au fouet. Laisser refroidir.

3. Lorsque la crème pâtissière est presque froide, ajouter le beurre ramolli (mais non fondu). Incorporer les 50 g de praliné et bien mélanger jusqu'à l'obtention d'une crème très homogène. Pour le montage, déposer la première abaisse sur un carton à gâteau, l'imbiber du tiers de sirop au marasquin et recouvrir de ganache élysée.

4. Déposer la deuxième abaisse, l'imbiber et recouvrir de crème au beurre praliné. Terminer par la troisième abaisse, l'imbiber du restant de sirop au marasquin et mettre au réfrigérateur 1 heure. Masquer toute la surface et les côtés avec le restant de ganache, en lissant bien à l'aide d'une spatule. Garnir à mi-hauteur d'amandes hachées grillées. Décorer d'une rose au chocolat et d'arabesques à la poche à douille.

Préparation	*45 minutes*
Cuisson	*20 minutes*
Difficulté	★

Pour 8 personnes

Génoise simple (voir p. 295) :
3 œufs
90 g de sucre
90 g de farine
30 g de beurre

Crème au beurre (voir p. 291) :
75 g de beurre
150 g de sucre

4 jaunes d'œufs
50 g de farine
1 gousse de vanille
600 ml de lait entier
2 pincées de sel
Garniture :
1 kg de fraises
Sirop au kirsch (voir p. 297) :
100 ml de kirsch
100 ml d'eau
100 g de sucre
Décoration :
1 morceau de pâte d'amandes
sucre glace
rose en pâte d'amandes

Le fraisélia ne se consomme évidemment qu'au printemps et au début de l'été, quand les fraises sont bien mûres et que leur saveur a pu s'épanouir au soleil. En gourmandise, il faut respecter le cycle naturel des saisons et faire évoluer ses plaisirs au même rythme que le règne végétal.

On choisira surtout la petite fraise gariguette, très rouge et fort appréciée pour son équilibre gustatif, que l'on cultive dans l'Ouest et le Sud-Ouest de la France. Si l'on peut en trouver en quantité suffisante, la même recette peut s'accommoder de framboises ou même de fraises des bois. Les plus gros fruits ne sont généralement pas les mieux adaptés à cet emploi, qui requiert des fruits d'une maturité accomplie, mais sans plus, et des parfums en rapport.

Rappelons qu'il vaut mieux éviter de laver les fruits à grande eau, car ce traitement peut dénaturer leur goût : on se contentera donc de les essuyer avec précaution dans un torchon, notamment s'ils sont terreux.

L'addition d'une noisette de miel lors de la préparation de la génoise a pour effet de rendre le gâteau plus moelleux et plus facile à conserver, tout en permettant de réduire la quantité de sucre employé.

Il va sans dire que si l'on opte pour les framboises (et donc pour le framboisélia), le kirsch doit céder la place à quelque savoureuse eau-de-vie de framboise, dont le subtil bouquet doit véritablement transfigurer les trois abaisses de génoise.

1. Préparer la génoise la veille. La couper horizontalement par le milieu afin d'obtenir deux abaisses. Préparer également la crème au beurre. Égoutter les fraises et les essuyer. Sur une grille à gâteau, poser la première abaisse de génoise et l'imbiber de sirop au kirsch. Recouvrir de crème au beurre sur 1 cm environ, puis disposer les fraises les plus régulières sur le bord de la génoise et les autres sur la crème.

2. Recouvrir les fraises de crème au beurre et bien lisser la surface.

3. Poser la deuxième abaisse et l'imbiber du reste de sirop au kirsch. Laisser refroidir 1 heure au réfrigérateur.

4. Étaler la pâte d'amandes à l'aide d'un rouleau sur 2 mm d'épaisseur environ. Étaler en surface et découper en bordure de l'entremets. Sucrer légèrement, brûler au fer ou à la salamandre (appareil pour brunir ou gratiner) et décorer selon votre goût d'une rose en pâte d'amandes ou de fraises.

Grand

Préparation	30 minutes
Cuisson	20 minutes
Difficulté	★

Pour 8 personnes

Génoise simple (voir p. 295):
90 g de sucre
90 g de farine
30 g de beurre
3 œufs

Crème pâtissière:
600 ml de lait entier
1 gousse de vanille
1 pincée de sel

4 jaunes d'œufs
150 g de sucre
50 g de farine
100 g d'écorces d'oranges confites macérées
    au Grand Marnier (pour recouvrir)
Sirop au Grand Marnier:
100 ml de Grand Marnier
100 ml d'eau
100 g de sucre
250 g de crème au beurre (voir p. 291):
Décoration:
250 g de pâte d'amandes orange
Glace royale:
1 blanc d'œuf
sucre glace
jus de citron

Voici bientôt 50 ans que Maurice Bernachon pratique le Grand Marnier Cordon Rouge en base de chocolat ou de ganache, et célèbre ainsi, dans ses nombreuses créations, la finesse et la qualité de cette liqueur. Le Grand Marnier est produit à partir d'écorces d'oranges amères des Antilles, macérées dans des cognacs de premier choix vieillis en fûts de chêne.

Ce gâteau grand marnier, ainsi baptisé en l'honneur de cette longue fidélité, comporte des 'écorces d'oranges confites confectionnées à partir de navels d'Espagne de qualité supérieure. Les fruits (naturellement non traités) sont dépouillés de leur écorce, celle-ci blanchie, confite dans de grands récipients en cuivre et parfumée de gousses de vanille.

Mais cette première opération ne suffit pas: une fois gorgée du sucre du sirop, l'écorce doit ensuite macérer en pots de grès, puis à nouveau dans le Grand Marnier pendant les six dernières semaines qui précèdent l'emploi.

Les manipulations que doit subir ici la pâte d'amandes (préparée de préférence à partir de la variété espagnole avola) supposent impérativement qu'elle soit longuement affinée et l'emploi d'un broyeur s'impose. Enfin, on peut substituer à la décoration de glace royale au cornet tout autre finition, par exemple une couverture de ganache enrichie de lamelles de pêches élégamment disposées, dont la couleur et la brillance relèveront l'éclat du grand marnier.

1. La veille, préparer la génoise. Pour la crème pâtissière, faire bouillir 500 ml de lait, la gousse de vanille fendue et le sel. Dans une terrine, battre les œufs et le sucre. Incorporer la farine, puis 100 ml de lait froid afin d'éviter les grumeaux. Rajouter le lait bouilli sans cesser de remuer. Verser le tout dans une casserole, porter à ébullition et maintenir 3 minutes en remuant constamment au fouet. Laisser refroidir et mettre au frais.

2. Découper horizontalement la génoise en trois abaisses d'égale épaisseur. Déposer la première sur un carton à gâteau et l'imbiber d'un tiers du sirop au Grand Marnier. Recouvrir sur 1 à 2 cm de crème pâtissière et parsemer d'écorces d'oranges macérées. Poser la deuxième abaisse, l'imbiber, puis recouvrir à nouveau de crème pâtissière et d'écorces d'oranges confites.

narnier

3. Terminer par la troisième abaisse : imbiber, masquer le tout avec la crème au beurre et mettre au réfrigérateur 1 heure environ. Étaler la pâte d'amandes à l'aide d'un rouleau sur 2 mm d'épaisseur environ. En recouvrir complètement le gâteau. Découper la pâte restante à la base de l'entremets.

4. Pour la glace royale, mettre dans un bol un blanc d'œuf et incorporer progressivement le sucre glace tamisé en travaillant avec une spatule en bois, jusqu'à ce que l'ensemble ait la consistance d'une mayonnaise. Ajouter en dernier un filet de citron. Couvrir d'une mousseline humide. Terminer au cornet le décor du gâteau avec la glace royale et une orange confite. Compléter de quelques feuilles en pâte d'amandes.

Préparation   40 minutes
Cuisson   15 minutes
Difficulté   ✷ ✷

Pour 8 personnes

Ganache simple (voir p. 293) :
300 g de chocolat de couverture ou à croquer
250 ml de crème fraîche

Pâte à sphinx (voir p. 296) :
6 blancs d'œufs
180 g de sucre
180 g d'amandes mondées

Crème au beurre moka (voir p. 288) :
75 g de beurre
150 g de sucre
4 jaunes d'œufs
50 g de farine
1 gousse de vanille
600 ml de lait entier
2 pincées de sel
1 cuil. à soupe de café très fort et très
    concentré
Sirop au rhum (voir p. 297) :
100 ml de rhum
100 ml d'eau
100 g de sucre
Décoration :
cacao en poudre

Cette composition de crème au beurre moka semble promise au même succès que la *Marjolaine* fredonnée par Francis Lemarque, dont la mélodie franchit sans prendre une ride les modes et les générations. Cela tient sans doute à l'astucieuse préparation du café, un expresso que Maurice et Jean-Jacques Bernachon font réduire au bain-marie pour l'incorporer à la crème – crème qu'il faut du reste équilibrer d'une pincée de sel.

Le caractère composite de cette marjolaine implique une indispensable précaution : faire séjourner le gâteau deux heures au réfrigérateur, afin que les abaisses de sphinx imbibées, la ganache et les deux crèmes (nature et moka) aient le temps de prendre une consistance identique.

Il reste à vous interroger sur le choix de la vanille, cette orchidacée grimpante dont les gousses produisent de si aromatiques points noirs. Les amateurs ont généralement un faible pour la vanille dite Bourbon, que l'on récolte dans l'île de la Réunion. Mais il existe aussi d'autres variétés, comme celle de Veracruz au Mexique, dont on dit qu'elle parfumait déjà le chocolat chaud des Aztèques avant la découverte de l'Amérique.

Les traditions de la maison Bernachon veulent que l'on soit particulièrement généreux dans les arômes de vanille, que ce soit en chocolaterie, confiserie ou glacerie. N'hésitez donc pas à parfumer nettement cette marjolaine, qui sera d'autant plus fidèle à l'esprit de son créateur.

1. Confectionner la veille la ganache simple. Le jour même, réaliser la pâte à sphinx ainsi que la crème au beurre. Partager cette dernière en deux parts égales et parfumer l'une d'elles avec 1 cuil. à soupe de café très fort et très concentré. Ramollir la ganache au bain-marie sans cesser de remuer. Poser sur un carton à gâteau une première abaisse et la recouvrir de ganache sur 1 cm d'épaisseur environ.

2. Poser la deuxième abaisse, l'imbiber de sirop au rhum et la recouvrir de crème au beurre nature. Ajouter la troisième abaisse, l'imbiber de sirop au rhum et la recouvrir de crème au beurre parfumée au café.

3. Couvrir avec la quatrième abaisse et l'imbiber de sirop au rhum. Placer 1 à 2 heures au réfrigérateur. Masquer toute la surface avec le restant de ganache et saupoudrer de cacao.

4. Affranchir les bords du gâteau à l'aide d'un couteau-scie trempé dans de l'eau bien chaude. Conserver au réfrigérateur jusqu'au moment de servir.

Préparation   45 minutes
Cuisson   30 minutes
Difficulté   ✷ ✷

Pour 8 personnes

Génoise au chocolat:
3 œufs
90 g de sucre
90 g de farine
15 g de cacao amer en poudre
25 g de noisettes hachées (facultatif)
30 g de beurre

Crème au beurre pistache (voir p. 291):
50 g de beurre

75 g de sucre
2 jaunes d'œufs

50 g de farine
1/2 gousse de vanille
300 ml de lait entier
1 pincée de sel
50 g de pâte de pistaches
Ganache simple:
250 ml de crème fraîche
300 g de chocolat de couverture ou à croquer
Sirop au kirsch (voir p. 297):
100 ml de kirsch
100 ml d'eau
100 g de sucre
Décoration:
pâte d'amandes verte
sucre glace
pistaches mondées

Comme l'indique le nom de ce dessert, la maison Bernachon se fournit en pistaches sur les marchés de Sicile. On sait que les graines de pistachiers d'Italie dégagent un arôme incomparable et que leur texture permet d'obtenir par le broyage une pâte très fine, à la mesure d'une excellente crème au beurre.

Pour le décor, préférez les pistaches d'Iran, car elles ont une meilleure tournure et leur vert est plus intense. D'ailleurs, il faut bien reconnaître que c'est en Asie Mineure que se trouve l'origine du pistachier. Vous prendrez garde à travailler des pâtes très homogènes, que ce soit la crème pistache ou la ganache qui l'accompagne: elles doivent être lisses, d'un abord agréable et d'une manipulation commode.

La génoise elle-même, considérablement améliorée par l'addition de noisettes hachées, sera délicieusement parfumée de kirsch, idéal complément de la saveur des pistaches.

Comme il arrive le plus souvent, les bords de la génoise peuvent présenter des irrégularités, des brisures: on aura donc soin de procéder avant les finitions à un «prémasquage» de ganache, afin de présenter un gâteau parfaitement lisse.

La dégustation ne saurait attendre bien longtemps et, le temps d'un dessert, vous vous imaginerez parcourant les rues de Palerme en charrette sicilienne... On peut accompagner le Palermo d'une glace ou d'un coulis à la pistache.

1. Pour la génoise au chocolat, fouetter, dans un récipient au bain-marie, les œufs et le sucre. Laisser tiédir. Finir de monter au batteur, hors du bain-marie, jusqu'à l'obtention d'un ruban. Ajouter la farine, le cacao et les noisettes hachées en remuant avec une spatule en bois.

2. Faire fondre le beurre et l'incorporer bien chaud au mélange. Beurrer le moule et le saupoudrer légèrement de farine. Faire cuire au four préalablement chauffé à 200 °C pendant 20 minutes environ. Démouler chaud sur une grille. Terminer la crème au beurre en incorporant les 50 g de pâte de pistaches.

3. Préparer la ganache la veille, de préférence. Faire bouillir la crème à feu vif dans une casserole à fond épais pendant 1 minute en remuant à l'aide d'un fouet. Retirer du feu. Ajouter le chocolat cassé en petits morceaux et remuer jusqu'à l'obtention d'un mélange homogène et lisse. Couvrir et laisser refroidir au moins 12 heures au réfrigérateur.

4. Couper la génoise en trois abaisses. Déposer la première sur un carton à gâteau, l'imbiber d'un tiers de sirop au kirsch. Recouvrir de ganache, d'une deuxième abaisse imbibée et de crème au beurre. Placer la troisième abaisse et l'imbiber du reste de sirop. Mettre au frais 1 heure environ. Masquer la surface avec le reste de ganache, recouvrir de pâte d'amandes verte et saupoudrer de sucre glace. Décorer de pistaches mondées.

Préparation   *30 minutes*
Cuisson   *15 minutes*
Difficulté   ✶

Pour 8 personnes

Ganache simple (voir p. 293) **:**
300 g de chocolat de couverture ou à croquer
250 ml de crème fraîche

Pâte à sphinx :
180 g de sucre
180 g d'amandes mondées
6 blancs d'œufs

Décoration :
cacao en poudre

Il n'est pas ici question d'énigme insoluble ni des monumentales perspectives du désert égyptien, mais plutôt d'une recette de pâtisserie tout à fait traditionnelle. La simplicité de cette préparation ne fait qu'attester la maîtrise de Maurice Bernachon, fort de ses cinquante années d'expérience et de fréquentation du chocolat, qu'il qualifie d'« or noir » et qu'il apprit à connaître dès sa première année d'apprentissage.

Le dépouillement de la ganache simple qu'il nous propose est une parfaite illustration des principes qu'il applique avec rigueur dans son travail quotidien : n'utiliser que des produits d'une excellente qualité, tant pour le chocolat que pour la crème.

Il recommande spontanément la savoureuse crème d'Isigny, fleuron du bocage normand qui jouit depuis quelques années d'une appellation d'origine contrôlée (A.O.C.). Il s'agit d'une crème épaisse pasteurisée, à utiliser dans tout l'éclat de sa fraîcheur et dont la finesse garantit une dégustation hors pair.

La seule difficulté peut se présenter lors de la cuisson des fonds de sphinx : elle doit être assez courte pour préserver leur moelleux. Afin d'éviter tout imprévu, il est recommandé de préparer à l'avance la pâte à sphinx et de la conserver à l'abri de l'humidité dans un film alimentaire. Quant à la décoration finale de poudre de cacao, vous veillerez à la rendre bien homogène en employant une poudrette.

1. La veille, préparer la ganache simple et la conserver au froid durant 12 heures. Pour la pâte à sphinx, broyer au mixeur le sucre et les amandes. Monter les blancs d'œufs en neige bien ferme. Mélanger tous les ingrédients le plus délicatement possible, afin de ne pas faire retomber les blancs.

2. Beurrer et fariner la plaque du four. Étaler dessus deux abaisses de pâte à sphinx d'environ 22 cm de diamètre à l'aide d'une poche à douille n° 7 ou 8, en partant du centre avec un mouvement de spirale. Cuire 7 à 8 minutes au four à 250 °C. Pour obtenir un cercle parfait, retourner l'abaisse cuite sur une assiette, puis égaliser tout autour avec un couteau.

3. Ramollir la ganache au bain-marie sans cesser de remuer. Poser une abaisse de pâte à sphinx sur un carton à gâteau et l'enduire de ganache sur environ 2 cm d'épaisseur avec une poche à douille. Placer dessus la seconde abaisse, côté lisse à l'extérieur. Réserver 1 heure au réfrigérateur.

4. Masquer entièrement l'entremets avec le restant de ganache et le saupoudrer de cacao. Quadriller la surface à l'aide d'un grand couteau ou d'une règle.

Préparation	2 heures
Cuisson	25 minutes
Difficulté	★ ★ ★

Pour 8 personnes

Crème au beurre :
3 œufs
100 g de sucre
250 g de beurre
zeste râpé d'1 citron

Génoise (voir p. 294) :

Masquage à la pâte d'amandes :
250 g de pâte d'amandes 50/50
4 jaunes d'œufs
1 œuf
Pâte sablée (voir p. 296) :
Glaçage :
sirop à 30° Beaumé
Pâte à cigarettes :
100 g de sucre glace
100 g de beurre
100 g de blancs d'œufs
100 g de farine
cacao en poudre pour la coloration

Parfaite illustration des journées au grand air de la Belle Époque, favori des impressionnistes et symbole d'une heureuse détente, voici le canotier dans une version revue par Christian Cottard.

La pâte sablée réclame suffisamment de beurre et l'on doit la pétrir sans insistance, d'où l'emploi d'une farine pauvre en gluten. Il faut encore éviter toute surchauffe et veiller à ce que le beurre soit d'excellente qualité. L'addition d'amandes produit un double effet : absorption des matières grasses excédentaires, et surtout subtilité accrue du goût lors de la dégustation. Une touche de levure chimique rend la pâte plus légère.

La pâte à cigarettes (ou pâte à corolle) est un précieux auxiliaire de chemisage. Elle se dessèche à la cuisson, ce qui contraint à la manipuler pendant qu'elle est très chaude. On la retrouve d'ailleurs dans de nombreux décors de pâtisserie, où sa texture fait merveille.

On ne saurait enfin servir ce délectable couvre-chef sans évoquer Maurice Chevalier, qui l'a rendu célèbre à travers le monde entier : ce sera donc en écoutant l'un de ses inoubliables succès, lors d'un goûter estival composé de glaces ou de fruits rafraîchis, avec l'agréable perspective de retrouver les charmes d'une époque révolue.

1. Pour la crème au beurre, travailler au fouet les œufs, chauffer le sucre à 121 °C et le verser en filet sur les œufs. Fouetter jusqu'à complet refroidissement, puis mélanger avec le beurre en pommade. Incorporer le zeste de citron râpé. Pour le montage, détailler une génoise rassise d'un ou deux jours en trois abaisses et monter le canotier en intercalant abaisses de génoise et crème au beurre.

2. Recouvrir la totalité de l'entremets du reste de crème au beurre et mettre au frais. Pour le masquage à la pâte d'amandes, détendre au fouet la pâte d'amandes avec les jaunes d'œufs, puis avec l'œuf entier.

3. Réaliser la pâte sablée. Dresser le cannage sur l'entremets avec une douille chemin de fer, en croisant les bandes de pâte d'amandes. Laisser sécher toute une nuit au frais (mais pas au réfrigérateur). Passer au four très chaud (220 °C) et glacer au sirop à 30° Beaumé dès la sortie du four. Déposer l'entremets sur un disque de pâte sablée.

4. Pour la pâte à cigarettes, ajouter le sucre glace au beurre en pommade et travailler au fouet en incorporant petit à petit les blancs d'œufs. Ajouter en dernier la farine tamisée. Dresser sur une plaque recouverte de papier sulfurisé. À l'aide d'un pochoir, réaliser des bandes de pâte et placer au congélateur. Masquer d'une fine couche de pâte à cigarettes et mélanger avec du cacao pour finir le dessin. Cuire au four à 220 °C. Dès la sortie du four, en entourer l'entremets.

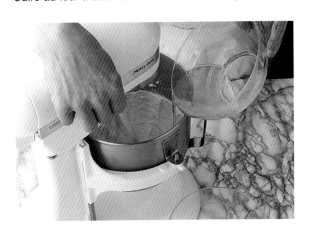

Éclat de rubi

Préparation   1 heure
Cuisson   30 minutes
Difficulté   ✶

Pour 8 personnes

Gelée de fruits rouges :
500 g de fraises et de framboises
sucre (selon l'acidité des fruits)
zeste d'1/2 orange
1 tige de verveine citronnée
12 feuilles de gélatine (20 g) par litre de jus
    de fruits

Parfait à la vanille :
8 jaunes d'œufs
150 g de sucre
12 feuilles de gélatine (20 g)
2 gousses de vanille
500 ml de crème fouettée
Financier à la framboise :
3 blancs d'œufs (120 g)
125 g de sucre
40 g de poudre d'amandes
40 g de farine
100 g de beurre noisette
30 g de framboises
Décoration :
framboises

Le financier qui sert de base à cette tarte, à la fois riche et savoureux, est surmonté pour notre plaisir d'un parfait à la vanille et accompagné d'un jus délicat de fruits rouges légèrement gélifié, de la couleur du rubis. L'harmonie que distillent ces trois éléments fait de ce dessert un rare délice, que notre chef mentonnais réserve à ses clients les plus raffinés.

En premier lieu, l'infusion de fruits rouges au bain-marie, aromatisée d'une gousse de vanille et agrémentée d'une tige de verveine citronnée, entre pour beaucoup dans la finesse de goût de cette tarte. On la préparera la veille, sans presser les fruits, et pour n'en retirer que le jus résultant d'une simple opération naturelle.

Pour le biscuit, Christian Cottard privilégie la framboise, dont la saveur acidulée se révèle très opportune pour ébranler la douceur du financier. On utilisera des fruits bien mûrs, parfaitement naturels, éventuellement congelés.

Les profanes s'inquiéteront sans doute du déroulement précis du démoulage de la gelée, qui requiert un certain tour de main. Généralement, il suffit de soumettre la préparation à un choc thermique : une fois la gelée bien durcie, passez le moule à feu très doux et démoulez immédiatement. Telle était la pratique en Normandie dans la famille de notre chef, qui en conserve de solides souvenirs d'enfance.

1. Pour la gelée de fruits rouges, rassembler dans un récipient tous les ingrédients, sauf la gélatine. Recouvrir de film alimentaire et mettre au bain-marie à feu doux 1 heure environ. Laisser refroidir. Passer au chinois sans presser pour obtenir uniquement le jus. Incorporer la gélatine ramollie. Verser dans un moule à manqué de 18 cm de diamètre et placer au froid pendant 12 heures.

2. Pour le parfait à la vanille, travailler les jaunes d'œufs au fouet. Verser doucement par-dessus le sucre chauffé à 121 °C sans cesser de fouetter jusqu'à complet refroidissement. Ajouter la gélatine ramollie dans un peu de sirop chaud, ainsi que la vanille. Incorporer délicatement la crème fouettée.

3. Verser le parfait dans le moule à manqué sur la gelée de fruits rouges. Mettre au froid 5 heures environ.

4. Pour le financier, battre les blancs d'œufs sans les monter. Incorporer le sucre, la poudre d'amandes, la farine, le beurre noisette et laisser reposer. Verser dans un moule à pain de Gênes supérieur de deux tailles à celui utilisé pour le parfait. Parsemer de framboises avant de cuire 10 à 15 minutes à 200 °C. Démouler, laisser refroidir et disposer le parfait dessus. Dresser les framboises tout autour du financier.

Marjolaine aux

Préparation 2 heures
Cuisson 15 minutes
Difficulté ★ ★

Pour 8 personnes

Biscuit marjolaine :
110 g d'amandes entières
125 g de noisettes mondées
100 g de sucre
20 g de farine
4 blancs d'œufs (140 g)

Mousse d'amandes et de pistaches :
125 g de pâte d'amandes 50/50
12 g de pâte de pistaches

2 jaunes d'œufs
100 g de beurre

Ganache à l'orange :
200 ml de crème fleurette
zeste d'1 orange
400 g de chocolat de couverture à l'orange ou
    blanc
40 g de glucose
20 ml de Grand Marnier

Meringue italienne (voir p. 295) :

Décoration :
fruits secs
rondelle d'orange

On constate que le bassin méditerranéen, à mesure que s'étendait la conquête romaine, adoptait dans ses comportements culinaires une part des pratiques du vainqueur, notamment dans l'emploi des fruits secs (amandes, noisettes, pignons, dattes par exemple, le pruneau n'étant semble-t-il arrivé en Occident qu'à l'époque des Croisades).

Cette marjolaine s'inscrit parfaitement dans les traditions provençales avec sa forte teneur en amandes, qu'elles soient de variété aï, ferraduel ou ferragne. Pour les noisettes, vous choisirez entre les rondes du Piémont, réputées pour leur saveur, et les douces avelines d'Espagne.

Pour la mousse d'amandes et de pistaches, ces dernières devront être d'excellente qualité. Jadis introduites par les Arabes et cultivées tout autour de la *mare nostrum*, elles occupent elles aussi une large place dans la pâtisserie traditionnelle de la plupart des pays riverains. Il convient cependant que ces anacardiacées (tel est leur nom) soient de petite taille, car elles ont davantage de goût – et de préférence originaires d'Espagne.

L'entremets se déguste à température ambiante et fournit l'occasion de rappeler que la marjolaine, avec son arôme puissant, évoque des plats de saveur assez relevée.

1. Pour le biscuit marjolaine, beurrer copieusement une plaque allant au four et la placer au congélateur. Torréfier les amandes et les noisettes, les broyer avec le sucre, puis incorporer la farine. Monter les blancs d'œufs avec le sucre, puis mélanger délicatement avec les amandes et les noisettes. Coucher sur la plaque beurrée froide. Cuire à 200 °C, démouler dès la sortie du four et laisser reposer quelques heures.

2. Pour la mousse d'amandes et de pistaches, détendre la pâte d'amandes et la pâte de pistaches avec les jaunes d'œufs et le beurre en pommade. Monter l'ensemble jusqu'à l'obtention d'une crème mousseuse.

3. Pour la ganache à l'orange, chauffer la crème avec le zeste d'orange. Faire fondre le chocolat et le glucose, puis ajouter le Grand Marnier avant complet refroidissement.

4. Monter l'entremets en rectangle. Disposer dans le fond du rectangle une abaisse de biscuit et masquer de ganache à l'orange. Recouvrir d'une abaisse de biscuit, puis masquer de mousse d'amandes et de pistaches. Ajouter la dernière abaisse de biscuit et masquer le dessus de meringue italienne. Brûler au fer rouge, puis décorer de fruits secs et d'une rondelle d'orange.

Mille-feuille

Préparation   2 heures
Cuisson   30 minutes
Difficulté   ★ ★ ★

Pour 8 personnes

Pâte feuilletée (voir p. 296) :
1 kg de farine
30 g de sel
500 ml d'eau
1 kg de beurre d'Échiré
sucre glace
sucre semoule

Crème pâtissière (voir p. 292) :
1 l de lait
8 jaunes d'œufs
200 g de sucre
200 ml de crème fouettée
200 g de sucre glace
Crème légère :
350 g de crème pâtissière
750 ml de crème fleurette fouettée
70 g de sucre glace
6 feuilles de gélatine (10 g)
Décoration :
sucre glace

Le mille-feuille ne compte pas 1 000 feuilles, pas plus que le mille-pattes ne possède effectivement 1 000 pattes. Cette dénomination approximative remonte à la Renaissance, lorsqu'on commença à exploiter à cette fin la pâte feuilletée qu'avaient découverte les Croisés en Orient, et qui sert encore aujourd'hui à de multiples préparations : croissants, chaussons, palmiers, etc.

Dans le cas du mille-feuille, il faut que la pâte feuilletée subisse au total six tours, à savoir quatre tours conventionnels – espacés selon la règle de deux bonnes heure – et deux derniers tours de finition, au cours desquels vous devrez saupoudrer abondamment la pâte de sucre semoule.

Pour Christian Cottard, il faut à la pâte feuilletée du beurre d'Échiré très frais, utilisé avec une détrempe à base d'eau. Un rapide calcul permet d'établir qu'un feuilletage à six tours comporte 729 couches de beurre et 730 couches de détrempe, ce qui ne peut manquer de faire apparaître pleinement la saveur du beurre.

Le résultat de tous ces efforts est un grand classique du genre, qui sert fréquemment d'épreuve pour les jeunes pâtissiers et reste l'une des productions les plus renommées de cette délicate profession, où l'on conjugue dans une sereine créativité la patience et l'amour des saveurs.

1. Réaliser une pâte feuilletée classique, l'abaisser sur 2 mm et la laisser reposer 2 heures environ. Découper des bandes de 20 cm de long sur 1 cm de large. Tresser le couvercle et laisser reposer 1 heure. Cuire environ 20 minutes à four chaud, retourner et saupoudrer de sucre glace à mi-cuisson pour caraméliser. Le feuilletage doit être bien cuit, caramel brillant. Couper deux cercles de feuilletage du diamètre du moule qui servira au montage.

2. Pour confectionner des pailles, tourner le feuilletage normalement jusqu'à quatre tours. Sucrer abondamment les deux derniers tours avec du sucre semoule. Abaisser ensuite le pâton sur une épaisseur de 0,5 cm et le détailler en bandes de 5 cm de large. Laisser durcir au froid sans repos. Couper des bûchettes d'1 cm de large et les cuire à plat pour obtenir des pailles genre « palmier » qui chemiseront à chaud le bord du moule du mille-feuille.

3. Pour la crème légère, préparer normalement la crème pâtissière et laisser refroidir. Monter la crème en chantilly, ajouter le sucre et faire ramollir la gélatine dans l'eau froide. Réchauffer un peu de crème pâtissière et y incorporer la gélatine. Ajouter le reste de crème pâtissière et bien lisser au fouet avant de verser délicatement la crème Chantilly.

4. Garnir le mille-feuille en superposant les disques de feuilletage et la crème dressée avec une poche à douille de 10 mm de diamètre. Terminer avec le tressage qui sert également de décor et saupoudrer de sucre glace. Laisser refroidir environ 3 heures.

Préparation — *2 heures*
Cuisson — *25 minutes*
Difficulté — ★ ★★

Pour 6 à 8 personnes

Bavaroise au café grillé :
50 g de grains de café
330 ml de lait
5 jaunes d'œufs
100 g de sucre
4 feuilles de gélatine (8 g)
330 ml de crème fouettée

Parfait au rhum :
5 jaunes d'œufs
100 g de sucre
4 feuilles de gélatine
35 ml de rhum
330 ml de crème fouettée
Génoise (voir p. 294) :
4 œufs
125 g de sucre
125 g de farine
Sirop à la chicorée :
100 g de sucre, 100 ml d'eau
chicorée soluble
Décoration :
200 g de nappage blond
200 g de chocolat noir de couverture

Il existe toutes sortes de moulins, au propre comme au figuré : moulins à vent, à eau, à paroles, à prières… et bien sûr à café, comme ces petites caisses de bois avec tiroir aujourd'hui reléguées dans la poussière des brocantes, et qui ont servi pendant des générations, lorsque l'on moulait à la main les grains de café. C'est en hommage à ce modeste appareil domestique que Christian Cottard a conçu cette préparation, lors du concours du Meilleur ouvrier de France 1986.

Afin de réussir à coup sûr ce parfait collé, il est nécessaire d'avoir le sens de l'organisation, tant pour les ustensiles que pour les ingrédients, et de respecter absolument les délais, par exemple pour le café. Votre choix se portera sur un café fort de type robusta, originaire d'Équateur, dont vous préparerez la veille une puissante décoction.

Il faut préalablement griller le café dans les règles, c'est-à-dire le broyer au rouleau entre deux feuilles de papier sulfurisé (ou dans un torchon) avant de le poser sur une plaque à 200 °C jusqu'à ce que les bords noircissent. Versez-le tout de suite dans le lait prêt à bouillir.

Distinguez la génoise feuille (fine) et la génoise forme (dans un moule) : la première doit cuire à une chaleur de 20 à 30 °C supérieure à la seconde. Il vaut mieux utiliser ici une génoise cuite la veille, plus aisée à travailler – voire une génoise de quelques jours. La meilleure organisation consiste à préparer d'abord tous les biscuits et ensuite seulement la bavaroise au café.

1. Pour la bavaroise, concasser les grains de café, les faire griller et les verser dans le lait bouillant. Laisser refroidir, couvrir d'un film comme pour une décoction, puis passer au chinois. Rectifier le volume pour garder un tiers de litre. Travailler les jaunes d'œufs avec le sucre jusqu'à l'obtention d'un ruban. Ajouter la décoction, cuire comme une crème anglaise et passer au chinois. Ajouter la gélatine ramollie à l'eau froide, laisser refroidir et mélanger à la crème fouettée.

2. Sangler un moule hémisphérique et le chemiser de bavaroise au café. Réserver au froid. Pour le parfait au rhum, travailler les jaunes d'œufs au batteur. Chauffer le sucre à 121 °C, le verser sur les jaunes et remuer jusqu'à complet refroidissement. Ajouter la gélatine ramollie à l'eau froide, le rhum et mélanger délicatement à la crème fouettée.

café

3. Confectionner la génoise, l'étaler sur une plaque recouverte de papier sulfurisé et cuire 10 minutes environ au four à 220 °C. Découper un disque de la grandeur de l'entremets. Terminer de remplir le moule avec le parfait au rhum. Pour le sirop, faire bouillir le sucreet l'eau, puis ajouter la chicorée soluble hors du feu. Laisser refroidir.

4. Fermer le moule avec le disque de génoise et l'imbiber de sirop à la chicorée. Laisser prendre 24 heures au congélateur avant de démouler. Masquer d'un nappage blond, puis décorer, selon l'humeur, à la façon d'un moulin à café, avec du chocolat noir de couverture.

Préparation   *1 heure 30 minutes*
Cuisson   *20 minutes*
Difficulté   ★ ★

Pour 8 personnes

Meringue italienne (voir p. 295) :
2 blancs d'œufs (80 g)
125 g de sucre

Mousse coco :
125 ml de crème fleurette
250 g de pulpe de noix de coco
4 feuilles de gélatine (7 g)
35 ml de rhum agricole

Succès aux noix de pécan :
2 blancs d'œufs (80 g)
150 g de sucre
10 g de fécule
50 g de poudre d'amandes
50 g de noix de pécan hachées

Caramel brun :
30 g de beurre
30 g de sucre

Garniture :
2 bananes coupées en rondelles

Décoration :
chocolat noir

La noix de coco est très appréciée des pâtissiers qui en font l'élément de base du congolais, et ici de cette paillote. La pulpe de coco disponible dans le commerce est d'une qualité qui ne déçoit pas les amateurs – mais vous pouvez aussi procéder vous-même au broyage du coprah, l'amande de coco riche en lait.

Il faut incorporer très doucement les éléments fluides dans la meringue, afin qu'ils détendent la mousse sans pour autant la rendre liquide. Vous ajouterez la chantilly en dernier lieu.

Une fois ces opérations de base réalisées, il convient de vous pencher sur la question de la paillote elle-même. Elle doit avoir pour base un chocolat de couverture amer (au moins 70 % de cacao) pour équilibrer la douceur de la mousse coco et du biscuit succès qui lui sert de base. Son montage peut évidemment vous paraître compliqué, mais le tour de main viendra bien vite et vous pourrez vous féliciter de vos talents d'architecte.

Saluons au passage l'apparition de la noix de pécan, originaire d'Amérique du Nord. Il s'agit d'un fruit sec très digeste, qui ne rancit pas, mais dont la constitution complexe rend l'écalage difficile. S'il le faut et bien que moins exotique, une noix du Périgord classique pourra lui servir de doublure.

1. Pour la mousse coco, réaliser une meringue italienne, puis monter la crème fleurette en chantilly. Chauffer légèrement la pulpe de coco. Ramollir les feuilles de gélatine à l'eau froide, puis les faire fondre dans le rhum chauffé. Incorporer le tout à la meringue ainsi que la pulpe de coco et, pour finir, la crème fouettée.

2. Pour le biscuit aux noix de pécan, monter les blancs d'œufs, les serrer avec une partie du sucre et ajouter la fécule. Mélanger le reste de sucre, la poudre d'amandes et les noix de pécan hachées. Incorporer délicatement ce mélange dans les blancs en neige. Dresser sur du papier sulfurisé avec une douille de diamètre 12/14 et cuire au four à 220 °C. Dans une poêle, faire un caramel avec le beurre et le sucre. Poêler les rondelles de bananes et les réserver sur une plaque.

coco-créole

3. À l'aide d'un disque en Rhodoïd, réaliser un chapeau chinois, puis le poser dans un cercle à entremets pour le stabiliser. Disposer à l'intérieur du chapeau un cercle à tarte de même diamètre que le cercle à entremets pour la confection du socle de la paillote.

4. Garnir de mousse coco, ajouter les rondelles de bananes et fermer avec un disque de biscuit. Placer 12 heures au congélateur. Retirer le chapeau en Rhodoïd ainsi que le cercle à tarte et, à l'aide d'un cornet garni de chocolat fondu, réaliser un décor de paille.

Palette aux

Préparation	1 heure 30 minutes
Cuisson	15 minutes
Difficulté	★ ★

Pour 8 personnes

Biscuit à la cuillère :
3 jaunes d'œufs
40 g de sucre
3 blancs d'œufs
60 g de sucre
75 g de farine
1 sachet de levure chimique
sucre glace

Parfait au Grand Marnier :
6 jaunes d'œufs
125 g de sucre
7 feuilles de gélatine (12 g)
125 ml de Grand Marnier
500 ml de crème fouettée
Sirop :
200 ml de sirop à 30° Beaumé
　　(100 g de sucre, 100 ml d'eau)
100 ml de jus de pamplemousse
30 ml de Grand Marnier
Génoise (voir p. 294)
Fruits (selon la saison) :
abricots, pêches, fraises, groseilles,
　　framboises, mûres, myrtilles

D'abord, comment se procurer un moule en forme de palette de peintre ? Un jour, Christian Cottard vit chez un fabricant un moule à côtelette en gelée qui lui donna l'idée de « détourner » un cercle à entremets, simplement tordu pour copier l'encoche où l'artiste glisse normalement ses doigts. Un coup d'emporte-pièce pour le pouce et le tour est joué ! Bien sûr, le cercle ainsi déformé ne peut plus servir qu'à cette préparation.

Ensuite, il faut n'utiliser que des fruits de pleine saison, pour suivre avec le respect qu'ils méritent les sages enseignements de nos prédécesseurs. C'est pourquoi notre chef a voulu faire table rase des carambes, papayes et autres fruits de la Passion, malgré l'intérêt qu'il leur porte par ailleurs.

La disposition du biscuit à la cuillère, auquel est dévolu son rôle ordinaire dans la charlotte, permet de « couper » le gras du parfait dont il absorbe l'humidité sans relâche. Le biscuit n'a pas de goût propre, de telle sorte qu'il ne corrompt pas l'arôme subtil des entremets. Mais il faut soigner particulièrement son émulsion et n'incorporer la farine qu'à la fin.

Si l'on donne ici le Grand Marnier comme adjuvant, tout alcool blanc pourrait convenir selon les fruits choisis. On réserve le rhum aux fruits exotiques, si l'on n'a pas pu résister à la tentation d'en user. C'est le jus de pamplemousse qui l'emporte pour imbiber le biscuit, car il comporte peu de sucre et rafraîchit franchement le goût.

1. Pour le biscuit à la cuillère, monter les jaunes avec le sucre jusqu'à l'obtention d'un ruban ; battre également les blancs en neige avec le sucre. Incorporer les deux appareils l'un à l'autre, puis terminer en ajoutant la farine tamisée et le sachet de levure.

2. Dresser sur du papier sulfurisé avec une poche à douille de 14 mm, saupoudrer de sucre glace et cuire 12 minutes environ au four à 300 °C. Pour le parfait, travailler les jaunes au fouet et y verser doucement le sucre cuit à 121 °C sans cesser de fouetter jusqu'à complet refroidissement. Ajouter la gélatine ramollie à l'eau froide, le Grand Marnier, puis la crème fouettée. Pour le sirop, mélanger le sirop de sucre au jus de pamplemousse et au Grand Marnier.

fruits du temps

3. Confectionner la génoise, l'étaler sur une plaque recouverte de papier sulfurisé et cuire 20 minutes environ à 220 °C. Déposer au fond d'un cercle en forme de palette une abaisse de génoise imbibée de sirop. Masquer d'une couche de parfait au Grand Marnier et éparpiller dessus des morceaux de fruits frais. Recouvrir d'une abaisse de génoise imbibée de sirop et terminer avec le parfait. Mettre au congélateur.

4. Démouler et confectionner un trou à l'emporte-pièce sur le côté. Dresser tout autour les biscuits à la cuillère. Disposer harmonieusement les fruits de saison sur la palette.

Préparation 3 heures
Cuisson 20 minutes
Difficulté ✶ ✶

Pour 8 personnes

Compote d'abricots :
200 g d'abricots
40 g de sucre
1/2 gousse de vanille
un peu d'eau
Biscuit dacquoise :
2 blancs d'œufs (80 g)
50 g de sucre
100 g de poudre d'amandes

10 g de fécule
100 g de sucre

Meringue italienne (voir p. 295)
Mousse d'abricots :
100 ml de crème fouettée
2 feuilles de gélatine
10 ml d'amaretto
100 g de meringue italienne
200 g de compote d'abricots
Bavaroise aux amandes grillées :
30 g de poudre d'amandes
200 ml de lait
3 jaunes d'œufs
50 g de sucre
3 feuilles de gélatine (5 g)
200 ml de crème fouettée
Gelée miroir suisse (voir p. 294)

Les abricots mûrs du Roussillon arborent une belle couleur rouge velouté, « une couleur qui ne pardonne pas », comme dit Victor Hugo. C'est la variété que privilégie notre chef méditerranéen, pour ce fruit dont on emprunte le nom à l'arabe *via* le catalan (*al-barqúq*, déformé en *abercoc*). On le choisira légèrement taché, mais non talé, aussi savoureux que ceux que l'on chipait autrefois dans le verger des voisins…

Vous en ferez une compote d'une extrême simplicité, composée en tout et pour tout de sucre, de fruits et d'une gousse de vanille, à cuire une vingtaine de minutes environ pour lui donner une bonne consistance et une saveur acidulée. Ce serait offenser Christian Cottard que d'employer une compote du commerce.

Pour obtenir un gâteau parfaitement plat (condition *sine qua non* de la réussite), il faut le monter à l'envers, en gardant à l'esprit qu'il subira quelques rétractions au froid. Il en est de même, généralement, pour toute bavaroise et tout parfait.

Notre chef recommande de procéder la veille à l'infusion d'amandes grillées, qui ne peut se concevoir qu'avec des amandes de Provence, grasses et goûteuses, très rondes en bouche. Et bien sûr, un filet d'amaretto (cette liqueur italienne à base d'amandes et d'abricots) s'impose pour souligner l'harmonie naturelle de ces deux fruits. Un dernier conseil : moulez rapidement les différentes masses et mettez-les le plus vite possible au frais.

1. Pour la compote, choisir des abricots bien mûrs, les dénoyauter, les cuire 20 minutes dans une casserole avec le sucre, la vanille et l'eau, puis laisser refroidir. Pour le biscuit dacquoise, monter les blancs d'œufs en neige bien ferme avec 50 g de sucre. Mélanger la poudre d'amandes, la fécule et le sucre, puis les ajouter délicatement aux blancs d'œufs. Étaler en cercle sur du papier sulfurisé à l'aide d'une douille de diamètre 12/14 et cuire au four à 220 °C.

2. Pour la mousse d'abricots, confectionner la meringue italienne, puis monter la crème en chantilly. Chauffer les feuilles de gélatine, les ramollir à l'eau froide et les faire fondre dans l'amaretto. Mélanger délicatement la meringue, la compote d'abricots, l'amaretto et la crème fouettée.

3. Pour la bavaroise, faire griller au four la poudre d'amandes, la verser dans le lait bouillant et laisser refroidir. Recouvrir de film alimentaire afin d'en faire une décoction (ne pas passer au chinois). Travailler les jaunes d'œufs avec le sucre jusqu'à l'obtention d'un ruban, puis ajouter la décoction. Cuire comme une crème anglaise et ajouter la gélatine ramollie à l'eau froide. Laisser refroidir et mélanger à la crème fouettée.

4. Monter l'entremets à l'envers. Recouvrir un carton à gâteau de papier sulfurisé et poser dessus un cercle de 18 x 4 cm. Disposer dans le fond une couche de mousse d'abricots et couvrir d'une abaisse de dacquoise. Masquer d'une couche de bavaroise aux amandes grillées et recouvrir le tout d'une seconde abaisse de dacquoise. Placer au réfrigérateur. Démouler, masquer d'une gelée miroir et achever la décoration avec des demi-amandes.

Préparation	*2 heures 30 minutes*
Cuisson	*30 minutes*
Difficulté	★ ★ ★

Pour 8 personnes

**Meringue italienne, crème pâtissière,
crème chiboust à la vanille
et pâte feuilletée :**
voir pp. 295, 292 et 296

Pâte à choux :
250 ml de lait
5 g de sel
5 g de sucre
100 g de beurre
150 g de farine
5 œufs (240 g)

Caramel :
200 g de sucre
60 ml de sirop de glucose
70 ml d'eau

C'est dans sa pâtisserie du faubourg Saint-Honoré, à Paris, que le pâtissier Chiboust créa au siècle dernier ce gâteau largement célébré depuis, tout comme la crème qui porte son nom et que l'on voit souvent – hommage à rebours sans doute – orthographiée de manière bien fantaisiste. Le tout constitue encore de nos jours un excellent exercice de style pour tout pâtissier, puisqu'il comporte deux des piliers de la pâtisserie : la pâte feuilletée et la pâte à choux.

Compte tenu de la taille du gâteau, Christian Cottard utilise volontiers des rognures de feuilletage, qui ne sont ni boulées ni façonnées, mais tout au moins à base de beurre. Admettons

aussi – une fois n'est pas coutume – la pâte congelée, à condition qu'elle ne comporte pas de stabilisateurs.

Pour les carolines que l'on voit apparaître ici, on sera bien aise de constater qu'elles sont une élégante version du petit chou traditionnel. Elles doivent être bien déshydratées et donc subir une sérieuse évaporation dans le cours de leur cuisson.

Certains pâtissiers se contenteraient par facilité, nous dit-on, de garnir le saint-honoré de crème Chantilly. Cette pratique dénature le gâteau, dont la seule raison d'être consiste dans la mise en valeur de la crème chiboust, dite aussi «crème à saint honoré».

1. Pour la crème chiboust, confectionner la meringue italienne ainsi que la crème pâtissière. Ajouter la gélatine ramollie à l'eau froide dans la crème pâtissière encore chaude. Mélanger délicatement la crème pâtissière et la meringue encore tièdes. Découper dans le feuilletage un cercle de 18 cm de diamètre et laisser reposer 2 heures au frais. Faire tout autour une couronne de pâte à choux et cuire au four environ 20 minutes à 220 °C.

2. Pour la pâte à choux, mélanger lait, sel, sucre et beurre. Porter à ébullition. Dès que le beurre a fondu, verser la farine et remuer sur le feu sans discontinuer jusqu'à l'obtention d'un mélange homogène. Laisser dessécher la pâte 1 à 2 minutes. Hors du feu, incorporer les œufs petit à petit, en les travaillant. À l'aide d'une poche à douille n° 6, dresser les carolines sur une plaque et cuire au four 20 minutes à 220 °C. Préparer le caramel et en glacer les carolines.

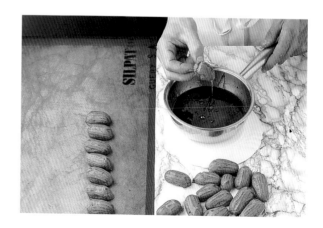

3. Déposer le fond de feuilletage sur un carton à gâteau et, à l'aide d'une douille fendue, garnir le saint-honoré de crème chiboust encore chaude. Le glacer légèrement à la salamandre ou sous le gril du four.

4. Couper les carolines en deux. Avec le reste de caramel, coller le fond des carolines sur la bordure de pâte à choux tout autour du saint-honoré. À l'aide d'une poche à douille cannelée, garnir de crème chiboust et recouvrir de la partie glacée au sucre. Servir aussitôt.

Préparation — 40 minutes
Cuisson — 1 heure
Difficulté — ★★

Gelée au vin rouge :
500 ml de jus de cuisson des poires
25 g de pectine
sucre
Pain de Gênes :
250 g de pâte d'amandes 50/50
3 œufs
80 g de beurre
12 ml de rhum
40 g de farine
1/2 sachet de levure chimique
Décoration :
sucre glace

Pour 8 personnes

Cuisson des poires williams :
750 ml de vin rouge tannique
30 g de miel
70 g de sucre
1 bâton de cannelle
zestes de citron et d'orange
5 poires williams

Il existait jadis une petite variété de poires dont Christian Cottard conserve la nostalgie et que l'on appelait le martin-sec. Ce fruit devenu très rare, enjeu de multiples bagarres dans les cours de récréation, était surtout connu pour sa bonne tenue dans la cuisson, son excellent contact avec le vin et la rapide flétrissure qui aussitôt le transformait, pour ainsi dire, en pure confiserie.

Aujourd'hui qu'il n'existe presque plus de poires martin-sec, notre chef s'en console tant bien que mal avec la poire williams, juteuse et parfumée, créée en Grande-Bretagne à partir de l'espèce jaune à chair musquée dite bon-chrétien. On lui reconnaît aussi quelques vertus dans la cuisson et la capacité de s'allier à de bons vins de caractère.

C'est précisément pour suivre cet objectif qu'il vous faut comme base de la gelée choisir un vin tannique, à bouquet charpenté, un vin de l'Hérault par exemple, non qu'il soit particulièrement fruité, mais pour offrir un réceptacle bien structuré à ces multiples saveurs complémentaires : poire, bien sûr (et cette fois, ne la coupez pas en deux !), mais aussi cannelle, citron, orange et miel de Provence.

Le pain de Gênes est un authentique gâteau qui appréciera le contact de la gelée : c'est une émulsion de pâte d'amandes parfumée au rhum, qu'il faut d'abord détendre avant d'y incorporer le beurre en pommade pour éviter de multiples grumeaux. En raison de sa très faible teneur en sucre, vous veillerez à le faire cuire lentement.

1. Préparer le sirop de pochage des poires en rassemblant dans une casserole tous les ingrédients et porter à ébullition. Éplucher les poires en les conservant entières et retirer le pédoncule à la base inférieure du fruit.

2. Plonger les poires dans le sirop bouillant et laisser cuire à feu doux sans couvrir jusqu'à ce qu'elles se flétrissent un peu. Laisser refroidir, puis égoutter les poires. Pour la gelée au vin rouge, porter à nouveau le jus à ébullition et ajouter la pectine mélangée au sucre. Faire bouillir 2 minutes, puis laisser refroidir.

pain de Gênes

3. Pour le pain de Gênes, détendre au batteur la pâte d'amandes en incorporant petit à petit les œufs. Laisser monter ce mélange, puis incorporer le beurre fondu refroidi et le rhum. Terminer avec la farine et la levure chimique tamisées. Cuire 20 minutes environ au four à 190 °C dans un moule beurré et fariné. Démouler dès la sortie du four.

4. Découper le pain de Gênes en deux abaisses. Poser la première abaisse sur un carton à gâteau et la masquer de gelée. Recouvrir avec la seconde abaisse, napper le dessus de gelée et ranger les quartiers de poires en rosace. Napper les poires avec le restant de gelée au vin rouge et saupoudrer légèrement le tour du gâteau de sucre glace.

Bananie

Préparation 1 heure 30 minutes
Cuisson 20 minutes
Difficulté ★ ★ ★

Pour 12 bananiers

Garniture :
6 bananes
100 g de beurre
100 g de sucre
100 ml de rhum
Biscuit joconde et crème pâtissière :
   voir pp. 289 et 292
Crème aux amandes :
400 g de beurre

400 g de pâte d'amandes 50/50
400 g de crème pâtissière
75 ml de rhum
Glaçage :
100 g de chocolat noir
100 g de beurre de cacao
Sauce au chocolat :
250 ml d'eau
360 g de sucre
120 g de cacao en poudre
240 ml de crème fleurette
4 feuilles de gélatine
Décoration :
100 g de chocolat au lait

Parmi les nombreux emplois que l'on a pu faire du mot « banane » (pour les mèches de cheveux galbées, les saillies de pare-chocs, etc.), on compte aussi la médaille militaire, que les poilus de 1914 surnommaient ainsi dans l'argot des tranchées.

Mais c'est ici de la véritable banane qu'il est question, et Lucas Devriese mériterait bien quelque décoration pour ce dessert exotique et complet. Si éloigné que soit Knokke-Le-Zoute des côtes caribéennes, on y apprécie fortement les diverses variétés de ce fruit savoureux.

Notre chef préconise l'emploi de belles bananes mûres, mais demeurées bien fermes, que l'on pourra le cas échéant faire mûrir après les avoir enveloppées d'un papier journal.

La préparation des fruits sera parfaite après un séjour de 20 minutes à four moyen (10 °C environ), puis chaud (200 °C), ce qui permettra la formation d'une croûte sucrée indispensable pour flamber les bananes au rhum sans les dessécher. Cette opération très minutieuse doit être effectuée le jour même, au contraire de la crème aux amandes que l'on peut fort bien exécuter la veille, voire plusieurs jours auparavant, quitte à la congeler si les délais sont trop longs.

Pour les amandes, Lucas Devriese nous recommande les variétés portugaises, de taille assez petite et d'un goût sensiblement différent. Leur parfum est très concentré, ce qui donne au gâteau une saveur particulière et même un joli contraste avec le goût plus capiteux des bananes.

1. Pour la garniture, couper les bananes en deux dans le sens de la longueur (en garder une entière pour le décor final, que l'on coupera en rondelles au moment de servir). Placer les bananes dans une sauteuse avec le beurre et le sucre, cuire à feu doux 20 minutes, puis flamber au rhum. Confectionner le biscuit joconde ainsi que la crème pâtissière.

2. Pour la crème aux amandes, travailler le beurre et la pâte d'amandes jusqu'à l'obtention d'une masse bien lisse, puis incorporer délicatement la crème pâtissière et le rhum.

3. Chemiser des demi-sphères avec cette crème. Pour le glaçage, faire fondre le chocolat noir avec le beurre de cacao. Réserver. Pour la sauce au chocolat, porter à ébullition l'eau, le sucre, le cacao en poudre et la crème fleurette dans une casserole. Hors du feu, ajouter les feuilles de gélatine ramollies à l'eau froide.

4. Garnir l'intérieur des demi-sphères de petites tranches de bananes flambées. Recouvrir d'un disque de biscuit et mettre 1 heure au froid. Démouler les bananiers et les glacer avec le mélange de chocolat noir et de beurre de cacao. Faire prendre au frais puis décorer de chocolat au lait fondu à l'aide d'un cornet. Dresser sur une assiette entouré de rondelles de bananes et accompagné de sauce au chocolat.

Bavaroise au

Préparation   1 heure 30 minutes
Cuisson   30 minutes
Difficulté   ✷ ✷

Pour 8 personnes

Biscuit au chocolat :
6 œufs (300 g)
180 g de sucre
110 g de farine
35 g de Maïzena
30 g de cacao en poudre

Mousse au chocolat :
150 g de sirop à 30° Beaumé
5 jaunes d'œufs (90 g)
330 g de chocolat fondant
540 ml de crème Chantilly
Bavaroise au thé :
250 ml de lait
8 g de thé (earl-grey)
4 jaunes d'œufs (80 g)
50 g de sucre
5 feuilles de gélatine
250 ml de crème Chantilly
Décoration :
cacao en poudre
gelée miroir (voir p. 294)

Chez un restaurateur de Zeebrugge qui lui faisait goûter de subtiles infusions, Lucas Devriese décida qu'il lui fallait mettre en vedette le thé, qui passe pour l'une des plus anciennes boissons du monde. La culture du théier, dont on croit trouver l'origine en Chine, connaît en fonction de l'altitude et du climat des succès divers, mais de nombreux pays en font un commerce important. Par l'intermédiaire des colons anglais, le thé est parvenu vers le XVIIᵉ siècle en Europe, où ses variétés les plus courantes connaissent aujourd'hui encore un indiscutable succès.

Parmi elles figure le thé earl-grey à la bergamote, que l'on devrait à l'ingénieuse industrie du quatrième comte Grey (1812-1898), gouverneur d'Australie, puis de Nouvelle-Zélande.

La préparation de cette bavaroise doit être effectuée sans répit : le thé ne se conserve guère au-delà de 24 heures, surtout quand il a pu infuser dans du lait U.H.T. (le meilleur moyen de préserver l'intégrité de son arôme). On peut donc tout juste s'autoriser à pratiquer l'infusion la veille, juste avant de réaliser la mousse.

Le biscuit au chocolat réclame un cacao amer en poudre plutôt que du chocolat de ménage. Enfin, on rappellera qu'il ne faut pas confondre le bavarois (qui désigne un entremets à la gélatine, moulé et refroidi) et la bavaroise, qui n'est en principe rien d'autre qu'une boisson chaude, une infusion de thé sucrée enrichie de café ou de chocolat.

1. Pour le biscuit au chocolat, monter au batteur les œufs et le sucre jusqu'à l'obtention d'un ruban. Ajouter en mélangeant délicatement à l'aide d'une spatule en bois la farine, la Maïzena et le cacao en poudre tamisés. Étaler sur une plaque recouverte de papier sulfurisé et cuire au four environ 25 minutes à 180 °C.

2. Pour la mousse au chocolat, verser le sirop tiède sur les jaunes d'œufs en fouettant et cuire au bain-marie à 90 °C. Quand la préparation commence à épaissir, la verser dans le mélangeur et monter au fouet en troisième vitesse jusqu'à complet refroidissement. Mélanger la pâte à bombe avec le chocolat fondu et terminer en incorporant la crème Chantilly.

hé et chocolat

3. Pour la bavaroise au thé, faire bouillir le lait avec le thé, couvrir et laisser infuser. Passer au chinois. Travailler les œufs avec le sucre, verser le lait dessus, remettre le tout dans la casserole et cuire à la nappe à 85 °C. Laisser tiédir et ajouter la gélatine ramollie à l'eau froide. Terminer en incorporant la crème Chantilly.

4. Pour le montage, poser un fond de biscuit au chocolat dans le moule et le masquer de mousse au chocolat à mi-hauteur. Recouvrir d'un second fond de biscuit et compléter avec la bavaroise au thé. Déposer au frais 3 heures environ. Dessiner une tache avec le cacao sur le dessus de l'entremets et glacer avec la gelée miroir.

Chiboust vanille

Préparation   2 heures
Cuisson   30 minutes
Difficulté   ★ ★ ★

Pour 8 personnes

**Pâte feuilletée, meringue italienne, crème
   pâtissière :** voir pp. 296, 295 et 292

Crème anglaise :
250 ml de lait
500 ml de crème fraîche
6 œufs
190 g de sucre
30 ml de calvados

Pommes caramélisées :
8 pommes jonagold
500 g de sucre
250 g de beurre
Garniture et décoration :
200 g de raisins blonds
quelques cerneaux de noix
sucre
Crème chiboust :
375 ml de lait
75 g de sucre
6 jaunes d'œufs
40 g de poudre de crème
1 gousse de vanille
5 feuilles de gélatine

La pomme jonagold est le résultat d'un croisement entre la variété jonathan et la golden delicious, l'une des plus répandues sur nos marchés. D'une fort belle couleur jaune rehaussée par endroits de taches d'un élégant rouge orangé, elle offre aux amateurs une consistance croquante, un goût acidulé des plus agréables et un parfum qu'elle conserve malgré les traitements qu'elle subit. C'est le fruit le mieux adapté à ce dessert, car son passage au caramel attendrit les quartiers et les rend presque translucides sans pour autant les réduire en compote.

Signalons encore que la jonagold est très appréciée en Belgique, où elle fait figure de produit national. Il était inévitable que notre chef la recommande.

Pour la crème chiboust, qui perpétue le nom du célèbre inventeur du saint-honoré, on utilisera de la poudre de crème, le cas échéant de la poudre de lait ou de la Maïzena, à condition de les avoir bien tamisées. On obtient ainsi une crème d'une consistance homogène dont l'usage ne devrait guère poser de problèmes.

Lucas Devriese recommande enfin d'employer pour le fond de feuilletage une pâte à cinq tours que l'on aura laissé reposer une heure et demie au frais après chaque tour. Ce luxe de précautions n'est pas inutile : il faut en effet qu'après cuisson la pâte soit légère tout en étant capable d'accueillir et de contenir les autres éléments de l'entremets.

1. Préparer le feuilletage, la meringue italienne et la crème pâtissière. Ajouter la gélatine ramollie à la meringue, puis incorporer la meringue à la crème pâtissière. Pour la crème anglaise, faire bouillir le lait avec la crème. Travailler les œufs avec le sucre. Verser le lait sur le mélange, remettre le tout dans la casserole et cuire à la nappe. Ajouter le calvados.

2. Éplucher les pommes et les couper en quartiers. Caraméliser le sucre à sec jusqu'à ce qu'il soit blond, puis ajouter le beurre. Placer les quartiers de pommes dans le caramel, laisser cuire doucement 30 minutes environ, puis égoutter. Foncer un moule à tarte de 2 cm de haut, le garnir de noyaux et faire cuire à blanc. Laisser refroidir.

...aux pommes

3. Entourer d'une bande de Rhodoïd de 4 cm de haut le fond de feuilletage. Verser la crème anglaise dans la croûte et garnir de pommes caramélisées et de raisins blonds macérés dans un peu de calvados. Ajouter quelques cerneaux de noix.

4. Terminer de garnir l'entremets avec la crème chiboust. Saupoudrer de sucre et caraméliser au fer rouge. Décorer de trois cerneaux de noix.

Préparation	1 heure
Cuisson	25 minutes
Difficulté	✲ ✲

Pour 8 personnes

1 barquette de groseilles

Mousse au chocolat et cassis :
5 jaunes d'œufs (90 g)
150 ml de jus de cassis
330 g de chocolat fondant
540 ml de crème Chantilly

Ganache :
300 ml de crème fleurette (40 % de matières
    grasses)
100 g de sucre
100 ml de sirop de glucose
250 g de chocolat
100 g de beurre

Biscuit au chocolat : voir p. 288

Décoration :
éventails de chocolat blanc
boules de chocolat noir

La principale difficulté de cette recette réside en fait dans sa touche finale, c'est-à-dire dans les billes ou boules de chocolat noir, qu'il faut à cette fin réduire en couche très fine, susceptible de cristalliser rapidement. Pour offrir un équilibre suffisant à la saveur acidulée du cassis, il vous faudra choisir un chocolat très amer, à 60 ou 70 % de cacao.

On devrait donc assister au final à d'intéressants contrastes : hormis celui des goûts, il y aura celui des consistances, entre la ganache de couverture formant un solide caparaçon, et le cœur du gâteau moelleux et fondant. La profonde couleur du chocolat noir servira d'harmonie d'ensemble à cette gourmandise à la fois amère et fruitée.

Encore faut-il incorporer dans la mousse un jus de cassis très savoureux (il est bien question d'un jus et non d'un sirop). Le meilleur procédé consiste sans doute à l'extraire vous-même des fruits frais au moyen d'un appareil à vapeur – en vérifiant bien que le jus ainsi réalisé présente une couleur claire. Il existe plusieurs variétés de cassis, bien connues depuis le XVᵉ siècle (on parlait auparavant de « groseilles noires ») : royal de Naples, noir de Bourgogne et géant de Boskoop figurent parmi les plus renommées.

Pour la ganache, Lucas Devriese recommande une crème à 40 % de matières grasses, et un refroidissement très strict et très contrôlé de la préparation jusqu'à 35 °C : ce n'est qu'à ce moment que vous pourrez incorporer le beurre.

1. Pour la mousse au chocolat et cassis, placer les jaunes dans un récipient et verser dessus le jus de cassis tiède en fouettant. Cuire au bain-marie jusqu'à ce que le mélange prenne une certaine consistance. Sortir du bain-marie et fouetter (en troisième vitesse) jusqu'à complet refroidissement. Ajouter à cette pâte le chocolat fondu et terminer le mélange avec la crème Chantilly.

2. Pour la ganache, faire bouillir la crème, le sucre et le glucose. Hors du feu, ajouter le chocolat coupé en petits morceaux et laisser refroidir jusqu'à 35 °C ; ajouter ensuite le beurre. Confectionner le biscuit au chocolat, l'étaler sur une plaque et cuire au four environ 25 minutes à 180 °C.

goût de cassis

3. Placer un moule en inox sur un carton à gâteau, disposer au fond une abaisse de biscuit au chocolat, puis masquer d'une couche de mousse au chocolat et cassis. Parsemer de quelques groseilles, poser dessus une seconde abaisse de biscuit et garnir avec le restant de mousse. Placer au froid environ 2 heures.

4. Démouler l'entremets et le glacer avec la ganache. Déposer tout autour des éventails de chocolat blanc. Décorer par exemple avec des boules de chocolat noir.

Préparation	*1 heure*
Cuisson	*30 minutes*
Difficulté	★ ★

Pour 8 personnes

Crème anglaise au vin blanc :
375 ml de vin blanc
jus d'1 citron
200 g de sucre
14 jaunes d'œufs (275 g)
200 g de sucre

Mousse au vin blanc :
420 g de crème anglaise au vin blanc
9 feuilles de gélatine
820 ml de crème Chantilly
Biscuit duchesse (voir p. 289)
Sirop :
420 g de crème anglaise au vin blanc
75 ml de sirop
Garniture et décoration :
Fruits frais de saison : framboises, myrtilles,
    groseilles, mûres, fraises, pommes,
    caramboles, citrons verts
Glaçage :
gelée miroir (voir p. 294)

Si l'on compte aujourd'hui de moins en moins de véritables duchesses, on a donné leur titre, en manière de compensation, à de nombreux objets inanimés : des sièges de repos, des variétés de poires (duchesse d'Angoulême) et, bien sûr, quelques fameuses préparations culinaires : les pommes duchesse peuvent l'attester, autant que le biscuit duchesse qui nous occupe ici.

Son élaboration et sa cuisson ne présentent pour ainsi dire aucune difficulté majeure, si l'on suit scrupuleusement les indications de la notice. En revanche, le résultat final sera fonction de la qualité du vin blanc choisi pour parfumer la crème anglaise et dont une part se retrouvera dans le sirop.

Cette crème anglaise est le principal composant de la mousse de garniture telle que l'envisage Lucas Devriese. Vous pourriez vous tourner vers de beaux vins à robe dorée, tels ceux qui ne comportent que des cépages blancs. Notre chef, grand amateur des produits du vignoble champenois, penche pour le chardonnay dont le bouquet lui semble convenir à cet emploi. L'essentiel est de savoir préparer la crème anglaise avec rapidité et de la couler tout aussi prestement.

Cependant, toutes les fantaisies ne sont pas de mise : ainsi, ne vous avisez pas de parfumer cette crème anglaise à la cannelle. Pour l'avoir essayé lui-même (et s'en être à l'usage fortement repenti), Lucas Devriese vous assure que ce serait un échec.

1. Pour la crème anglaise au vin blanc, porter à ébullition dans une casserole, le vin, le jus de citron et le sucre. Dans un récipient, monter les jaunes d'œufs et le sucre. Verser le vin blanc sur le mélange de jaunes et de sucre, remettre le tout dans la casserole et cuire à la nappe à 85 °C. Laisser refroidir. Pour la mousse au vin blanc, mélanger à la crème anglaise au vin blanc la gélatine fondue et la crème Chantilly.

2. Préparer le biscuit duchesse, l'étaler sur une plaque et le cuire au four. Pour le sirop, mélanger la crème anglaise au vin blanc et le sirop. Poser dans le fond d'un moule une abaisse de biscuit duchesse et l'imbiber de ce sirop.

u vin blanc

3. Recouvrir de mousse au vin blanc et parsemer de framboises. Déposer un second disque de biscuit et garnir avec le restant de mousse. Mettre au frais environ 2 heures.

4. Démouler l'entremets, le glacer avec une gelée miroir et le décorer avec les fruits frais de saison.

Forêt

Préparation   45 minutes
Cuisson   25 minutes
Difficulté   ★

Pour 8 personnes

200 g de griottes

Biscuit au chocolat (voir p. 288) :
7 œufs (360 g)
200 g de sucre
130 g de farine
45 g de Maïzena
30 g de cacao en poudre

Mousse au chocolat (voir p. 295) :

Crème Chantilly :
750 ml de crème fraîche
120 g de sucre

Feuilles de chocolat au lait :
250 g de chocolat de couverture au lait

Décoration :
cacao en poudre
sucre glace

Grand classique des pâtissiers, cette forêt-noire tire son nom du massif rhénan qui borde la frontière entre l'Allemagne et la France. C'est une région dont les vergers sont justement réputés, notamment pour les cerises dont on extrait un kirsch très pur. Le gâteau lui-même est d'une exécution plutôt facile et met en valeur le goût délicat des griottes.

Il ne faut pas oublier qu'il existe de nombreuses variétés de cerises : les douces (bigarreaux, guignes, qui sont la base du kirsch), les acidulées (la belle de Choisy) et les très acides (amarelles et griottes). Selon les cas, les cerisiers se rangent d'ailleurs dans la famille des merisiers ou des griottiers.

Lucas Devriese avoue spontanément que la forêt-noire est l'un de ses desserts préférés et qu'il apporte tout son soin à sa préparation. Pour donner aux griottes (de préférence macérées dans l'eau-de-vie) un compagnon digne d'elles, il préconise l'emploi d'un chocolat noir très amer, dont la saveur profonde sera joliment balancée par la crème Chantilly dès le deuxième étage du gâteau.

Il faut quelque dextérité, et donc un peu d'expérience, pour traiter avec des copeaux le décor de chocolat qui coiffe l'ensemble. Aidez-vous de la main pour réchauffer (et donc ramollir) le chocolat, cependant que l'autre main manipule adroitement le triangle : pour être efficace, la manœuvre doit être rapide.

1. Confectionner le biscuit au chocolat, l'étaler sur une plaque et le cuire au four. Couper le biscuit en trois disques, déposer le premier au fond d'un moule et le garnir de griottes. Préparer la mousse au chocolat.

2. Masquer l'ensemble de crème Chantilly. Recouvrir du deuxième disque, masquer de mousse au chocolat, garnir à nouveau de griottes et recouvrir du troisième disque. Terminer de masquer avec la crème Chantilly. Réserver 2 heures au réfrigérateur.

3. Pour les feuilles de chocolat, faire fondre le chocolat de couverture au bain-marie et l'étaler finement sur une plaque tiède. Déposer 30 minutes au réfrigérateur, puis laisser revenir à température ambiante. À l'aide d'un triangle, décoller de grandes bandes. Démouler l'entremets.

4. Recouvrir entièrement l'entremets de feuilles de chocolat au lait en les manipulant pour leur donner une forme originale. Saupoudrer de cacao et de sucre glace.

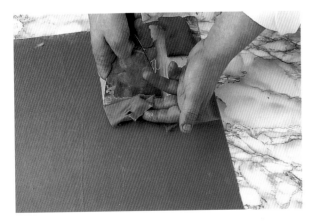

Préparation	*2 heures 30 minutes*
Cuisson	*1 heure*
Difficulté	★ ★ ★

Pour 8 personnes

Biscuit dacquoise :
8 blancs d'œufs
150 g de sucre
200 g de poudre d'amandes légèrement
    grillées
100 g de sucre
1 blanc d'œuf (30 g)
25 ml de lait

Feuilles de chocolat :
500 g de chocolat de couverture au lait
75 ml d'huile de noisette
Crème anglaise (voir p. 291)
Bavarois à la pistache :
75 g de pâte de pistaches
150 g de crème anglaise
3 feuilles de gélatine
375 ml de crème Chantilly
Crème pralinée :
180 g de sucre
3 blancs d'œufs (100 g)
200 g de beurre, 3 jaunes d'œufs
125 ml d'huile de noisette
Décoration :
paillettes de chocolat (facultatif)

Il fallait une certaine audace pour procéder de la sorte à l'union d'une anglaise et d'un bavarois, même lorsque Lucas Devriese convoque un biscuit dacquoise pour servir de témoin. Le résultat est réellement surprenant, frais et savoureux, enrichi même avec une certaine espièglerie par le décor de feuilles de chocolat.

Pour vous assurer de la finesse du dessert, vous devrez sans doute améliorer la pâte de pistaches qui doit parfumer le bavarois : on la trouve dans le commerce, mais elle est souvent d'une saveur insuffisante. On la braise en pareil cas pour affiner son arôme. La confection de la crème anglaise qui sert de base au bavarois n'offre aucune particularité qui la distingue de la recette traditionnelle et l'on doit y déployer toute la prudence que réclame le jaune d'œuf.

Selon Lucas Devriese, il n'y a pas plus de problèmes à redouter pour le biscuit dacquoise, dès lors que l'on a su choisir des matières premières d'une qualité suffisante.

La poudre d'amandes sera très fine, très maniable : avant de les pulvériser, vous aurez légèrement grillé les amandes pour leur donner plus de goût. Pour la crème pralinée, veillez à monter le beurre bien léger avant d'incorporer les jaunes.

Pour la partie décoration, étalez le chocolat sur une plaque bien chaude, afin qu'il ne cristallise pas trop vite. Vous le placerez ensuite au frais (un peu moins qu'à la température ambiante) pour obtenir une consistance favorable au montage du gâteau.

1. Pour le biscuit dacquoise, monter les blancs d'œufs en neige bien ferme avec le sucre. Mélanger la poudre d'amandes, le sucre, le blanc d'œuf et le lait, puis amalgamer délicatement les deux masses. Étaler sur une plaque recouverte de papier sulfurisé, puis cuire 15 minutes à 170 °C et 45 minutes à 150 °C.

2. Pour les feuilles de chocolat, faire fondre au bain-marie le chocolat et l'huile. Étaler sur une plaque tiède une fine couche de chocolat et placer au réfrigérateur 1 heure environ. À l'aide d'un triangle, décoller les feuilles ainsi que deux disques du même diamètre que le moule. Pour le bavarois à la pistache, mélanger la pâte de pistaches avec la crème anglaise. Ajouter la gélatine ramollie à l'eau froide et incorporer délicatement la crème Chantilly.

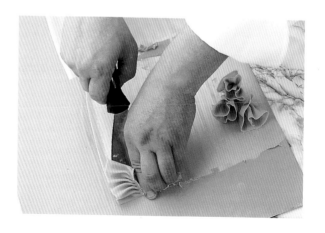

praliné-pistache

3. Pour la crème pralinée, confectionner une meringue en versant doucement le sucre chauffé à 121 °C sur les blancs d'œufs montés en neige. Au batteur, travailler le beurre et les jaunes d'œufs. Ajouter l'huile de noisette, bien travailler et terminer en incorporant la meringue.

4. Pour le montage, poser un moule sur un carton à gâteau, y placer un fond de dacquoise et masquer d'une couche de crème pralinée. Recouvrir d'un disque de chocolat au lait, masquer d'une couche de bavarois à la pistache, poser le second disque de chocolat et terminer avec la crème pralinée. Mettre au froid 1 heure environ. Masquer le tout de paillettes de chocolat et recouvrir le dessus de feuilles de chocolat au lait pour constituer une figure harmonieuse.

Mont

Préparation	1 heure
Cuisson	8 minutes
Difficulté	★ ★ ★

Pour 8 monts-blancs

Biscuit duchesse (voir p. 289)
Meringue italienne:
8 blancs d'œufs
500 g de sucre

Crème au fromage blanc:
200 g de sucre
60 ml d'eau
5 jaunes d'œufs (100 g)
6 feuilles de gélatine
600 g de fromage blanc
640 ml de crème Chantilly
Sirop au kirsch:
200 ml d'eau
100 g de sucre
80 ml de kirsch
Décoration:
2 barquettes de framboises

Si Lucas Devriese a résolument pris le parti d'appeler ce gâteau, en plein «plat pays», du nom du point culminant des montagnes d'Europe, ce n'est pas par provocation, mais tout simplement parce que Hilde, son épouse, trouva lors d'une première dégustation que «ça faisait penser à une montagne». Du reste, c'est une préparation suffisamment exquise pour que sa finesse et son arôme puissent tout justifier.

Toute la préparation doit s'effectuer en un seul jour, avec un séjour obligé au congélateur pour chaque couche de crème, ce qui ralentit quelque peu le montage. Veillez à choisir un fromage blanc qui ne contienne pas trop de matières grasses (20 à 30 % au maximum) et dont la consistance est suffisante pour éviter tout risque ultérieur d'effondrement.

Pour la rendre plus légère, il faut commencer la crème en battant les jaunes d'œufs seuls avant de leur incorporer le sucre. On peut à la rigueur admettre la crème fraîche en remplacement du fromage blanc, mais avec toutes les garanties requises. Dans tous les cas, pour que le dessert réussisse, les ingrédients doivent être à température ambiante.

Cette crème ne se conserve pas plus de trois jours. Vous pouvez encore la parfumer d'un coulis de framboises.

1. Confectionner le biscuit duchesse et l'étaler sur une plaque recouverte de papier sulfurisé. Cuire au four environ 6 minutes à 250 °C et laisser refroidir sur une grille. Il faut 600 g de pâte pour une plaque de 40 x 60 cm. Pour monter la meringue, travailler dans la cuve du batteur et sur une source de chaleur les blancs d'œufs avec le sucre jusqu'à obtenir une consistance épaisse, puis fouetter au batteur jusqu'à complet refroidissement.

2. Pour la crème au fromage blanc, chauffer le sucre et l'eau, puis verser en filet sur les jaunes d'œufs montés, en fouettant à grande vitesse. Laisser tiédir et ajouter la gélatine fondue. Quand la masse est froide, ajouter rapidement le fromage blanc et la chantilly. Pour le sirop au kirsch, porter à ébullition l'eau avec le sucre. Laisser tiédir et ajouter le kirsch.

blanc

3. Pour le montage du gâteau, partager le biscuit duchesse en deux. En poser une moitié sur un carton à gâteau, l'imbiber de sirop au kirsch et masquer avec la crème au fromage blanc. Recouvrir de l'autre moitié de biscuit imbibé. Laisser refroidir 1 heure au congélateur. Une fois l'entremets refroidi, le découper avec un emporte-pièce de 6 cm de diamètre.

4. Disposer chaque mont-blanc sur un carton à gâteau légèrement plus grand pour faciliter le décor de meringue. Colorer au chalumeau, disposer sur une assiette et garnir le centre de framboises.

Préparation   45 minutes
Cuisson   30 minutes
Difficulté   ★

Pour 8 personnes

Biscuit joconde rayé :
4 œufs (175 g)
125 g de sucre
110 g de sucre
110 g de poudre d'amandes
6 blancs d'œufs (190 g)
50 g de sucre
75 g de farine
50 g de beurre fondu
15 g de cacao en poudre

Mousse à la banane :
500 g de purée de bananes
5 ml de jus de citron
50 ml de liqueur de banane
5 feuilles de gélatine
750 ml de crème Chantilly

Biscuit au chocolat (voir p. 288)

Sirop à la banane :
200 ml de sirop
75 ml de liqueur de banane

Décoration :
gelée miroir (voir p. 294)
figures de chocolats noir et blanc

C'est une belle herbe (qui peut atteindre 10 m de haut), de la famille des musacées, qui donne naissance à la banane, riche en fibres et vitamines. À l'origine surtout cultivée en Guinée, la banane a fait l'objet d'un commerce systématique à partir des années vingt et s'est largement répandue en Europe grâce au développement des navires bananiers.

Séduit par ce fruit très onctueux, Lucas Devriese nous propose d'en faire la base d'une préparation facile et plutôt légère, qui décline la banane sous forme de mousse et de liqueur. Mais ce n'est pas parce que l'on en fera de la purée que l'on peut s'autoriser des fruits de moins belle qualité ou des bananes trop mûres : elles doivent être fermes et savoureuses.

Utilisez du citron jaune pour blanchir la purée et préserver la mousse de tout noircissement. L'addition de liqueur de banane a pour objet de concentrer les saveurs du fruit, et de faire goûter aux amateurs ce que l'on pourrait appeler l'« esprit de banane ». Cette audacieuse appellation n'exclut cependant pas l'usage d'ustensiles traditionnels dans la préparation, comme le bon vieux presse-purée qui vous donnera sans doute un résultat bien meilleur que le plus puissant des mixeurs. La crème doit être battue bien froide et lentement.

Le décor de chocolat est laissé à votre libre interprétation ou plutôt à votre dextérité. Toutes les fantaisies vous sont permises, à condition de savoir les réaliser.

1. Pour le biscuit joconde, monter les œufs, le sucre, ainsi que 110 g de sucre et 110 g de poudre d'amandes. Monter les blancs en neige avec 50 g de sucre. Mélanger les deux masses et ajouter la farine et le beurre. Étaler finement la moitié du biscuit sur une plaque recouverte de papier sulfurisé, rayer avec un peigne et mettre au congélateur. Recouvrir d'une fine couche de cacao l'autre moitié de biscuit durci. Cuire au four 5 minutes environ à 200 °C, puis placer sur une grille.

2. Pour la mousse à la banane, mixer la purée de bananes avec le jus de citron et la liqueur de banane, puis ajouter la gélatine fondue. Incorporer la crème Chantilly.

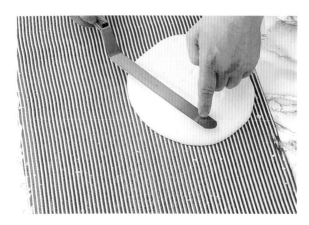

a la banane

3. Chemiser à mi-hauteur un moule de 5 cm de haut d'une bande de biscuit joconde rayé. Confectionner le sirop à la banane.

4. Placer au fond du moule un disque de biscuit au chocolat, l'imbiber de sirop à la banane et garnir de mousse. Ajouter un deuxième disque de biscuit, masquer de mousse à la banane et couvrir avec le troisième disque. Achever la garniture avec de la mousse et bien lisser. Réserver 2 heures au frais. Glacer avec une gelée miroir et démouler. Décorer de figures en chocolat noir et blanc.

Mousse de framboise

Préparation   45 minutes
Cuisson   25 minutes
Difficulté   ★

Pour 8 personnes

Biscuit duchesse et biscuit joconde rayé :
     voir pp. 289 et 290

Mousse de framboise :
150 g de sucre
50 ml d'eau
3 blancs d'œufs (100 g)
4 feuilles de gélatine

165 g de pulpe de framboises
300 ml de crème Chantilly

Gelée de framboises :
500 ml de jus de framboises
500 g de sucre
5 g de pectine
120 ml de glucose

Coulis de framboises :
100 g de pulpe de framboises
100 ml de sirop
25 ml de liqueur de framboise

Décoration :
framboises
feuilles de menthe

Les framboises qui entreront dans cet entremets devront être fermes et souples à la fois. Le framboisier, qui fait partie de la famille des rosacées, reste fragile et d'une culture délicate. Il faut aussi vous assurer que les drupéoles (ainsi nomme-t-on les petites boules dont l'agglomérat forme la framboise) sont bien rondes et distinctes.

Pour ce qui est du goût, la framboise offrira la petite note acidulée qui vient exciter le palais des amateurs et qu'aucun autre fruit ne saurait égaler en finesse. Pour éviter les disparités d'arôme, vous choisirez les mêmes framboises pour constituer la mousse, le coulis et la gelée.

Cette gelée de framboises, qui sert à finaliser le décor, doit être assez claire : le meilleur procédé consiste à la préparer vous-même, avec de beaux fruits, jusqu'à atteindre 64 °C au réfractomètre. Vous aurez de la sorte suffisamment contrôlé la densité en sucre, garanti la capacité de conservation de la gelée et surtout son aptitude à présenter une surface très lisse.

Dès que la température est atteinte, il faut couler très vite la gelée sur une plaque de 60 x 40 cm et la faire refroidir jusqu'à 30 °C. Corrigez enfin la surface en faisant disparaître d'éventuelles bulles d'air. Si l'exotisme vous tente, préparez de la même façon ce dessert avec des fruits de la Passion.

1. Confectionner le biscuit duchesse ainsi que le biscuit joconde rayé. Pour la mousse de framboise, faire une meringue italienne : chauffer le sucre et l'eau jusqu'à 121 °C et les verser sur les blancs montés en neige. Ajouter la gélatine fondue et, en dernier, la pulpe de framboises et la chantilly. Pour le coulis de framboises, mélanger la pulpe de framboises avec le sirop et la liqueur de framboise.

2. Pour la gelée de framboises, chauffer dans un poêlon en cuivre le jus de framboises avec la moitié du sucre et la pectine. Laisser cuire 1 minute, puis ajouter le reste du sucre et le glucose. Cuire l'ensemble jusqu'à 64 °C au réfractomètre. Laisser refroidir et mixer jusqu'à ce que la gelée soit bien lisse.

« à la Lucas »

3. Poser un moule sur un carton à gâteau et le chemiser d'une bande de biscuit joconde rayé. Poser au fond une abaisse de biscuit duchesse, l'imbiber de coulis de framboises et masquer d'une couche de mousse de framboise. Couvrir d'une autre abaisse de biscuit, recommencer trois fois cette opération et terminer avec la mousse. Réserver 2 heures au froid.

4. Glacer toute la surface de l'entremets avec la gelée de framboises. Faire prendre au froid 2 heures avant de démouler. Décorer de framboises et de feuilles de menthe.

Préparation	1 heure
Cuisson	1 heure 30 minutes
Difficulté	✶ ✶

Pour 8 personnes

Pour 2 tourtes de 16 cm de diamètre

Fond japonais :
8 blancs d'œufs (225 g)
400 g de sucre
100 ml d'eau
130 g de poudre de noisettes

Disques en chocolat :
400 g de chocolat noir de couverture

Masse au miel :
75 g de chocolat blanc de couverture
150 ml de crème fleurette
60 g de miel
1 feuille de gélatine, sucre vanillé
350 ml de crème fouettée

Décoration :
sucre glace
bonbon praliné au miel

Les admirateurs de Victor Hugo se demandent sûrement pourquoi l'ancienne florentine, appréciée au XVIIᵉ siècle, est devenue de nos jours la feuillantine. On ne sait comment les éclairer : sans doute la présence de pâte feuilletée aura facilité l'altération ou encore le péché de gourmandise, puisque le couvent des feuillantines du faubourg Saint-Victor servit longtemps de lieu de réclusion pour les femmes légères…

Cette feuillantine était d'abord au chocolat noir, puis le jeune chef pâtissier Laurent Buet l'assortit d'une crème différente, aromatisée d'un miel de qualité comme on en trouve dans le Jura suisse, de préférence du miel de sapin. Il vaut d'ailleurs mieux réaliser la veille cette masse au miel, pour préserver son homogénéité.

Philippe Guignard vous recommande en outre de n'utiliser qu'un sucre vanillé dont vous aurez contrôlé la préparation, à base d'excellentes gousses de vanille séchées en étuve et de sucre finement raffiné.

Il ne faut battre la crème ni trop (elle aurait un trop fort goût de lait) ni trop peu (elle serait trop compacte et sans saveur). Le fond japonais bénéficie du pouvoir stabilisateur des noisettes, qui absorbent une part du sucre et de ce fait sont préférables aux amandes. Il s'agit en définitive d'un fond meringué, proche du biscuit succès français, que notre chef étale d'habitude à la poche pour le rendre plus léger après cuisson.

1. *Pour les fonds japonais, monter les blancs d'œufs en neige avec 100 g de sucre. Chauffer les 300 g de sucre restants et l'eau à 121 °C. Verser en filet sur les blancs et y mélanger 80 g de poudre de noisettes. Étaler sur une plaque recouverte de papier sulfurisé, parsemer du reste de poudre de noisettes et cuire 60 à 90 minutes à 160 °C.*

2. *Pour les disques en chocolat, faire fondre le chocolat noir de couverture, l'étaler sur une plaque recouverte de papier sulfurisé et laisser refroidir au moins 1 heure. Avant durcissement, découper des disques de la taille du gâteau et les détailler en huit triangles.*

au miel

3. *Pour la masse au miel, faire fondre la veille au bain-marie le chocolat blanc. Chauffer 150 ml de crème fleurette, la mélanger au chocolat, puis ajouter le miel, la gélatine ramollie à l'eau froide et le sucre vanillé. Le lendemain, monter 350 ml de crème en chantilly et la mélanger à la masse au miel.*

4. *Faire fondre un peu de chocolat noir, en badigeonner au pinceau un fond japonais, puis le masquer de masse au miel à l'aide d'une poche à douille. Déposer par-dessus un disque de chocolat coupé en triangle, recouvrir d'une seconde couche de masse au miel et finir par un autre disque de chocolat coupé en triangle. Saupoudrer de sucre glace et décorer d'un praliné au miel.*

Pithiviers à la crème

Préparation	*1 heure*
Cuisson	*35 à 40 minutes*
Difficulté	★ ★

Pour 8 personnes

1 ananas
30 g de beurre
1 pincée de sucre
1 pincée de cannelle en poudre
1 cuil. à soupe de rhum

Pâte feuilletée (350 g) **et crème pâtissière
à la vanille** (350 g) : voir pp. 296 et 292

Crème d'amandes :
125 g de beurre
125 g de poudre d'amandes
100 g de sucre glace
40 g de fécule
3 petits œufs
25 ml de rhum
350 g de crème pâtissière

Finition :
2 jaunes d'œufs
1 pincée de sel
1 pincée de sucre
sucre glace

S'il est un peu surprenant de trouver en Suisse la spécialité qui rendit célèbre la cité française de Pithiviers, les amateurs de galette des rois ne pourront que s'en réjouir. Ce gâteau, qui allie de la crème d'amandes et de la pâte feuilletée, ici rehaussée par la fraîcheur de l'ananas, se déguste volontiers toute l'année sans présenter de difficulté particulière à la préparation.

Le choix des amandes est une priorité : vous accorderez votre préférence à des variétés blanches de calibre moyen, sans peau, comme l'espagnole marcona ou la californienne thomson. Vous devrez amalgamer les ingrédients de cette crème d'amandes avec grande prudence, sans jamais les battre ni les faire mousser. Indispensable au pithiviers, le rhum brun de Jamaïque complétera l'arôme.

Auparavant, vous aurez parfaitement dressé le feuilletage, qui doit être léger comme l'air et ne comporter que du beurre pur (à 82 % de matières grasses). Les Suisses ont une grande pratique de la pâte feuilletée, qui sert par exemple au cornet vaudois à la crème. Souvenez-vous que le succès dépend du scrupuleux respect des températures et de la fraîcheur des produits. Il est bon de prévoir la préparation du feuilletage trois jours à l'avance, en donnant chaque jour deux tours et 24 heures de repos.

Enfin, la cuisson sera lente, car le pithiviers doit cuire à cœur et se présenter presque fondant. Une légère caramélisation de surface flattera l'œil des convives et soulignera la saveur du feuilletage.

1. Confectionner la pâte feuilletée et la crème pâtissière. Pour la crème d'amandes, ajouter au beurre en pommade la poudre d'amandes, le sucre glace et la fécule, puis les œufs un par un, sans cesser de travailler, jusqu'à l'obtention d'une masse homogène. Ajouter le rhum et, en dernier, la crème pâtissière.

2. Préparer la dorure en mélangeant vivement les œufs, le sel et le sucre. Éplucher l'ananas frais, le découper en petits cubes et les poêler dans 30 g de beurre. Au bout d'1 minute, les saupoudrer légèrement de sucre et de cannelle. Continuer la cuisson 2 minutes et ajouter la cuillerée de rhum. Laisser réduire, puis refroidir.

d'amandes et ananas

3. Abaisser le feuilletage et découper deux disques, dont un légèrement plus grand. Poser le plus petit sur une tourtière et en dorer le pourtour sur 1 cm de large. Recouvrir le centre de crème d'amandes et parsemer sur le dessus les dés d'ananas. Recouvrir de l'autre disque de feuilletage.

4. Dorer la surface avec un petit couteau pour former un soleil. Entailler le pourtour avec la pointe d'un couteau, en poussant vers l'intérieur, de manière à former des demi-lunes. Laisser reposer 20 minutes, puis mettre au four 35 à 40 minutes à 220 °C. Cinq minutes avant la fin de la cuisson, saupoudrer de sucre glace et laisser caraméliser au four. Servir tiède.

Salée vaudoise

Préparation   *30 minutes*
Cuisson   *20 minutes*
Difficulté   ★ ★ ★

Pour 12 personnes

Pâte :
50 g de levure
50 ml de lait
550 g de farine
50 g de sucre

5 œufs
10 g de sel
zeste râpé d'1 citron
200 g de beurre

Garniture :
500 ml de crème fleurette
200 g de sucre
100 g de farine
1 pincée de sel
1 pincée de vanille en poudre

Le canton de Vaud et son digne représentant, Philippe Guignard, vous présente ici l'une de ses anciennes traditions : cette salée, qui malgré les apparences est bien un dessert sucré. Notre chef pratique avec brio cette spécialité à base de pâte levée, dont on connaît quelques variantes, mais qui présente nécessairement une crème savoureuse à 33 % de matières grasses. La crème double, qui pourrait aussi bien se joindre à la fête, offre en Suisse un goût d'alpage prononcé qui peut surprendre en premier lieu.

La crème Chantilly ne doit pas être battue trop longuement ou trop vivement, afin qu'elle ne se transforme pas en couche de beurre à la cuisson.

La pâte elle-même réclamera de l'application : on la pétrit à la façon d'une brioche, c'est-à-dire assez longuement pour lui donner de la souplesse et de l'élasticité, grâce au gluten contenu dans la farine. Si vous avez le temps de la préparer la veille et de la laisser au frais toute la nuit, le beurre saura paisiblement retrouver sa consistance et vous disposerez d'une pâte plus dure, plus facile à travailler. Enfin, une double dorure sur les bords lui donnera couleur et moelleux.

Tout le principe de la cuisson consiste à conjuguer deux effets contradictoires : la fusion-liquéfaction de la garniture de chantilly, qui tel un fleuve en crue voudra sortir de son lit, et le gonflement de la pâte qui limitera ce débordement.

1. Pour la pâte, délayer la levure avec le lait. Dans la cuve du batteur, pétrir la farine, le sucre et la levure délayée. Ajouter les œufs, le sel et le zeste de citron râpé. Pétrir 7 à 8 minutes, puis ajouter le beurre en petits morceaux. Il est préférable de réaliser cette pâte la veille et de la laisser reposer au réfrigérateur.

2. Beurrer un moule. Abaisser la pâte et foncer le moule. Laisser lever 1 heure dans un endroit tempéré. Dorer deux fois les bords à l'œuf, puis piquer le fond à l'aide d'une fourchette. Avec une roulette, découper l'excédent de feuilletage à la hauteur du moule.

à la crème

3. Pour la garniture, monter la crème fleurette en chantilly. Mélanger le sucre, la farine, la pincée de sel et un peu de vanille en poudre dans un saladier.

4. Étaler ce mélange sur le fond de pâte. Recouvrir de crème Chantilly, saupoudrer de sucre et cuire environ 15 à 20 minutes à 230 °C. Laisser tiédir avant de servir à température ambiante.

Soupe à la vanille e

Préparation   45 minutes
Cuisson   5 minutes
Difficulté   ★

Pour 6 personnes

Crème anglaise :
1 gousse 1/2 de vanille
500 ml de lait
7 œufs
100 g de sucre
1 cuil. à café de rhum
50 ml de crème double

Préparation des pommes :
3 grosses pommes à cuire
30 ml d'eau
jus d' 1/2 citron
50 g de beurre
50 g de sucre
1 pincée de cannelle en poudre

Décoration :
demi-pistaches

Au commencement était Jamin et son célèbre chef Joël Robuchon, dont Philippe Guignard se flatte d'avoir dix-neuf fois goûté l'exceptionnel savoir-faire. C'est là qu'il découvrit les « pommes poêlées au coulis de pistache et chocolat » qui lui donnèrent l'inspiration de cette soupe.

La vanille *planifolia* (dite aussi *fragrans*, odorante) présente des capsules verdâtres de la grosseur d'un doigt que l'on fait sécher pour obtenir les gousses commercialisées : c'est l'abri naturel de quelque 25000 grains noirs à saveur très subtile qui dégagent une substance nommée vanilline. La vanille de la Réunion (dite encore aujourd'hui vanille de l'île Bourbon, une élégante survivance de l'Ancien Régime) reçoit les suffrages de notre chef qui la recommande ici de préférence à toute autre.

Cette vanille se marie sans ambages avec d'autres arômes, notamment des alcools savoureux : rhum et kirsch lui tiennent compagnie pour d'innombrables préparations, par exemple l'incontournable crème anglaise dont l'onctuosité ravit les amateurs.

Pour ce dessert, il faut utiliser des pommes légèrement acides, capables de contraster avec la douceur de la vanille. La boskoop et la reinette du Canada seront ainsi les bienvenues, notamment pour la bonne tenue qu'elles conservent à la cuisson. Mais notre chef est ouvert à de multiples variantes et l'on peut imaginer de remplacer les pommes par un ananas ou des bananes en rondelles poêlées, ou encore des pruneaux rôtis passés au beurre clarifié.

1. Pour la crème anglaise, ouvrir la gousse de vanille, hacher les graines, verser le tout dans le lait et porter à ébullition. Travailler au fouet les œufs et le sucre jusqu'à ce que l'appareil soit blanc et mousseux. Verser en fouettant le lait bouillant sur la préparation. Remettre dans la casserole et cuire à la nappe. Passer au chinois, ajouter le rhum et la crème, puis laisser refroidir en remuant de temps en temps.

2. Peler les pommes et confectionner des boules à l'aide d'une cuillère à pomme parisienne. Les immerger dans l'eau froide et le jus de citron pour qu'elles restent bien blanches.

a poêlée de pommes rondes

3. Procéder ensuite à la cuisson des pommes en faisant chauffer le beurre dans une poêle. Ajouter les boules de pommes et les faire cuire à feu doux en les brassant régulièrement. Réduire le feu.

4. Après 1 minute de cuisson, saupoudrer de sucre et d'une petite pincée de cannelle en poudre. Ajouter éventuellement un peu de beurre. Vérifier la cuisson en piquant la pointe d'un couteau dans une boule de pomme : elle ne doit pas offrir de résistance. Confectionner au fond d'une assiette creuse une couronne de boules de pommes. Décorer avec des demi-pistaches et remplir le centre de l'assiette de crème anglaise au rhum.

Tarte à la crème

Préparation	*45 minutes*
Cuisson	*45 à 50 minutes*
Difficulté	★ ★

Pour 8 personnes

6 oranges non traitées

Pâte feuilletée (500 g) **et crème à la vanille**
   (125 g) : voir pp. 296 et 291

Crème d'amandes :
125 g de beurre
125 g de poudre d'amandes
100 g de sucre glace
15 g de fécule

1 pincée de sel
2 petits œufs
15 ml de Grand Marnier ou de rhum
125 g de crème à la vanille

Décoration :
zestes d'oranges demi-confits
sirop de grenadine

Glaçage à l'abricot :
gelée d'abricots parfumée à l'orange

On ne se méfie jamais assez des fruits dont la peau est trop épaisse. Pour avoir un jour constaté cette négligence, Philippe Guignard fut très désappointé par une tarte à l'orange et résolut de composer lui-même un entremets dont l'équilibre serait satisfaisant. De là nous vient ce délicieux édifice de feuilletage, de crème d'amandes et de très fines lamelles d'oranges.

On comprend que la cuisson du feuilletage réclame une attention redoublée. Il faut au départ saisir la pâte à four chaud, mais réduire très vite la température afin de parfaire l'évolution du cœur. Une cuisson mal conduite peut certes produire des bords bien dorés, mais une grave insuffisance au centre peut dénaturer complètement le goût du gâteau.

Le choix des oranges est ici décisif : il est recommandé de travailler la midinette, originaire d'Israël, dont le calibre moyen comporte une écorce plutôt fine. La macération des zestes dans le sirop de grenadine, qui dure au moins une nuit, leur donne une jolie couleur pourpre. Cette version semi-confite est à la fois moelleuse et croquante, et son effet décoratif ne peut faire oublier la finesse de son goût.

Les amandes marcona sont les plus adaptées à cette préparation. Vous devrez les broyer vous-même, avec un filet de Grand Marnier qui rehausse leur goût. Enfin, servez ce dessert accompagné d'un chardonnay bien fruité ou d'un riesling de belle origine.

1. Préparer la pâte feuilletée ainsi que la crème à la vanille. Foncer un moule de pâte feuilletée et laisser reposer 1 heure au réfrigérateur. Pour la crème d'amandes, ajouter au beurre en pommade la poudre d'amandes, le sucre glace, la fécule et le sel, puis les œufs un à un en continuant à travailler au fouet jusqu'à l'obtention d'une masse homogène et légère. Ajouter le Grand Marnier et, en dernier, la crème à la vanille.

2. Garnir le fond de tarte feuilletée d'une fine couche de crème d'amandes. Pour la décoration, prélever régulièrement les zestes d'oranges dans le sens de la hauteur, les blanchir et les confire légèrement 7 à 8 minutes dans le sirop de grenadine. Laisser macérer pendant une nuit.

d'amandes et à l'orange

3. À l'aide d'une roulette cannelée, découper l'excédent de feuilletage à la hauteur de la crème d'amandes. Couper les oranges en deux, puis les découper en très fines lamelles.

4. Recouvrir harmonieusement le dessus de la tarte de fines lamelles, les saupoudrer légèrement de sucre et cuire 45 à 50 minutes à 180 °C. Napper de glaçage à l'abricot parfumé à l'orange. Décorer le centre avec quelques zestes d'oranges confits à la grenadine.

Préparation 40 minutes
Cuisson 10 minutes
Difficulté ★

Pour 8 personnes

Pâte sucrée :
150 g de beurre
75 g de sucre
1 jaune d'œuf
1 œuf
250 g de farine

1 pincée de sel
1 pincée de vanille en poudre

Masse au chocolat :
300 ml de crème fleurette
400 g de chocolat noir de couverture
300 ml de crème fouettée non sucrée

Décoration :
cacao en poudre
sucre glace

Pourrait-on évoquer la Suisse et ne pas célébrer le chocolat, cette spécialité nationale qui dans chacun des 26 cantons de la Confédération jouit d'une réputation presque mythique ? Dans ce pays de montagne où l'élevage bovin s'est donné des lettres de noblesse, on doit considérer le chocolat comme ailleurs on le fait d'un grand vin, d'un caviar ou d'un foie gras. Bien évidemment, les puissantes firmes chocolatières suisses, Suchard, Lindt et Nestlé, pour ne citer que les plus connues, n'ont cessé depuis plus d'un siècle d'affirmer et de maintenir la qualité de leurs produits.

Pour être sûr de tirer le meilleur parti de cette tarte au chocolat (où d'ailleurs l'on cuit ce précieux ingrédient), vous choisirez une couverture assez riche en cacao (70 %).

Pour réussir cette tarte, la préparation de la pâte joue un rôle déterminant. Il importe de la confectionner dans un local très frais, et vous aurez soin de la laisser reposer 6 à 8 heures au moins avant de l'abaisser et de foncer le moule. Cette dernière opération doit être effectuée avec rigueur : la pâte épousera le moule au plus étroit, et surtout ne comportera pas le moindre trou, ce dont vous vous assurerez avant d'y verser la masse de chocolat.

La tarte se consomme froide : on la fait donc séjourner, après cuisson et juste avant dégustation, 20 minutes au réfrigérateur, avant de la servir poudrée de cacao et de sucre glace, accompagnée d'un savoureux verre de banyuls aux profonds reflets d'ambre.

1. Pour la pâte sucrée, travailler le beurre, le sucre, le jaune d'œuf et l'œuf entier. Ajouter la farine, la pincée de sel et la pincée de vanille en poudre tamisée. Mettre la pâte en boule et laisser reposer 6 à 8 heures au frais.

2. Étaler deux abaisses de pâte. Beurrer deux moules à manqué (ou deux cercles) et les foncer avec les abaisses de pâte. Cuire à blanc au four 8 minutes à feu doux.

u chocolat

3. Pour la masse au chocolat, faire chauffer dans une casserole la crème fleurette et l'ajouter au chocolat de couverture coupé en petits morceaux. Remuer au fouet jusqu'à l'obtention d'un appareil bien lisse, puis laisser refroidir.

4. Monter en chantilly la crème fleurette restante non sucrée et l'incorporer délicatement à la préparation précédente. Remplir les fonds de tarte et cuire au four 2 minutes à 200 °C. Après refroidissement, saupoudrer de cacao et de sucre glace.

Tarte

Préparation   *30 minutes*
Cuisson   *60 à 70 minutes*
Difficulté   *✶*

Pour 8 personnes

Pâte sucrée :
150 g de beurre
75 g de sucre
1 jaune d'œuf
1 œuf

250 g de farine
1 pincée de sel
1 pincée de vanille en poudre

Garniture :
50 g de nillon (résidu de noix) pulvérisé
100 ml de lait
100 ml de crème fleurette
90 g de sucre
1 œuf
2 jaunes d'œufs
1 cuil. à soupe d'huile de noix

Bien peu de connaisseurs sont aujourd'hui capables, hors des frontières de la Suisse, de dire exactement ce qu'est le nillon. Pour les confédérés, ce nom – et plus encore la traditionnelle tarte au nillon, habituel goûter des écoliers à la saison des noix – évoque de très nombreux souvenirs d'enfance. Il s'agit du résidu de la noix, une fois que l'on en a extrait toute l'huile : récupéré d'abord en un bloc dur que grignotent les enfants dans les cours de récréation, le nillon est également pulvérisé pour servir entre autres à la fabrication de ce dessert très helvétique.

Il existe aussi du nillon de noisettes, obtenu par le même procédé que le nillon de noix et comme lui susceptible d'une bonne conservation dans un récipient métallique entreposé au sec.

Bien sûr, il vous faudra veiller à la bonne tenue de la pâte sucrée, où l'on ne saurait tolérer le moindre percement lorsqu'il sera question d'y verser l'appareil au nillon. On réserve à l'ensemble une cuisson très douce, comme pour toute préparation de flan.

Il est peut-être plus facile qu'on ne le croit de se procurer du nillon : dans toutes les régions où l'on produit de l'huile de noix, il faut bien que l'on fasse quelque chose de l'élément solide qui résulte de son extraction, quel que soit le nom dont on le désigne régionalement. Du reste, l'huile de noix renforce et parfume volontiers l'appareil de la tarte au nillon, qu'inscrit régulièrement à sa carte de desserts le célèbre Fredy Girardet.

1. Dans un saladier en verre, mélanger le nillon et le lait, puis laisser mariner 15 minutes. Pour la pâte sucrée, travailler le beurre, le sucre, le jaune d'œuf et l'œuf entier. Ajouter la farine, le sel et la vanille en poudre tamisés. Mettre la pâte en boule et laisser reposer 1 heure au frais.

2. Foncer un moule de 18 cm de diamètre avec la pâte sucrée. Faire cuire à blanc au four à feu doux. Laisser refroidir, puis démouler.

u nillon

3. Ajouter à la marinade de nillon et de lait la crème, le sucre, l'œuf, les deux jaunes d'œufs et l'huile de noix. Bien mélanger au fouet.

4. Garnir le fond de pâte sucrée et mettre à cuire 40 à 50 minutes au four à 130-140 °C. Servir à température ambiante.

Préparation   *40 minutes*
Cuisson   *25 minutes*
Difficulté   ★

Pour 8 personnes

Pâte sucrée :
150 g de beurre
75 g de sucre
1 jaune d'œuf
1 œuf
250 g de farine

1 pincée de sel
1 pincée de vanille en poudre

Flan :
350 ml de jus de poires (raisinée)
250 ml de crème fleurette
4 œufs
2 jaunes d'œufs

Il s'agit d'un vin cuit particulier, comme jadis en Provence où l'on avait coutume de l'associer aux fameux « treize desserts » de Noël. Ce vin cuit du canton de Vaud, que l'on appelle aussi « raisinée », se prépare au moyen de poires entières cueillies sur l'arbre ou ramassées à même le sol. Rassemblées dans un chaudron de cuivre, cuites à feu très doux pendant plusieurs jours (avec une légère adjonction de sucre), les poires donnent un mélange sirupeux quasiment noir, comparable en apparence au café turque – ou même au vinaigre balsamique.

La recette traditionnelle n'exclut pas des variantes, car il arrive que l'on glisse des pommes parmi les poires, toujours au même stade de maturation.

Pour intégrer ce vin cuit dans la tarte que présente ici Philippe Guignard, il faut le filtrer afin d'éliminer les résidus des fruits. De nombreuses fermes des cantons de Vaud et de Fribourg en font le commerce, et les préparations qui l'emploient remportent un vif succès. Toutes les variétés de poires peuvent y être utilisées, ce qui fait de la « raisinée » une vraie coutume populaire, chaque village ou même chaque producteur organisant ses propres festivités lors de la fabrication.

Il n'est pas difficile de procéder vous-même à la préparation de la « raisinée », à condition d'utiliser des fruits entiers et non du jus de poire déjà préparé, même s'il offre à première vue moins d'acidité.

1. Pour la pâte sucrée, travailler le beurre, le sucre, le jaune d'œuf et l'œuf entier. Ajouter la farine, le sel et la vanille en poudre tamisés. Mettre la pâte en boule et laisser reposer 1 heure au frais. Pour le flan, mélanger le jus de poires, 150 ml de crème fleurette et les œufs. Laisser reposer 2 heures.

2. Avec cette pâte, foncer un moule de 18 cm de diamètre. Laisser reposer 20 minutes au frais et cuire à blanc dans un four à feu doux. Démouler et laisser refroidir.

3. Rassembler les ingrédients de la préparation à flan dans une casserole, faire chauffer à 40 °C et ajouter les 100 ml de crème restants.

4. Verser la masse sur le fond de pâte sucrée et cuire 15 minutes au four à 200 °C. Servir à température ambiante.

Tarte flambée

Préparation   45 minutes
Cuisson   10 minutes
Difficulté   ★ ★

Pour 8 personnes

200 ml de crème fleurette
50 ml d'alcool (selon le fruit choisi : williamine,
    rhum, abricotine)
50 g de marmelade de framboises
    (ou autre fruit, selon la saison)
1 gousse de vanille
cannelle
2 poires comices
sucre

Crème pâtissière à la vanille :
500 ml de lait
100 g de sucre
1 gousse de vanille
55 g de poudre de crème
1 jaune d'œuf

Pâte feuilletée (400 g) **:** voir p. 296

Décoration :
amandes effilées
sucre
sucre glace

On connaît les tartes flambées salées, dont l'Alsace a décliné toutes les versions imaginables ; mais cette recette suisse, que Philippe Guignard a mise au point dans le milieu des années quatre-vingt, diffère sensiblement des traditions rhénanes : il s'agit d'un dessert aux fruits sur un support de pâte feuilletée rapidement caramélisée au four. Par ce traitement, le fond de pâte se retrouve isolé de la garniture et ne court aucun risque lors du flambage final.

La crème pâtissière à la vanille doit être très légère grâce au mélange délicat de ses deux masses initiales. On procède à une température de 75 à 80 °C, de telle sorte que les amidons contenus dans les différents ingrédients fusionnent.

Notre chef propose ici la poire dans le rôle principal et recommande la doyenné-du-comice (la « reine des poires », ainsi qu'on le disait au siècle dernier dans les familles bourgeoises). La consistance fondante et veloutée de ce fruit, poché dans un sirop parfumé de vanille et de cannelle, développera des arômes fascinants. Vous lui choisirez pour compagne la williamine, dont il existe en Suisse des fabricants réputés.

D'autres mariages peuvent se consommer pour ce dessert : l'ananas et le rhum, la cerise et le kirsch, par exemple. Vous veillerez à tenir le chalumeau suffisamment éloigné lors du flambage, ainsi qu'à régler au mieux la taille de la flamme, de telle sorte que la crème Chantilly ne surchauffe et ne coule pas.

1. Pour la crème pâtissière à la vanille, faire chauffer le lait avec le sucre et la gousse de vanille ouverte. Mélanger la poudre de crème et le jaune d'œuf, puis délayer avec un peu de lait chaud. Remettre dans la casserole et porter à ébullition. Réserver dans un récipient et couvrir de film alimentaire.

2. Préparer la pâte feuilletée, foncer un moule à tarte et laisser reposer 30 minutes. Recouvrir de papier sulfurisé, garnir de noyaux et cuire le fond à blanc. Une fois cuit, saupoudrer de sucre et caraméliser au chalumeau ou au four pour éviter que la pâte ne brûle. Laisser refroidir. Monter la crème fleurette en chantilly.

3. Mélanger un tiers de crème pâtissière, deux tiers de chantilly et l'alcool de fruits. Garnir le fond de tarte d'une couche de marmelade de framboises. Chauffer le reste de l'alcool avec la vanille et la cannelle pour y pocher les poires. Elles ne doivent pas devenir molles. Les découper en quartiers, recouvrir de sucre et caraméliser légèrement au four. Déposer les poires sur la tarte et recouvrir du reste de crème en donnant au gâteau une forme de dôme.

4. Recouvrir la surface d'amandes effilées. Saupoudrer de sucre cristallisé, puis de sucre glace et flamber au chalumeau. Servir froid.

Tourte royale

Préparation   1 heure
Cuisson   8 à 10 minutes
Difficulté   ★ ★ ★

Pour 8 personnes

Biscuit roulade :
15 jaunes d'œufs (300 g)
65 g de sucre
80 g de farine
zeste d'1 citron
6 blancs d'œufs (175 g)
100 g de marmelade d'abricots
65 g de sucre
1 pincée de sel

Mousse à l'ananas :
500 ml de lait

50 g de sucre
1/2 gousse de vanille
25 g de poudre de crème à chaud
1 jaune d'œuf
3 feuilles de gélatine
10 ml de kirsch
10 ml de rhum
500 g d'ananas en dés
400 ml de crème Chantilly

Décoration :
crème Chantilly
1 quartier d'ananas
demi-pistaches

Sous le nom de tourte, on désigne en Suisse toute préparation qui comporte une crème aromatisée présentée sur un biscuit. C'est donc tout naturellement que Philippe Guignard a nommé tourte royale ce grand classique, dont il considère qu'il doit perdurer, car il a fait largement les preuves de sa qualité. L'objectif de ce dessert est de mettre en valeur l'ananas, notamment dans sa variété réunionnaise dont on apprécie la consistance et le parfum.

On doit au botaniste suédois Olaf Bromel la découverte du bromélia, substance propre à l'ananas et aux membres de sa famille qui lui donne à la fois cet incomparable parfum et l'essentiel de ses vertus digestives, lorsqu'il a atteint sa maturité.

Dans cette tourte royale, on joue sur le délicat mariage de l'ananas et de la crème pâtissière, très légère puisqu'elle comporte de la chantilly, mais riche et parfumée. Le mélange des masses doit être opéré en douceur, sans oublier que l'on peut y associer deux alcools distincts, ici le rhum et le kirsch.

Le biscuit roulade exige beaucoup de soin. Il rend d'éminents services en pâtisserie, car il sert de base à de multiples gâteaux. Moelleux et savoureux, riche en parfum grâce à la marmelade de fruits dont on l'agrémente, il doit cuire à four très chaud pour éviter tout dessèchement. Il faut le rouler à la sortie du four, dès qu'il a atteint la température ambiante. La couche de marmelade choisie sera discrète, afin d'éviter qu'elle ne coule.

1. Pour le biscuit roulade, travailler au ruban les jaunes d'œufs avec le sucre. Ajouter la farine tamisée et le zeste de citron râpé. Monter les blancs d'œufs en neige ferme avec la pincée de sel et le sucre. Mélanger délicatement les deux masses. Étaler sur une plaque recouverte de papier sulfurisé.

2. Faire cuire le biscuit à 280 °C et le garder moelleux ; saupoudrer soigneusement de sucre à la sortie du four. Laisser refroidir, puis fourrer d'une fine couche de marmelade d'abricots. Rouler bien serré dans un film alimentaire et réserver au froid durant 3 heures.

à l'ananas

3. Pour la mousse à l'ananas, préparer une crème à la vanille en faisant chauffer le lait avec le sucre et la gousse de vanille ouverte. Mélanger la poudre de crème et le jaune d'œuf, ajouter un peu de lait chaud, verser le tout dans la casserole et porter à ébullition. Laisser refroidir, verser la gélatine refroidie à l'eau, le kirsch et le rhum, puis ajouter l'ananas frais découpé en dés. Mélanger délicatement avec la crème Chantilly.

4. Placer un moule sur une plaque recouverte de papier sulfurisé. Chemiser le fond et le pourtour avec des roulades finement découpées. Garnir le gâteau de mousse à l'ananas, couvrir d'un cercle de biscuit roulade et laisser prendre au froid. Retourner sur un plat de service et napper de marmelade d'abricots. Décorer le centre d'une rosace de chantilly, d'un quartier d'ananas et de quelques demi-pistaches. Laisser refroidir 1 heure avant de servir.

Truffé au

Préparation — *1 heure 15 minutes*
Cuisson — *20 minutes*
Difficulté — *★★*

Pour 10 personnes

Génoise au chocolat :
5 œufs (250 g)
150 g de sucre
110 g de farine
40 g de poudre de cacao non sucré
10 g de poudre d'amandes

Crème au chocolat :
200 g de chocolat noir de couverture
300 ml de crème fleurette

Sirop au rhum :
250 ml d'eau
180 g de sucre
300 ml de rhum

Décoration :
paillettes de chocolat
cacao en poudre
quelques pistaches

Très courants en Suisse où l'on a, bien sûr, le culte du chocolat, les truffés sont un peu trop souvent l'équivalent de tourtes sèches et Philippe Guignard déplore leur caractère trop compact. C'est pourquoi la présente recette contient aussi du rhum, qui produit avec le chocolat de subtiles harmonies.

Notre chef pratique un chocolat fort en cacao, entre 60 et 64 % au minimum, que ce soit pour ce truffé, la feuillantine légère au chocolat ou le cake à la ganache moussée. Ce truffé doit avoir toutes les qualités requises pour séduire les puristes, puisqu'il comporte aussi du chocolat pour la décoration.

Le caractère exceptionnel de cette recette réside dans le biscuit imbibé de rhum vieux de la Jamaïque, vieilli au moins trois ans en fûts de chêne. Ce traitement lui donne une belle robe dorée et un excellent bouquet, dont la finesse ne supporte aucun coupage. Comme il n'existe pas de pratique universelle pour imbiber, vous travaillerez au pinceau, plusieurs fois de préférence, pour obtenir une bonne pénétration du biscuit. Il sera souhaitable de ne consommer le truffé qu'au lendemain de sa préparation.

Signalons qu'il arrive à la maison Guignard Desserts de préparer, de concert avec 23 autres confrères, pas moins de... 24 000 pièces d'affilée lors du meeting international d'athlétisme de Lausanne. « Tout est possible ! », comme le répète en chœur l'équipe au complet, tout entière mobilisée pour l'occasion.

1. Pour la génoise au chocolat, travailler au ruban les œufs avec le sucre, puis ajouter la farine, la poudre de cacao et la poudre d'amandes tamisées. Beurrer et fariner un moule, verser la pâte et cuire au four environ 20 minutes à 180 °C. Démouler à la sortie du four et laisser refroidir sur une grille.

2. Pour la crème au chocolat, faire fondre le chocolat au bain-marie et laisser tiédir. Monter la crème fleurette en chantilly. Mélanger délicatement les deux masses. Pour le sirop, porter à ébullition l'eau et le sucre, laisser refroidir, puis ajouter le rhum.

ieux rhum

3. Couper la génoise au chocolat en deux abaisses en prenant garde que le dessous soit plus épais que le dessus. Imbiber le dessous et le garnir des deux tiers de la crème au chocolat. Recouvrir avec le second cercle de génoise et l'imbiber.

4. Masquer entièrement le gâteau de crème au chocolat. Décorer le tour de paillettes de chocolat et le dessus de rosaces de crème au chocolat. Saupoudrer de cacao et parsemer de pistaches. Servir frais.

Préparation   3 heures
Cuisson   30 minutes
Difficulté   ★★★

Pour 6 personnes

Biscuit à la cuillère, génoise,
   crème pâtissière et meringue italienne :
   voir pp. 294, 292 et 295

Crème amandine :
100 g de beurre
85 g de poudre d'amandes
15 ml d'eau-de-vie d'abricot
125 g de crème pâtissière
90 g de meringue italienne

Coulis d'abricots gélifié :
170 g de pulpe d'abricots
25 g de sucre
2 feuilles 1/2 de gélatine
8 ml d'eau-de-vie d'abricot

Sirop à la bergamote :
30 ml de sirop à 28° Beaumé
125 ml d'eau
2 gouttes d'essence de bergamote

Crème décor (voir p. 292) **:**
250 g de crème pâtissière
60 ml de crème fouettée
2 feuilles 1/2 de gélatine
7 ml d'eau-de-vie d'abricot

Décoration :
400 g de nappage d'abricots
3 demi-abricots
amandes mondées

C'est bien sûr Edmond Rostand, et non le véritable Cyprien Ragueneau (pourtant bien connu pour ses talents culinaires), qui fit entrer à l'acte II de *Cyrano* l'amandine en littérature par le biais de quelques vers justement réputés : « D'un doigt preste, abricotez / Les côtés ». Mais Pierre Hermé, chef pâtissier de la célèbre maison Fauchon, la métamorphose en authentique œuvre d'art.

Pour peigner en biais le biscuit à la cuillère, il faut quelque dextérité : cette opération demande que l'on incline le papier silicone et non le peigne, ce qui permet plus d'aisance dans le mouvement. La cuisson s'effectuera ensuite au four à 220-230 °C, « buée ouverte ».

Les garnitures d'abricot (nappage ou coulis) réclament des fruits de première qualité, charnus et sains, qu'il faut laver, équeuter et dénoyauter. Il en existe des espèces très honorables (rouges de Roussillon, orangés de Provence) dont vous pourrez vérifier le tendre contact sous les doigts. Vous pèserez très exactement la quantité de coulis obtenu, pour lequel la proportion de gélatine varie selon la consistance de la purée.

L'eau-de-vie d'abricot doit être de la meilleure qualité, un bon indice étant sa provenance. À titre indicatif, l'abricot du Valais de Morand a l'agrément de notre chef. À défaut, il vous recommande une bonne liqueur de pêche, que l'on sait volontiers plus riche en arômes.

1. Confectionner le biscuit à la cuillère. L'étaler dans un cadre d'1 cm d'épaisseur, le peigner en biais et cuire au four. Préparer la génoise. Pour la crème amandine, ramollir le beurre dans la cuve du batteur à l'aide d'un fouet, puis ajouter la poudre d'amandes et l'eau-de-vie d'abricot. Continuer à travailler et incorporer la crème pâtissière et la meringue italienne. Pour le coulis d'abricots gélifié, mélanger la pulpe et le sucre.

2. Ramollir et faire fondre la gélatine avec l'eau-de-vie et un quart de la pulpe d'abricots. Tempérer le tout à 40 °C et verser dans le restant de pulpe en fouettant vigoureusement. Monter en cercles de 15 cm de diamètre et mettre au frais. Habiller d'une bande de Rhodoïd un cercle de 18 cm sur 4 cm de hauteur et chemiser d'une bande de biscuits à la cuillère de 3 cm de hauteur.

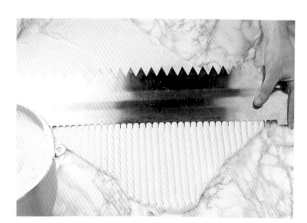

3. Poser un disque de génoise d'1 cm d'épaisseur imbibé de sirop à la bergamote. Garnir de crème amandine aux deux tiers de la hauteur et poser un disque de coulis gélifié. Recouvrir de crème, ajouter le second disque de génoise imbibé et lisser à ras avec le reste de crème amandine. Mettre 30 minutes au congélateur. Recouvrir d'un cercle de 11 à 12 cm de diamètre. Dessiner des virgules avec la crème décor à l'aide d'une poche à douille n° 8.

4. Placer à nouveau l'entremets au congélateur pendant 1 heure environ, puis, à l'aide d'une louche, le recouvrir de nappage d'abricots. Laisser prendre au frais. Démouler et décorer avec trois demi-abricots et des amandes mondées.

Préparation   *1 heure 20 minutes*
Cuisson   *1 heure*
Difficulté   ✭

Pour 6 personnes

500 ml de lait
1 gousse de vanille de Tahiti
250 g de sucre glace
2 œufs
2 jaunes d'œufs
15 ml de vieux rhum agricole brun

50 g de beurre fondu froid
100 g de farine

Ces petits gâteaux à la fois croquants et moelleux sont originaires de Bordeaux. Ils doivent leur nom à la forme donnée par le moule à cannelures.

Le rhum brun et la vanille de Tahiti célèbrent ici un subtil mariage. Pour notre chef, seul convient le rhum vieux agricole, issu du vesou, le jus de la canne à sucre, et vieilli au moins trois ans en fûts de chêne. Il y gagne une superbe couleur d'ambre et bien sûr un arôme décuplé.

Quant à la vanille de Tahiti, Pierre Hermé apprécie son goût « rond » et la préfère à celle de l'île Bourbon.

La température de préparation s'avère essentielle : les mélanges s'opèrent à froid ; les moules eux-mêmes doivent être refroidis avant tout usage. Rien ne s'oppose à ce que vous conserviez la pâte crue pendant quelques jours, mais il en sera tout autrement du cannelé cuit, que l'on consomme à température ambiante et qu'il n'est pas recommandé de faire rassir, même une nuit.

« Quand c'est noir, c'est cuit. » Cette lapalissade a pour objet de vous prévenir de l'apparence optimale des cannelés parvenus au seuil de la consommation : ils doivent être foncés, très foncés même, car c'est ainsi que leurs adeptes les consomment avec enthousiasme.

1. Faire bouillir la veille le lait avec la gousse de vanille fendue et grattée. Réserver au réfrigérateur. Le lendemain, retirer la gousse de vanille. Mélanger le sucre glace tamisé avec les œufs, les jaunes d'œufs, le rhum, le beurre fondu froid, la farine tamisée et le lait froid. Conserver au moins 24 heures au réfrigérateur avant de faire cuire.

2. Beurrer les moules avec un beurre en pommade et les stocker au froid. Il est recommandé de verser la pâte à cannelés dans des moules bien froids.

3. Sortir la pâte du réfrigérateur, la mélanger 2 minutes au fouet et en garnir les moules jusqu'à 1 cm du bord. La pâte doit être mélangée avant chaque utilisation.

4. Mettre les cannelés au four à 200-220 °C environ (thermostat 8) pendant 1 heure, ou dans un four à air pulsé (180-190 °C) pour des moules de 4,5 cm de diamètre (ou 50 minutes pour des moules de 3,5 cm). Démouler aussitôt et consommer froid le jour même.

Éventail de bananes au

Préparation   *1 heure*
Cuisson   *20 minutes*
Difficulté   ★ ★

Pour 6 personnes

3 feuilles de pâte filo
3 pincées de pulpe de fruits de la Passion
6 bananes
1 pincée de poivre mignonnette

Beurre au miel et aux agrumes :
50 g de beurre fondu chaud
40 g de sucre
1 cuil. à soupe de miel
25 ml de jus de citron
25 ml de jus d'orange
Glace au poivre de la Jamaïque :
340 ml de lait frais entier
3 g de poivre de la Jamaïque concassé
70 ml de crème fleurette
15 g de trimoline
100 g de sucre
3 g de stabilisateur
5 jaunes d'œufs (100 g)

Cet éventail de bananes aux parfums exotiques rappellera sans doute le fameux « arbre du voyageur », originaire de Madagascar, dont les fruits ont l'allure de bananes ligneuses. On apprécie dans cette préparation la présence originale de la glace au poivre de la Jamaïque, à qui l'on redonnera pour l'occasion son appellation de « tout-épice », avec une pensée pour les Indiens Arawaks qui le pratiquaient déjà.

Bien sûr, vous devrez vous procurer ce poivre universel en grains et le concasser au dernier moment pour lui conserver tout son arôme après infusion. Pour une parfaite expression de l'arôme de la glace, il vous faudra généralement la turbiner au moins deux heures à l'avance.

Ensuite, le contraste principal procède de la douceur de la banane, associée à l'acidité bien connue du fruit de la Passion. Pour lui donner tout son relief, il importe de choisir ce dernier bien mûr, très petit et très fripé, et d'en extraire le maximum de chair. Quant à la banane, régulièrement émincée et de ce fait exposée au risque de noircissement, vous pourrez l'en préserver par un délicat badigeon de jus de citron.

La manipulation de la pâte filo pose des problèmes dans les fours à ventilation, car sa légèreté la fait s'envoler avant d'avoir atteint le croquant souhaité. On se dispensera donc en pareil cas de cuisson préalable. Un dernier conseil pour l'accompagnement de cet éventail : faites le choix d'un rhum blanc agricole.

1. Pour le beurre au miel et aux agrumes, mélanger dans le beurre fondu chaud le sucre, le miel, le jus de citron et le jus d'orange. Étaler une feuille de pâte filo sur le plan de travail et la badigeonner de beurre au miel et aux agrumes. Couper la feuille en trois dans la largeur et en deux dans la longueur, puis plier les morceaux ainsi obtenus en éventail.

2. Pincer une extrémité pour ouvrir l'éventail de pâte filo. Le poser sur une plaque à pâtisserie et faire colorer au four à 220 °C quelques minutes. Pour recueillir la chair des fruits de la Passion, choisir des fruits bien mûrs (donc fripés), les trancher en deux et vider les coques à l'aide d'une cuillère. Réserver la chair obtenue au frais.

us de la Passion

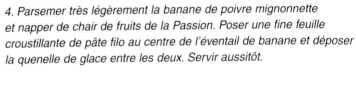

3. Pour la glace au poivre, faire bouillir 70 ml de lait, y faire infuser le poivre 2 heures, puis passer au chinois. Réincorporer un tiers du poivre dans l'infusion. Faire bouillir 270 ml de lait, la crème et la trimoline, puis mélanger 70 g de sucre et le stabilisateur. Incorporer l'infusion de lait et de poivre, puis verser sur les jaunes d'œufs préalablement fouettés avec le reste de sucre. Cuire comme une crème anglaise. Émincer une banane en lamelles de 2 mm d'épaisseur et l'étaler en éventail.

4. Parsemer très légèrement la banane de poivre mignonnette et napper de chair de fruits de la Passion. Poser une fine feuille croustillante de pâte filo au centre de l'éventail de banane et déposer la quenelle de glace entre les deux. Servir aussitôt.

Fleur de fraises

Préparation	*1 heure*
Cuisson	*1 heure*
Difficulté	☆ ☆ ☆

Pour 6 personnes

Biscuit joconde (voir p. 289) :
Meringue italienne (voir p. 295) :
8 blancs d'œufs (250 g)
500 g de sucre
Sabayon :
2 œufs
60 g de sucre
20 ml d'eau

Mousse de mascarpone :
135 g de mascarpone
15 ml de lait

100 ml de crème fleurette
5 feuilles de gélatine
35 g de meringue italienne
120 ml de crème fleurette fouettée
Biscuit à la cuillère (voir p. 288) :
4 blancs d'œufs (120 g)
50 g de sucre
6 jaunes d'œufs (120 g)
35 g de sucre
35 g de farine type 405 tamisée
Jus de fraises (voir p. 295) :
500 g de fraises
50 g de sucre
Garniture et décoration :
fraises des bois, groseilles
feuilles en pâte à cigarettes (voir p. 296)

Par l'effet d'une folle témérité, cet entremets se propose d'unir un instant Casanova et la Joconde : le premier raffolait, dit-on, du mascarpone, et la seconde a donné son nom au biscuit qui sert de support à la préparation de poudre d'amandes. Pour effectuer sans encombre ce grand saut dans l'histoire, il fallait évidemment beaucoup de légèreté – et l'on peut garantir que ce dessert n'en manque pas.

Pour tenir en somme la chandelle, Pierre Hermé convoque aussi le biscuit à la cuillère, car il se gorge volontiers de jus de fraises, ce qui le rend moelleux. On aura choisi bien sûr de belles fraises rouge vif, parfaitement mûres et charnues, en provenance de Dordogne ou du Lot-et-Garonne.

La décoration conjugue agréablement la fraise des bois et la groseille. Fruit sauvage et donc de petite taille, la fraise des bois présente l'inconvénient de mal vieillir, mais elle possède un arôme d'une finesse incomparable. La congélation lui offre une intéressante longévité, de même qu'elle atténue l'amertume que lui reprochent parfois les amateurs. Les coulis qui résultent de ces divers fruits comportent malheureusement des akènes, ces petits grains durs qui apparaissent à la surface des fruits et que l'on élimine au chinois.

Le mascarpone, qui fait encore aujourd'hui la joie des émules de Casanova, est d'origine lombarde et se fabrique à partir de crème de lait de vache.

1. Confectionner le biscuit joconde et la meringue italienne. Réaliser le sabayon, en étaler une petite quantité sur le biscuit joconde et saupoudrer de sucre glace caramélisé au fer. Sucrer et caraméliser à nouveau. Tracer de fines rayures régulières à l'aide du fer. Pour la mousse de mascarpone, mélanger au fouet le mascarpone et le lait. Faire bouillir la crème, ajouter la gélatine ramollie et mélanger le tout avec le mascarpone.

2. Incorporer la meringue italienne, puis la crème fouettée en remuant délicatement. Réaliser le biscuit à la cuillère. Habiller un cercle de 3 cm de hauteur d'une bande de biscuit joconde de même hauteur. Poser dans le fond un disque de biscuit à la cuillère imbibé de jus de fraises. Garnir de mousse de mascarpone à mi-hauteur. Répartir des fraises des bois et des groseilles sur toute la surface.

des bois et groseilles

3. *Recouvrir à nouveau de mousse et d'un second cercle de biscuit à la cuillère abondamment imbibé de jus de fraises. Réserver au congélateur.*

4. *Démouler et poser sur un carton à gâteau plus grand d'1cm. Masquer l'entremets d'une meringue italienne moins sucrée et flamber très légèrement au chalumeau. Décorer le centre avec des fraises des bois et des groseilles légèrement nappées. Déposer deux feuilles de pâte à cigarettes sur les fruits.*

France **157**

Macaron framboise

Pour 6 personnes

Macaron vanille :
4 blancs d'œufs (140 g)
140 g de poudre d'amandes
240 g de sucre glace
1 pincée de vanille en poudre

Crème pâtissière (voir p. 292) **:**
250 ml de lait
1 gousse de vanille

3 jaunes d'œufs (60 g)
60 g de sucre
1 cuil. à soupe de farine
15 g de poudre de flan
25 g de beurre

Crème à l'anis :
200 g de crème pâtissière
6 ml de liqueur d'anis
10 ml de Ricard
60 ml de crème fleurette fouettée

Décoration :
3 barquettes de framboises
anis étoilé

Objets de multiples légendes et traditions parmi lesquelles on doit citer le « petit Jésus » picard, le mariage de Louis XIV avec Marie-Thérèse d'Espagne et bien sûr l'émouvante odyssée des « sœurs macarons » de Nancy pendant la Révolution, les macarons sont largement répandus dans toutes les provinces françaises, avec différentes variations sur une base de pâte d'amandes.

Pierre Hermé se propose ici d'opposer à l'onctuosité de la crème une texture plus ferme du couvercle, croquante au sommet du macaron mais restée plus moelleuse au bord du gâteau. En réalité, cet aspect final se détermine principalement dans la phase de mélange du macaron, ce qui doit vous inciter à lui porter une attention particulière.

La cuisson n'est pas moins précise, notamment si vous disposez d'un four à air pulsé, qui nécessite une température de 140 °C et vraisemblablement un délai de cuisson complémentaire, car, selon les modèles, on constate parfois des variations de quelques dizaines de degrés. Une certaine prudence est de mise…

La crème à l'anis accepte le parfum du Ricard, chargé d'un léger goût de caramel, mais aussi celui de la liqueur d'anis que notre chef a choisi d'importer d'Espagne. Et bien sûr, les framboises décoratives devront être scrupuleusement choisies pour leur maturité, leur saveur et leur excellente présentation. Elles serviront aussi pour le coulis, qui vous fera bénéficier de leur apport énergétique et de leur vive teneur en vitamine C.

1. Pour le macaron vanille, monter les blancs d'œufs et, à l'aide d'une spatule en bois, mélanger la poudre d'amandes, le sucre glace et la vanille en poudre. Rabattre cette masse. Étaler sur du papier sulfurisé, cuire à 250 °C, puis à 180-200 °C sur des plaques doublées pendant 15 minutes. Décoller les macarons en mouillant la plaque de cuisson.

2. Pour la crème pâtissière, faire bouillir le lait avec la gousse fendue. Dans un récipient, travailler les jaunes d'œufs et le sucre jusqu'à ce que le mélange blanchisse, puis ajouter la farine et la poudre de flan. Verser le mélange en fouettant, remettre le tout dans la casserole et porter à ébullition 2 minutes en fouettant pour éviter que le mélange n'attache. Ajouter le beurre au mélange refroidi à environ 50-55 °C.

à l'anis

3. Pour la crème à l'anis, ajouter au fouet à la crème pâtissière la liqueur d'anis et le Ricard. Terminer en mélangeant à la spatule en bois la crème fleurette montée en chantilly. Retourner un fond de macaron sur un carton à gâteau. Garnir d'une couche de crème à l'anis à la douille n° 6 en prenant soin de ne pas mettre de crème jusqu'au bord.

4. Disposer tout autour les framboises en les calibrant et garnir le milieu avec le reste des framboises. Recouvrir d'une couche de crème et poser le second disque de macaron. Décorer le dessus d'étoiles d'anis et de framboises posées pêle-mêle. Laisser refroidir 30 minutes.

Préparation   1 heure 30 minutes
Cuisson   20 minutes
Difficulté   ✲ ✲

Pour 6 personnes

Pain d'épices

Glace au pain d'épices de Dijon :
600 ml de lait bouilli
55 g de pain d'épices émietté
100 ml de crème fleurette
1 cuil. à café d'épices à pain d'épices
110 g de sucre
7 jaunes d'œufs (150 g), 3 g de stabilisateur
25 g de miel de sapin, 5 ml de Ricard

Pochage des tranches d'orange :
200 g d'orange, 250 ml d'eau, 125 g de sucre

Préparation du beurre d'orange :
100 g de tranches d'orange pochées égouttées
100 ml de jus d'orange, 20 ml de jus de citron
1 pincée de cardamome en poudre
1 pincée de gingembre de Sarawak frais
 moulu, 1 g de poivre noir frais moulu
Beurre d'orange :
60 g de beurre, 200 g de préparation (ci-dessus)
Feuilleté aux épices caramélisé :
pâte feuilletée (voir p. 296)
170 g de sucre glace
1,5 g de quatre-épices (cannelle ou
 gingembre, clou de girofle, noix muscade,
 piment), 1 g de vanille en poudre
Décoration :
2 oranges, 2 citrons

Les origines alsaciennes de Pierre Hermé sont à la source de cette époustouflante préparation qui rappelle les fameux pains d'épices en bâtonnets, les lebkuchen, que l'on distribue aux enfants pour la Saint-Nicolas. On notera d'ailleurs que les épices du pain d'épices, qui font en Allemagne une large place à la cannelle, passent en France pour mieux équilibrées – en fait, mieux adaptées à notre goût latin. Le gâteau doit être moelleux, mais bien doré en surface et même croustillant.

À l'aspect plutôt doux et rond en bouche de la glace au pain d'épices vient s'opposer la délicate acidité du beurre d'orange, finement relevé de cardamome, de poivre et de gingembre.

La grande difficulté de cette recette, c'est bien sûr la cuisson du mille-feuille. Elle ne saurait être parfaite si vous ne parvenez pas à le retourner sans le casser. C'est plus facile si l'on dépose une seconde feuille de papier sulfurisé sur le dessus du mille-feuille.

Le dressage est une phase importante, qu'il faut aborder avec une certaine concentration, car de sa réussite dépend en grande partie le succès du dessert. Les tranches de fruits que l'on incorpore à ce moment n'ont pas une simple vocation décorative : elles sont aussi l'instrument d'un savoureux contraste et permettent l'équilibre des saveurs. Pour atténuer leur acidité, il n'est pas inutile de plonger rapidement les tranches de citron dans un sirop bouillant à 16° Beaumé.

1. Pour la glace au pain d'épices, faire bouillir le lait, ajouter le pain d'épices, laisser infuser 1 heure, puis passer au mixeur. Ensuite, faire bouillir la crème fleurette avec les épices à pain d'épices. Dans un récipient, travailler tous les ingrédients restants, sauf le Ricard. Mélanger le lait au pain d'épices et la crème fleurette, puis faire cuire comme une crème anglaise. Laisser refroidir, ajouter le Ricard et mettre en sorbetière.

2. Pour le pochage, couper les oranges en très fines tranches et les étaler sur une plaque. Verser dessus le sirop bouillant (eau + sucre) et laisser confire 24 heures au frais. Pour le beurre d'orange, mixer le plus finement possible les tranches d'oranges égouttées, le jus d'orange, le jus de citron, la cardamome, le gingembre de Sarawak et le poivre noir. Réserver au frais durant 30 minutes.

d'épices à l'orange et citron

3. Juste avant de finir de dresser le dessert, faire chauffer la préparation de beurre d'orange et la monter légèrement avec 60 g de beurre. Découper à la machine à trancher de fines lamelles de pain d'épices de 10 x 5,5 cm. Les beurrer recto-verso et les toaster sous la salamandre. À l'aide d'une cuillère en argent, confectionner des quenelles de glace au pain d'épices.

4. Pour le montage de l'assiette, poser une quenelle de glace sur un rectangle de pain d'épices toasté. Recouvrir d'un second rectangle de pain d'épices, d'une seconde quenelle de glace et finir avec un rectangle de feuilleté aux épices caramélisé. Poser le mille-feuille au centre de l'assiette, étaler le beurre d'orange chaud sur le côté droit et décorer de cinq quartiers d'oranges et de citrons pelés à vif.

Préparation   *1 heure*
Cuisson   *8 minutes*
Difficulté   ✳ ✳

Pour 6 personnes

Décoration :
3 feuilles de pâte filo
une boîte d'œufs à alvéoles
sucre

Crème au café :
300 ml de crème fleurette
20 g de café robusta moulu

Sabayon au rhum :
3 jaunes d'œufs
90 g de sucre
45 ml de vieux rhum agricole brun
30 ml d'eau

Ganache aux œufs :
1 œuf
2 jaunes d'œufs
100 g de sucre
150 g de chocolat de couverture Guanaja
100 g de beurre fondu

Même si l'on dénombre aujourd'hui plus de 1 000 recettes à base d'œufs, ceux-ci restent liés aux fêtes pascales, et c'est en cherchant un dessert pour le dimanche de Pâques que Pierre Hermé mit au point cette mille et unième recette d'œufs.

Dans cette recette, il n'y a que la ganache qui puisse être préparée à l'avance. Pour être assez « biscuitée », elle doit offrir un pourtour croustillant, plutôt ferme sur le sommet, mais un intérieur onctueux et presque liquide. Pour le reste, et surtout le traitement de la pâte filo, on attendra de préférence le dernier moment.

Il est recommandé de préparer les œufs proprement dits au moyen d'un couteau bien pointu et de ciseaux soigneusement aiguisés, et de procéder avec beaucoup de minutie. La question de la température des différents éléments est ensuite prioritaire, car c'est de l'association hardie du sabayon tiède et de la crème au café plus froide que naîtra la surprise – et donc la principale saveur de ce dessert.

On peut le servir accompagné d'un rhum brun agricole, en principe vieux, ou tout simplement d'un café très fort et très chaud. Si vous craignez de ne pas savoir manipuler la pâte filo, vous pouvez servir les œufs tièdes en coquetiers.

1. Sur une boîte d'œufs à alvéoles, façonner la pâte filo en forme de coquetier. Sucrer et faire colorer à four chaud. Pour la crème au café, faire bouillir la crème, laisser infuser le café hors du feu et passer au chinois étamine. Garder au frais à 4 °C pendant 6 heures. Fouetter la préparation jusqu'à ce que la crème épaississe comme une chantilly. Remettre au frais avant de servir.

2. Couper la partie supérieure des œufs à l'aide d'une pointe de couteau, puis d'une paire de ciseaux, et les vider. Laver et rincer les coquilles à l'eau froide et laisser sécher en prenant soin de les retourner. Pour le sabayon au rhum, fouetter tous les ingrédients à feu doux dans une casserole jusqu'à ce que le mélange épaississe. Réserver au chaud.

chocolat, crème café

3. Pour la ganache, fouetter l'œuf, les jaunes d'œufs et le sucre. Incorporer le chocolat fondu, lisser au fouet, ajouter le beurre fondu et lisser à nouveau.

4. Poser les coquilles d'œufs sur le support (boîte d'œufs à alvéoles) et les garnir jusqu'à mi-hauteur de ganache. Passer au four 8 minutes à 200 °C. Garnir presque aussitôt à ras de crème au café et servir le sabayon au rhum à part.

Préparation	1 heure 30 minutes
Cuisson	1 heure 30 minutes
Difficulté	★ ★ ★

Pour 6 personnes

Crème citron :
citrons
90 g de sucre
2 petits œufs (80 g)
65 ml de jus de citron
120 g de beurre

Crème citron aux écorces confites :
180 g de crème citron
60 g d'écorces de citrons confits en dés

Biscuit joconde et mousse au chocolat :
voir p. 289

Citrons confits maison (voir p. 290) :
250 ml d'eau
125 g de sucre
135 g de citrons coupés en 4 et blanchis 3 fois
1/2 gousse de vanille
1/2 gousse d'anis
quelques grains de poivre de Sarawak écrasés
Biscuit au chocolat sans farine (voir p. 288) :
190 g de beurre, 90 g de sucre glace
12 g de cacao en poudre
5 jaunes d'œufs (100 g), 2 petits œufs (75 g)
225 g de chocolat de couverture Manjari
8 blancs d'œufs (240 g), 125 g de sucre
Décoration :
250 g de chocolat de couverture noir
125 g de beurre de cacao, 1 citron

Ce riviera se présente avec une élégance que ne démentira certainement pas la subtilité de ses divers parfums. On commencera par une action de grâce aux grands découvreurs espagnols, puisqu'ils nous ont rapporté les fèves de cacao d'Amérique, où les indigènes les utilisaient en guise de monnaie. Comment pourrions-nous aujourd'hui, sans leur entremise, confectionner des biscuits sans farine aussi moelleux et légers que celui-ci ?

Avec une habileté que l'on pourrait prétendre diabolique, Pierre Hermé parfume justement ce biscuit d'une crème au citron, rehaussée pour la circonstance de citrons qu'il faudra confire vous-même, pour demeurer dans la note acidulée qu'a choisie notre chef.

Il serait quand même injuste de ne pas souligner dans le même registre l'arôme indispensable du poivre de Sarawak, originaire d'Indonésie et peut-être assez rare sur nos marchés, mais dont la présence épicée doit affiner la saveur de l'ensemble.

Toutefois, l'alliance du chocolat et du citron présente un inconvénient majeur : on ne fait pas voisiner sans risque l'amertume de l'un et l'acidité de l'autre, et il faut par conséquent éviter aux amateurs les surprises désagréables. Le point d'équilibre est véritablement ténu et l'on doit avoir avant son incorporation pesé minutieusement la crème au citron pour s'assurer que l'on respecte absolument les proportions.

1. Pour la crème citron, couper les zestes des citrons et les ajouter au sucre. Travailler au fouet avec les œufs et le jus de citron. Pocher au bain-marie jusqu'à 83-84 °C en remuant régulièrement, puis passer au chinois. Faire refroidir à 45 °C et incorporer le beurre en pommade. Mixer 5 à 6 minutes. Ajouter les dés d'écorces de citrons confits. Verser dans un moule de 2 cm de hauteur et 18 cm de diamètre. Mettre au congélateur. Confectionner le biscuit joconde et confire les citrons.

2. Habiller l'intérieur d'un moule de 4 cm de hauteur d'une bande de Rhodoïd. Chemiser d'une bande de biscuit joconde de 3,5 cm de hauteur. Disposer au fond un biscuit chocolat. Garnir au tiers de la hauteur de mousse au chocolat avec une poche. Poser le disque de crème citron congelé. Rajouter un peu de mousse au chocolat, placer le second disque de biscuit et lisser à ras avec la mousse au chocolat. Congeler pendant 1 heure.

3. Dresser à l'aide d'une poche et d'une douille à chiboust de longues larmes successives de mousse au chocolat sur les trois quarts de la surface de l'entremets. Remettre au congélateur.

4. Faire fondre à une température de 35 à 40 °C maximum le chocolat noir et le beurre de cacao. Passer au chinois étamine. Démouler l'entremets et le pulvériser entièrement de ce mélange au pistolet à air comprimé. Décorer d'une feuille de citronnier au chocolat et d'un tiers de citron.

Préparation : 1 heure 30 minutes
Cuisson : 30 minutes
Difficulté : ★ ★ ★

Pour 6 personnes

Pain d'épices, beurre

Génoise : voir p. 294
Sirop aux épices (voir p. 297) :
Sirop à 30° Beaumé :
180 ml d'eau, 200 g de sucre
125 ml d'eau bouillie avec 2 g d'épices
Caramel pour mousse (voir p. 290) :
30 g de beurre
300 ml de crème fleurette fouettée

Caramel :
130 ml de glucose, 200 g de sucre

Mousse caramel :
1 jaune d'œuf (20 g)
15 ml de sirop à 30° Beaumé
2 feuilles de gélatine, 75 g de caramel
100 ml de crème fleurette
Mousse de fleurs d'oranger au Cointreau :
30 ml d'eau, 4 jaunes d'œufs (80 g)
240 ml de crème fleurette
3 feuilles 1/2 de gélatine
À préparer la veille :
70 g de sucre, 25 ml d'eau,
15 ml de Cointreau, zeste d'1/2 orange
20 g d'écorces d'oranges confites hachées
Décoration :
125 g de chocolat noir de couverture
60 g de beurre de cacao

Il est certain qu'Auguste Félix Fauchon, qui fonda en 1886 la maison de la place de la Madeleine, serait fier et charmé d'y voir accoler la pâtisserie aux destinées de laquelle Pierre Hermé préside depuis 1986. Cette rose des sables, composée d'un biscuit imbibé d'épices et de deux mousses, illustre parfaitement la recherche constante de qualité qui a fait le renom de Fauchon, tout comme le talent créatif d'un chef exceptionnel.

La mousse au caramel doit être préparée sur la base d'un sucre caramélisé à l'extrême, presque au point de carboniser, car c'est à ce moment qu'il dégage son véritable goût, juste avant de basculer dans l'amertume irréversible : quelques tentatives préalables pourront vous être utiles…

La mousse de fleurs d'oranger comporte également des écorces confites que vous devriez préparer vous-même sur le modèle des citrons du riviera. Vous obtiendrez ainsi des lanières d'écorces moelleuses qui garniront la mousse avec prestance. Certains amateurs s'offusquent de la présence d'un alcool et militeront pour le remplacement du Cointreau par l'eau de fleurs d'oranger, bien connue pour ses vertus apaisantes. On produit de la sorte une simplification d'arôme, car il n'y a dans la fleur d'oranger qu'une variété (*citrus bigaradia*), alors que le Cointreau résulte d'un subtil mélange.

Quant aux épices à pain d'épices (dont la composition varie selon les pays), on trouve dans le commerce des mélanges savamment dosés.

1. Beurrer un moule de 18 cm de diamètre sur 4,5 cm de hauteur et le poser sur un carton à gâteau. Beurrer des petits carrés de pain d'épices très fins de 3,5 x 3,5 cm, puis les toaster recto-verso au four à 250 °C. Chemiser le moule aussitôt après la sortie du four. Déposer dans le four un disque de génoise d'1 cm d'épaisseur imbibée de sirop aux épices.

2. Pour la mousse caramel, monter au bain-marie le jaune d'œuf et le sucre jusqu'à consistance. Mettre dans la cuve du batteur et fouetter jusqu'à complet refroidissement. Prélever un peu de la préparation, y mélanger la génoise ramollie et tout reverser dans le batteur. Mélanger le caramel avec la préparation et un quart de la crème fleurette. Terminer en ajoutant le reste de crème fleurette fouettée.

3. Pour la mousse de fleurs d'oranger, adopter le même principe que pour la mousse caramel en y ajoutant juste avant la crème fleurette fouettée et les éléments macérés. Garnir à mi-hauteur de mousse caramel le moule chemisé avec le pain d'épices. Déposer un second disque de génoise imbibée. Finir de garnir avec la mousse de fleurs d'oranger. Terminer en lissant la surface de l'entremets et placer 1 heure au congélateur.

4. À l'aide d'un pistolet à air comprimé chargé d'un mélange de chocolat et de beurre de cacao, dessiner des demi-cercles au moyen d'un carton de même taille que l'entremets. Pulvériser tout en faisant glisser à espace régulier le carton sur l'entremets. Remettre au congélateur avant de glacer d'un nappage à l'orange (ou au caramel). Décorer d'épices (vanille, cannelle, anis étoilé) sur un côté de l'entremets.

Tarte aux pommes

Préparation	1 heure 30 minutes
Cuisson	1 heure
Difficulté	☆

Pour 6 personnes

8 pommes granny smith
beurre
cassonade
150 g de nappage à l'abricot

Pâte :
190 g de beurre
1 pincée de fleur de sel
1 pincée de sucre

1 jaune d'œuf (10 g)
50 ml de lait
250 g de farine

Riz au lait :
90 g de riz (arborio ou vialone nano)
1 l de lait entier
65 g de sucre
1 petit œuf
3 jaunes d'œufs (60 g)
40 g de beurre
125 g de raisins blonds

Selon qu'on préfère les pommes plus croquantes, plus ou moins acidulées, plus ou moins parfumées, on pourra choisir d'exécuter cette recette avec l'une des variétés suivantes, qui figurent parmi les préférées de Pierre Hermé : la belle de boskoop (ferme et acidulée), la cox's orange (malgré sa petite taille), la reine des reinettes (dont tout le monde apprécie la chair ferme et savoureuse), la calville blanche (plus rare et plus appréciée des connaisseurs) et enfin la granny smith (verte et juteuse, très acidulée).

Dans tous les cas, la pomme reste le fruit le plus consommé en France, avec plus de 16 kg par an et par habitant. Très populaire depuis l'aube des temps, riche d'innombrables variétés, la pomme offre toujours d'excellentes surprises.

Le choix du riz ne revêt pas moins d'importance : notre chef apprécie les riz ronds originaires d'Italie, car ils dégagent peu d'amidon dans la cuisson tout en conservant une tenue fort convenable. Pour que le riz au lait soit consistant, il importe d'égoutter soigneusement avant leur intégration les raisins blonds mis à tremper la veille.

Quelques petits conseils seront encore utiles pour la préparation : la pâte ne doit pas être travaillée trop longtemps, car elle deviendrait élastique et perdrait à la cuisson tout son croustillant. La conservation de la tarte au réfrigérateur s'impose, mais il est nécessaire de l'en sortir environ deux heures avant de la servir. On pourra alors l'accompagner d'un excellent cidre.

1. Pour la pâte, malaxer dans la cuve du batteur le beurre pour le ramollir, puis ajouter le sel, le sucre, le jaune d'œuf, le lait et enfin la farine. Ne pas trop travailler la pâte et la stocker au frais enveloppée de film alimentaire. Il est préférable de la préparer la veille. Avec la pâte, foncer un moule de 18 cm de diamètre et 3 cm de haut. Recouvrir de papier sulfurisé et de noyaux. Cuire à 180 °C pendant 15 minutes.

2. Pour le riz au lait, mettre sur le feu dans une casserole le riz, le lait et le sucre. Porter à ébullition et cuire au four à 180 °C jusqu'à ce que le riz ait absorbé le liquide, en principe environ 30 minutes. Ajouter l'œuf et les jaunes avant de donner un dernier bouillon. Incorporer le beurre, puis les raisins blonds légèrement gonflés à l'eau et refroidis. À l'aide d'une poche à douille, garnir de riz le fond de tarte aux trois quarts de la hauteur.

mpératrice

3. Passer le fond au four de façon à faire croûter le riz, puis laisser refroidir. Éplucher les pommes et les couper en huit morceaux. Enlever les pépins et faire cuire au four à 230 °C sur une plaque, avec le beurre et la cassonade. Laisser refroidir.

4. Disposer les pommes en cercle sur le riz au lait et lustrer toute la surface de la tarte avec le nappage à l'abricot.

Choux

Préparation	*1 heure*
Cuisson	*20 minutes*
Difficulté	★

Pour 30 choux

Pâte à choux :
125 ml d'eau
125 g de beurre
2 cuil. à soupe de sucre vanillé
sucre vanillé
1 pincée de sel
200 g de farine
2 œufs (100 g)
6 jaunes d'œufs (120 g)

Crème pâtissière :
250 ml de crème fleurette
2 jaunes d'œufs
40 g de sucre
15 g de sucre vanillé
15 g de Maïzena

Crème à la vanille :
300 g de crème pâtissière
600 ml de crème fleurette

Décoration :
sucre glace

Il existe à travers l'Europe une immense variété de beignets traditionnels, qui reçoivent divers noms en fonction des parlers locaux : bugnes, frivoles, oreillettes, guenilles, *churros* en Espagne, *cannoli* en Italie et *loukoumade* en Grèce. La pâte à frire qui les compose varie tout autant, ainsi que les coutumes et circonstances qui se rapportent à leur préparation : fêtes religieuses et civiles, célébration de saints patrons, etc.

Helmut Lengauer pratique pour sa part la pâte Brandteig, composée sur le feu et refroidie pour l'addition des œufs. Autant dans sa composition que dans sa réalisation elle s'apparente à une pâte à choux. Mais c'est là une particularité locale et d'autres habitudes illustrent ailleurs les beignets.

Il vaut mieux préparer vous-même votre sucre vanillé, qui s'avère à terme plus économique que la vanille en gousse. Vous conserverez pour cela dans un récipient très hermétique le sucre et les gousses de vanille séchées, sans oublier d'en ajouter périodiquement de nouvelles pour dynamiser l'arôme. Le sucre ainsi parfumé vous servira pour la pâte à beignets, mais aussi pour la crème à la vanille.

Le sirop, qui constitue la première opération de la pâte à beignets, joue le rôle de catalyseur et d'assouplissant, puisqu'il dégage sous l'effet de la chaleur la vapeur nécessaire au gonflage des choux : il vous faut donc un four très chaud, soigneusement clos, que vous n'ouvrirez sous aucun prétexte en cours de cuisson.

1. Pour la pâte à choux, porter à ébullition dans une casserole l'eau, le beurre, le sucre, le sucre vanillé et le sel. Ajouter la farine et remuer à l'aide d'une spatule en bois jusqu'à l'obtention d'un mélange homogène (cette opération s'appelle « dessécher »). Hors du feu, incorporer les œufs un par un en travaillant bien à chaque fois.

2. Pour la crème pâtissière, faire bouillir la crème fleurette dans une casserole. Dans un récipient, travailler les jaunes d'œufs avec le sucre et le sucre vanillé jusqu'à ce que le mélange blanchisse. Ajouter la Maïzena, verser doucement la crème bouillie sur l'appareil et remettre le tout dans la casserole. Porter à nouveau à ébullition, ôter du feu et laisser refroidir.

à la vanille

3. À l'aide d'une poche à douille cannelée, dresser sur une plaque des beignets de la grosseur d'un chou chantilly. Les dorer et les cuire au four 10 minutes à 200 °C, puis à 180 °C pour bien finir de les sécher. Terminer la crème à la vanille en incorporant à la crème pâtissière la crème fleurette montée en chantilly.

4. Couper légèrement les beignets par le milieu. À l'aide d'une poche à douille cannelée, les garnir de crème à la vanille, puis saupoudrer de sucre glace. Dresser les beignets trois par trois sur les assiettes

Beignets viennois

Préparation   2 heures
Cuisson   10 minutes
Difficulté   ✶ ✶

Pour 8 personnes

Pâte à beignets :
40 g de levure
200 ml de lait
600 g de farine
1 pincée de sel
10 g de sucre vanillé
80 g de beurre
20 ml de rhum

Sabayon :
2 œufs (120 g)
80 g de sucre

Garniture :
300 g de compote d'abricots

Décoration :
sucre glace

On n'ignore pas les fastes que déploie le carnaval de Vienne, l'une des plus vivaces manifestations populaires d'Autriche. Il débute à la Saint-Sylvestre et se poursuit jusqu'en février, lorsque le bal de l'Opéra lui apporte une réjouissante clôture. En cette période où tous les excès semblent permis, on multiplie naturellement les performances culinaires et la pâtisserie ne saurait manquer de s'associer au mouvement.

Ces beignets d'une forme et d'une finesse toutes particulières sont réservés à l'apogée du carnaval, aux quatre derniers jours qui précèdent le bal de l'Opéra. Ils sont élégamment fourrés à la poche de confiture (d'abricots, mais aussi de mirabelles ou de tout autre fruit, selon votre convenance).

Leur cuisson comporte un élément qu'il est essentiel de respecter : la pâte doit être assez légère pour flotter sur le saindoux bouillant (ou l'huile). De la sorte, après avoir cuit de part et d'autre, le beignet présente une circonférence presque crue entre les deux lignes successives de flottaison. Le contraste des couleurs, fantaisie bienvenue en ces jours de fête, produit un certain effet sur l'amateur.

Ces beignets sont la forme aboutie d'une recette paysanne très ancienne et dont notre chef a remonté la trace jusqu'à la fin du XVIIIe siècle. Il semble en effet qu'à cette époque, le terme allemand *Krapfen* qui désigne ces beignets ait dérivé de *Ranftl*, circonférence, bordure.

1. Pour la pâte à beignets, faire un levain en délayant la levure avec un tiers du lait tiède et un quart de la farine. Mettre à lever. Dans une sauteuse au bain-marie, monter en sabayon les œufs et le sucre. Dans la cuve du batteur, rassembler le reste de la farine et du lait, le sel et le sucre vanillé. Bien mélanger. Ajouter le levain, le beurre fondu, le rhum et enfin le sabayon. Laisser reposer la pâte 10 minutes.

2. Confectionner un rouleau avec la pâte, le découper en morceaux de 40 g environ et former des boules.

du carnaval

3. Chauffer la friture à 180 °C et y tremper les beignets 4 à 5 minutes en les faisant colorer sur les deux faces, mais sans laisser colorer la circonférence. Les égoutter sur du papier absorbant.

4. À l'aide d'une poche munie d'une douille, garnir les beignets de compote d'abricots. Saupoudrer de sucre glace et dresser sur une assiette. Accompagner éventuellement d'un café.

Crème riesling

Préparation	45 minutes
Cuisson	20 minutes
Difficulté	★ ★

Pour 8 personnes

Crème riesling :
1 jaune d'œuf
1 œuf
60 g de sucre
75 ml de riesling
1/2 citron
2 feuilles de gélatine
100 ml de crème fleurette

Tranches de pommes vapeur :
3 pommes
1/2 citron
150 ml de vin blanc
150 ml d'eau
50 g de sucre
1/2 bâton de cannelle
3 clous de girofle

Décoration :
cacao en poudre

Parmi toutes les pommes que l'on trouve sur nos marchés, trois au moins sont capables d'escorter cette crème renversée, dont la finesse maintient l'éminente réputation de l'hôtel Sacher : golden, reinette ou granny smith. Helmut Lengauer utilise avec un égal plaisir les trois sortes.

De même, la plupart des rieslings conviendront, qu'ils soient allemands ou alsaciens. C'est l'occasion de rappeler que ce vigoureux cépage, qui fait une bonne part des vignobles rhénans, a connu des heures de gloire et d'abondantes récoltes en Autriche-Hongrie, et même dans certaines régions périphériques de l'empire, aujourd'hui réparties entre le Nord de l'Italie, la Slovénie et la Croatie.

L'usage de gélatine assure la bonne tenue de la crème. Cela suppose qu'on laisse tremper auparavant ses feuilles dans l'eau froide une bonne dizaine de minutes. Pendant ce temps, vous méditerez à loisir sur le rôle et le destin de la gélatine, ce produit qui permet la conservation des divers aliments sans jamais dénaturer leur goût et dont la richesse en protéines est remarquable.

Les amateurs de fruits rouges pourront en saison s'adonner à leur penchant et remplacer par exemple les pommes par des fraises ou des framboises, en prenant garde à leur intégrité. Faute de fruits entiers, un coulis saura bien accompagner cette délicatesse.

1. Pour la crème riesling, monter au bain-marie dans une sauteuse ou un bassin en cuivre le jaune d'œuf, l'œuf, le sucre et la moitié du riesling. Ajouter hors du feu le zeste râpé et le jus du demi-citron, le reste du riesling et la gélatine ramollie à l'eau froide.

2. Monter la crème fleurette en chantilly et la mélanger délicatement avec le sabayon. Garnir des moules hémisphériques de crème et les mettre au froid 6 heures environ.

enversée aux pommes

3. Éplucher les pommes et les couper en quartiers d'1 cm d'épaisseur. Supprimer les pépins, puis les citronner. Confectionner un sirop avec le vin blanc, l'eau, le jus du demi-citron, le sucre, la cannelle et les clous de girofle. Porter à ébullition 4 à 5 minutes.

4. Réduire le feu et pocher les quartiers de pommes dans le sirop. Démouler dans l'assiette une crème riesling, la saupoudrer légèrement de cacao et l'entourer de quartiers de pommes. Faire réduire la cuisson des pommes à consistance d'un sirop épais et en napper les pommes.

Croissants

Préparation   1 heure
Cuisson   20 minutes
Difficulté   ★ ★

Pour 20 croissants

Pâte :
80 ml de lait
100 g de beurre
250 g de farine
25 g de sucre
15 g de levure
10 g de sucre vanillé
1 pincée de sel
jus d'¹/₂ citron

Garniture aux noix :
150 g de noix
180 ml de lait
50 g de sucre
10 g de sucre vanillé
1 bâton de cannelle
20 ml de rhum
2 œufs
100 g de pralin
130 g de chapelure de biscuits
quelques feuilles de menthe

Finition :
1 œuf pour dorer

C'est en 1683 que Vienne subit la plus forte offensive musulmane de son histoire. Il fallut une très forte mobilisation de l'Occident chrétien, et l'intervention musclée du roi de Pologne et du duc de Lorraine pour faire battre en retraite les troupes du grand vizir Kara-Mustafa. En souvenir de ce proche péril, le croissant, emblème turc par excellence, devint aussi le symbole de la pâtisserie viennoise et figure au premier rang des « viennoiseries » dans le monde entier.

Parmi toutes les déclinaisons de croissants que l'on peut trouver à Vienne, voici le croissant aux noix, dont on aime chez Sacher accompagner le café, qu'il soit expresso (schwarzer Kaffee), à la crème fouettée (Kapuziner) ou parsemé de chocolat râpé (Franziskaner).

Le noyer est la plus célèbre illustration de la famille des juglandacées (un mot que l'on ne prononce pas assez dans les salons). Vous vous ferez un point d'honneur de n'employer que des noix fraîches, dont vous casserez vous-même la coque afin de vérifier la bonne texture et le goût des cerneaux. La noix, même de bonne provenance, rancit très vite, et celles que l'on vend décortiquées dans des sachets plastiques ont parfois un arôme très discutable.

Les noix italiennes et grecques méritent sans doute une honorable mention, tout comme leurs homologues françaises du Périgord et du Dauphiné. À défaut de belles noix, on peut improviser une farce au pavot.

1. Rassembler tous les ingrédients de la pâte dans la cuve du batteur et bien pétrir le tout. Façonner un rouleau et laisser reposer 1 heure environ au réfrigérateur.

2. Découper le rouleau de pâte en morceaux de 25 g. Les rouler en boule, puis leur donner une forme légèrement ovale à l'aide d'un rouleau à pâtisserie. Conserver au frais.

ux noix

3. *Pour la garniture, hacher finement les noix. Porter à ébullition le lait, le sucre, le sucre vanillé, la cannelle et le rhum. Dans un récipient, mélanger les œufs, le pralin, la chapelure de biscuits et la menthe ciselée. Mélanger le tout au lait, ajouter les noix hachées et cuire 2 à 3 minutes. Ôter du feu et laisser refroidir.*

4. *Déposer sur chaque ovale de pâte, à l'aide d'une poche à douille, un petit rouleau de crème aux noix, puis rouler le tout en forme de croissant. Poser les croissants sur une plaque, dorer à l'œuf et faire cuire au four environ 20 minutes à 180 °C. Servir chaud.*

Gâteau de pruneaux

Préparation	30 minutes
Cuisson	10 minutes
Difficulté	★

Pour 4 personnes

Pâte à gâteau :
10 g de levure
250 ml de lait chaud
250 g de farine
30 g de sucre
1 cuil. à soupe de sucre vanillé
3 jaunes d'œufs
1 pincée de sel
zeste d'1/2 citron

30 g de beurre fondu
rhum

Sauce à la crème aigre :
250 ml de crème aigre
50 g de sucre glace

Garniture et décoration :
compote de pruneaux
zestes de citrons jaunes ou verts confits

Glace au slibowitz :
250 ml de lait
250 ml de crème fleurette
4 jaunes d'œufs
100 g de sucre
20 ml de slibowitz

Comme il s'agit d'un gâteau médiéval, dont la recette semble connue dans les régions de l'ex-Tchécoslovaquie depuis le XIV siècle, on colporte sur son compte quantité d'anecdotes. Par exemple, une cuisinière anonyme aurait oublié sur le feu sa confiture de quetsches si longtemps que le mélange aurait pris une couleur très foncée – celle des pruneaux, dont on explique ainsi la découverte.

Le caractère diabolique de la cuisson du pruneau (la peau de la prune ne doit-elle pas supporter la chaleur sans céder à la pression du jus bouillant ?) met aussi en cause les Templiers, qui nous auraient appris, parmi d'autres maléfices dont ils possédaient le principe, le secret de ce procédé rapporté

d'Orient lors des Croisades. Bien malin qui saura distinguer la réalité de la légende...

Ce qui reste acquis pour l'originalité, c'est l'accompagnement de ce gâteau, composé de crème aigre et de slibowitz. La crème aigre est appréciée en Europe centrale et orientale, mais aussi en Grande-Bretagne (les Anglais la nomment « sour cream »).

Quant à l'eau-de-vie de prunes dite slibowitz (du serbe *sliva*, prune), elle a pour base une espèce particulière de fruit, la quetsche « pocegace », originaire de Bosnie-Herzégovine. C'est dans cette région, jadis périphérique de l'empire austro-hongrois, qu'il faut chercher son origine et, de nos jours encore, sa fabrication.

1. Pour la pâte à gâteau, préparer un levain en délayant la levure dans un récipient avec le tiers du lait et mélanger un tiers de la farine. Dans la cuve du batteur, verser le reste de la farine et du lait, le sucre, le sucre vanillé, les jaunes d'œufs, le sel, un peu de rhum et le zeste de citron râpé. Bien travailler l'ensemble. Ajouter le levain, qui devra avoir doublé de volume, et incorporer en dernier le beurre fondu.

2. Dans une poêle à blinis, faire cuire des galettes d'1 cm d'épaisseur. Pour la sauce à la crème aigre, battre la crème et ajouter le sucre glace. Conserver au frais.

à la crème aigre

3. Étaler sur une galette une couche de compote de pruneaux, recouvrir d'une autre galette et masquer la surface avec la compote de pruneaux. Décorer le dessus de quelques zestes de citrons jaunes ou verts confits.

4. Pour la glace au slibowitz, faire bouillir le lait et la crème. Travailler les jaunes et le sucre jusqu'au ruban. Verser par-dessus un peu de lait, remettre le tout dans la casserole et cuire à la nappe. Laisser refroidir, passer au chinois, ajouter le slibowitz et mettre en sorbetière. Napper une assiette de sauce à la crème aigre, puis déposer un gâteau et une quenelle de glace.

Mousse d'amandes croquante.

Préparation	20 minutes
Cuisson	10 minutes
Difficulté	✳

Pour 4 personnes

100 g de chocolat blanc aux amandes
    croquantes
30 ml de lait
250 ml de crème fleurette
1 feuille 1/2 de gélatine

Sabayon :
1 œuf
1 jaune d'œuf
30 g de sucre
20 ml de porto blanc
Salade de fraises :
500 g de fraises
100 ml de Grand Marnier
50 g de sucre glace
Décoration :
amandes effilées grillées
crème Chantilly
feuilles de menthe

La délicatesse de ce dessert vient surtout de la présence du sabayon, qui se conjugue pour notre délice à la mousse d'amandes. Cette version d'une recette héritée des traditions pâtissières autrichiennes est propre au célèbre hôtel viennois Sacher, dont le chef nous permet quand même quelques libertés : ainsi, la mousse à base de chocolat blanc aux amandes croquantes se conçoit aussi avec du chocolat au lait, pourvu que le sabayon qui l'accompagne soit plus fortement parfumé, grâce à l'addition d'un peu de café soluble.

Lorsqu'il se mélange aux amandes, on constate que le chocolat dispose d'une grande variété de saveurs complémentaires, qui éveillent à la dégustation de subtils contrastes : pour les obtenir à coup sûr, veillez à ne jamais modifier les proportions et choisissez des produits d'excellente qualité.

La fraise a pour le chocolat de tendres sentiments, cela ne fait aucun doute, et l'on aura toujours plaisir à les marier. Mais on peut aussi recourir à d'autres fruits rouges, fruits des bois ou griottes, pour composer une salade qui soit digne d'accompagner la mousse, dont les saveurs essentielles seront principalement renforcées par le Grand Marnier, cette liqueur d'écorces d'oranges amères macérées dans le cognac mondialement connue.

1. Pour le sabayon, monter au bain-marie dans une sauteuse l'œuf, le jaune d'œuf, le sucre et le porto blanc. Faire fondre également au bain-marie le chocolat blanc avec le lait. Monter la crème fleurette en chantilly.

2. Mélanger le chocolat fondu au sabayon, ajouter les feuilles de gélatine ramollies à l'eau froide et terminer en incorporant délicatement la crème Chantilly. Garnir des moules individuels et mettre au froid 6 heures environ.

et salade de fraises

3. Pour la salade de fraises, couper les fraises en lamelles dans le sens de la longueur. Les disposer dans un récipient suffisamment grand pour éviter de les écraser, puis faire mariner dans le Grand Marnier et le sucre glace.

4. Disposer les fraises autour de l'assiette en formant une fleur. Déposer au centre de la fleur la mousse d'amandes et parsemer de quelques amandes effilées. Décorer d'une rosace de crème Chantilly et d'un petit bouquet de menthe.

Parfait « Sacher »

Préparation   *30 minutes*
Cuisson   *15 minutes*
Difficulté   ★

Pour 8 personnes

Sabayon :
2 œufs
50 g de sucre

Pâte chocolat-pralin :
50 g de chocolat de couverture
50 ml de pralin de noisette liquide
30 ml de lait
20 ml de porto (ou autre vin cuit)
250 ml de crème fleurette

Décoration :
cacao en poudre
300 g de fraises

À la différence de recettes historiques, celle-ci date avec précision de 1954. Le chef pâtissier de l'hôtel Sacher avait eu l'idée de conjuguer dans un même gâteau le parfait au chocolat et le parfait au nougat, ce qui avait remporté tout de suite les suffrages de la bonne société viennoise (que l'on ne saurait abuser quand il est question de pâtisserie), tout autant que de la clientèle cosmopolite qui séjournait à l'hôtel.

Ainsi consacré et baptisé du nom de l'établissement, déjà réputé pour la sachertorte, le sacherparfait connut un vif succès que rien n'a démenti depuis. C'est bien le moins pour un gâteau dont les créateurs sont d'authentiques athlètes en pâtisserie, capables de produire en période de pointe jusqu'à 3 000 gâteaux Sacher par jour, sans défaillance de qualité.

Ambassadeur gourmand de l'Autriche, l'hôtel Sacher affirme ainsi que ses capacités de renouvellement ne sont jamais prises en défaut et que même les querelles qui l'opposent à son rival viennois Demel (sur l'orthodoxie de la fabrication de la sachertorte) n'ont pas tari sa veine créatrice.

Helmut Lengauer est aujourd'hui le chef pâtissier de l'hôtel Sacher, qui comble depuis un siècle et demi vedettes et têtes couronnées. Il voit dans ce parfait si bien nommé, comme un hommage à l'excellence des fondateurs, Eduard et Anna Sacher, et ne s'autorise que d'infimes entorses à la tradition, comme par exemple de remplacer les fraises par des fruits sauvages ou des griottes.

1. Pour le sabayon, monter au bain-marie dans une sauteuse les œufs et le sucre. Faire fondre également le chocolat au bain-marie. Hors du feu, y ajouter le pralin de noisette liquide et bien mélanger.

2. Ajouter en fouettant le lait et le vin cuit à la pâte chocolat-pralin.

ux fraises

3. Mélanger la pâte chocolat-pralin au sabayon et, en dernier lieu, ajouter délicatement la crème fleurette montée en chantilly.

4. Garnir le fond d'un cercle de papier sulfurisé, y verser la pâte et déposer au froid 6 heures environ. Au moment de servir, retourner le parfait sur le plat de service, puis enlever le papier et le cercle. Saupoudrer de cacao et terminer le décor avec des lamelles de fraises en rosace.

Ravioli de fromage blanc

Préparation	*45 minutes*
Cuisson	*10 minutes*
Difficulté	✶

Pour 4 personnes

Pâte au fromage blanc :
140 g de farine
1 pincée de sel
1 cuil. à soupe de sucre vanillé
1 œuf
70 g de beurre
250 g de fromage blanc
jus d'¹/₂ citron

Garniture au fromage blanc :
250 g de fromage blanc
50 g de sucre glace

5 g de sucre vanillé
2 jaunes d'œufs
10 g de Maïzena
jus d'¹/₂ citron
50 g de raisins noirs, 10 ml de rhum

Chapelure au beurre :
150 g de beurre
100 g de pain rassis en chapelure

Rösti :
abricots frais ou au sirop (selon la saison)
beurre, sucre glace

Décoration :
sucre glace

On ne saurait prévoir les surprises que réservent les salons de thé les plus réputés d'Autriche. Voici que ce chausson porte à Vienne le nom de ravioli – sans doute par l'influence de l'Italie toute proche –, mais qu'il s'inscrit quand même dans le droit fil des traditions locales, ne serait-ce que par son contenu à base de fromage blanc.

On remarquera que les Autrichiens traitent à leur manière le ravioli, généralement carré : on ne fait ici que plier en deux un cercle de pâte, ce qui donne au chausson cette tournure à demi sphérique dans laquelle on doit peut-être voir un rappel du croissant.

Ce principe une fois défini, on peut varier souvent la nature et la qualité de la farce : sucrée, salée, fruits ou autres arômes, tout est bon pour donner à ces ravioli des parfums aussi savoureux que différents. On ne parle ici que de la catégorie sucrée.

Pour l'accompagner, c'est une tradition suisse que nous propose Helmut Lengauer, à savoir celle des rösti. On connaît les galettes de pommes de terre dorées à la poêle, voici qu'on les adapte à l'abricot, de préférence bien charnu, comme l'abricot rouge du Roussillon. Son passage à la poêle a pour effet de le caraméliser dans le beurre sucré et dégage des arômes légèrement acides.

1. Pour la pâte au fromage blanc, verser dans la cuve du batteur la farine, le sel, le sucre vanillé, l'œuf, le beurre, le fromage blanc et le jus de citron. Bien mélanger le tout et laisser reposer 20 minutes environ.

2. Pour la garniture au fromage blanc, mélanger dans le batteur tous les ingrédients, sauf les raisins et le rhum, jusqu'à l'obtention d'une pâte bien homogène. Ajouter ensuite les raisins macérés dans le rhum.

et rösti d'abricot

3. Étaler finement au rouleau la pâte au fromage blanc. Y découper des disques de 6 cm de diamètre, les farcir de garniture et les refermer en forme de chaussons. Pour la chapelure au beurre, faire fondre le beurre dans une sauteuse, puis ajouter la chapelure de pain.

4. Pocher les ravioli 8 à 10 minutes dans l'eau frémissante, puis les égoutter. Passer dans la chapelure au beurre, puis à la poêle dans du beurre clarifié. Pour les rösti, émincer les abricots, puis les caraméliser à la poêle avec le beurre et le sucre glace. Disposer sur l'assiette trois ravioli, le rösti d'abricot et saupoudrer de sucre glace.

Strudel au fromage blanc

Préparation	*30 minutes*
Cuisson	*1 heure*
Difficulté	✶ ✶

Pour 8 personnes

Pâte à strudel :
250 g de farine
3 ml d'huile
150 ml d'eau
1 pincée de sel

Mousse à strudel :
100 g de beurre
50 g de sucre glace
1 cuil. à café de sucre vanillé
1 pincée de sel
zeste et jus d'1/2 citron

4 jaunes d'œufs
440 g de fromage blanc
250 ml de crème aigre
4 blancs d'œufs
50 g de sucre

60 g de farine
50 g de raisins secs
10 ml de rhum

Sauce vanille :
500 ml de lait,
10 g de poudre de crème
1 gousse de vanille
6 jaunes d'œufs
80 g de sucre, 10 g de sucre vanillé
20 ml de rhum

Lait royal :
250 ml de lait
2 œufs, 30 g de sucre

Décoration :
sucre glace

Lorsqu'on vit apparaître au début du XVIIIe siècle le mot « strudel » pour désigner une pâtisserie roulée en spirale, c'est apparemment par déformation du verbe allemand *studan*, qui signifiait entre autres « tordre un tissu », voire « tourbillonner ». C'est le mouvement circulaire de l'eau dans une vasque dont on vide le contenu, lorsqu'elle forme un creux en entonnoir. Mais on trouve encore le sens de « s'enflammer de passion » – et l'on n'aura aucune peine à comprendre qu'il y ait des inconditionnels du strudel.

Ce gâteau fut au XIXe siècle une grande institution dominicale, à l'époque où les bourgeois de Vienne s'en allaient en grand équipage le déguster dans les auberges de la forêt toute proche.

Toutes les opérations peuvent être réalisées le jour même, à commencer par la pâte, dont la confection n'appelle pas de remarques particulières. C'est pour l'abaisser qu'il faut la travailler avec dextérité : en principe, elle doit être assez fine pour laisser voir, par transparence, les veinures du marbre sur lequel on l'étale.

La préparation de la mousse à strudel demande un peu d'attention dans le dosage de la crème aigre et du fromage blanc, ainsi que pour l'addition des raisins secs soigneusement macérés dans le rhum. On doit enfin serrer avec précaution le boudin de pâte garni de mousse avant la cuisson, ce qui suppose qu'elle reste très maniable malgré sa finesse.

1. Pour la pâte à strudel, travailler dans la cuve du batteur la farine, l'huile, l'eau et le sel. Mettre la pâte en boule, l'enduire d'huile et la laisser reposer 1 heure environ.

2. Pour la mousse à strudel, travailler dans la cuve du batteur le beurre en pommade, le sucre glace, le sucre vanillé, le sel, le zeste et le jus de citron. Ajouter petit à petit les jaunes d'œufs, le fromage blanc et la crème aigre. Monter les blancs d'œufs en neige avec le sucre et les mélanger à l'appareil précédent. Ajouter pour finir la farine et les raisins macérés dans le rhum.

3. Étaler la pâte au rouleau sur un torchon fariné, masquer le dessus avec la mousse et la rouler en lui donnant la forme d'un gros boudin. Pour la sauce vanille, faire bouillir le lait, la poudre de crème et la vanille dans une casserole. Travailler au fouet les jaunes, le sucre, le sucre vanillé et verser un peu de lait sur ce mélange. Verser le tout dans la casserole et cuire à la nappe. Passer au chinois et ajouter le rhum.

4. Procéder de même pour le lait royal. Beurrer une terrine, y déposer le strudel et mettre au four 15 minutes à 180 °C. Verser par-dessus le lait royal et remettre 45 minutes au four. Servir tiède, saupoudré de sucre glace et accompagné de sauce vanille.

Bagatelle au<

Préparation   45 minutes
Cuisson   45 minutes
Difficulté   ✳ ✳

Pour 8 personnes

100 g de confiture de framboises
500 ml de crème Chantilly
1 à 2 bananes
340 g de fraises
sucre glace

Génoise :
6 œufs
175 g de sucre
175 g de farine
75 g de beurre
Sirop au Grand Marnier :
500 ml d'eau
250 g de sucre
150 ml de Grand Marnier
Décoration :
noisettes grillées concassées
pâte d'amandes verte
fraises
glaçage

Dans ce gâteau, la fraise et la banane forment une harmonie qui flatte la vue tout autant que le goût. Elles se tapissent ici dans un entremets mystérieux, tellement appétissant que l'on meurt d'envie d'en inspecter le contenu. Il comporte deux variantes de crèmes Chantilly, l'une très consistante pour la garniture et l'autre beaucoup plus légère qui sert au nappage.

Pour la première, il faut fouetter la crème plus longuement afin de la rendre solide et d'éviter ainsi l'effondrement du gâteau. Mais la seconde ne doit pas se transformer en beurre et subira tout juste un traitement léger avant d'accueillir les noisettes.

Les fraises doivent être choisies de taille moyenne, dans une variété bien rouge et bien savoureuse : la gariguette, parmi

d'autres spécialités françaises, vous apportera toute satisfaction en cette circonstance.

Mais notre chef reconnaît que d'autres fruits rouges peuvent sans peine la remplacer. La framboise, par exemple, dont le gabarit n'en est pas très éloigné. Quant à la banane, malgré le nom de sa variété courante (cavendish), elle n'est pas très connue des Anglais, qui pourtant semblent apprécier ce mariage inattendu – élégamment soutenu, il est vrai, par l'inégalable Grand Marnier.

Les fruits secs d'accompagnement (pâte d'amandes et noisettes concassées) représenteront ici le Sud de l'Europe, si l'on choisit des amandes d'Espagne et des noisettes d'Italie.

1. Pour la génoise, fouetter les œufs et le sucre au bain-marie jusqu'à consistance onctueuse. Ajouter la farine, le beurre fondu et mélanger. Remplir aux trois quarts un moule beurré et fariné. Cuire au four 40 minutes à 190 °C. Démouler sur une grille et laisser refroidir. Pour le sirop, faire bouillir l'eau avec le sucre et ajouter le Grand Marnier. Découper la génoise en trois parts. Avec un pinceau, imbiber de sirop la tranche de base.

2. Badigeonner la première abaisse de confiture de framboises. Poser la deuxième abaisse de génoise, l'imbiber de sirop et masquer d'une couche de crème Chantilly.

raises et bananes

3. Disposer sur la deuxième abaisse des morceaux de bananes et de fraises. Saupoudrer de sucre glace et couvrir de crème Chantilly. Poser la dernière abaisse de génoise imbibée et appuyer avec la main pour faire bien adhérer le tout.

4. Masquer de crème Chantilly le dessus et les bords du gâteau, puis couvrir les bords de noisettes grillées concassées. Poser sur le dessus un disque de pâte d'amandes verte. Décorer de fraises entières qui auront baigné dans un glaçage.

Blackberry

Préparation   30 minutes
Cuisson   1 heure
Difficulté   ☆

Pour 8 personnes

1,5 kg de pommes bramley
350 g de mûres
225 g de sucre
eau

Pâte :
280 g de beurre
500 g de farine avec levure incorporée
1 pincée de sel
2 œufs
50 g de sucre

Décoration :
lait
sucre

L'histoire de l'Angleterre et des pays saxons comporte d'innombrables exemples de «pies», ces tourtes fourrées, salées ou sucrées, dont la tradition remonte au Moyen Âge. La tourte aux pommes et aux mûres n'est que l'un des exemples les plus classiques de ce type de pâtisserie, qui pour Michaël Nadell met en valeur sa variété préférée : la pomme bramley.

Bien qu'impropre à être consommée crue en raison de son acidité, la bramley supporte fort bien la cuisson et donne en fin de compte une exquise confiserie. Il faut de préférence l'apprêter en automne, d'autant plus qu'à cette saison l'on ramasse aux revers des talus de superbes mûres bien juteuses, qui viendront compléter la recette et colorer finement les morceaux de pommes.

Couvrir la tourtière de pâte n'est pas une opération difficile, mais cela demande un certain tour de main et doit être exécuté d'un seul coup. Vous n'oublierez pas de pratiquer au centre une cheminée qui facilitera l'évaporation de l'eau contenue dans les fruits. Enfin, sortez le «pie» du four quelques instants avant de servir et laissez-le reposer pour lui donner une bonne consistance. On peut l'accompagner de crème anglaise, mais aussi d'une glace à la vanille ou tout simplement d'une crème épaisse.

À défaut de pommes bramley, notre chef recommande la granny smith ou la golden, qui se comporteront à la cuisson de manière très honorable.

1. Pour la pâte, mélanger le beurre, la farine et le sel. Battre les œufs avec le sucre et assembler les deux appareils afin d'obtenir une pâte lisse. Réserver au froid pendant 1 heure.

2. Éplucher les pommes, les couper en quartiers et les mélanger aux mûres. En garnir un plat creux et saupoudrer de sucre. Remplir d'eau jusqu'au quart du plat.

and apple-pie

3. Étaler la pâte sur une épaisseur de 7 mm. Mouiller les bords du plat à l'eau et recouvrir de l'abaisse de pâte. Denteler le tout au couteau. Confectionner une cheminée au milieu.

4. Faire cuire la tarte entre 45 minutes et 1 heure au four à 190 °C. À la sortie du four, badigeonner la surface de lait avec un pinceau et saupoudrer de sucre. Remettre 5 minutes au four pour glacer.

Préparation   *40 minutes*
Cuisson   *6 heures*
Difficulté   ★

Pour 8 personnes

Christmas pudding :
125 g de farine
125 g de raisins de Corinthe
125 g de raisins de Smyrne
250 g de raisins secs
160 g de miettes de pain blanc
250 g de graisse de rognons de bœuf
50 g de fruits confits en petits dés
écorces d'oranges et de citrons confits

1 pincée de sel
zeste d'1 citron
1 cuil. à café de noix muscade en poudre
7 g d'épices mélangées
25 g d'amandes concassées
3 œufs
125 g de cassonade
50 ml de cognac
25 ml de Guinness (bière brune)

Sauce au cognac :
250 ml de lait
4 jaunes d'œufs
90 g de sucre
20 ml de cognac

Si le pudding est une digne institution britannique, il a très tôt franchi la Manche et connu en France des variantes orthographiques : la comtesse de Ségur l'écrivait « pouding » et le prononçait très certainement « poudingue ». C'est un mot que l'on a voulu sans succès rapprocher de « boudin », sous prétexte qu'il désignait à l'origine un boyau garni de viande, puis par analogie cette pâtisserie cuite à l'intérieur d'un linge.

Quoi qu'il en soit, les Anglais ne sauraient manquer à leur bienheureuse tradition et préparent deux ou trois mois à l'avance cet incontournable gâteau d'origine paysanne. C'est pour alléger la pâte qu'on la traite à la graisse de rognons de bœuf, qu'il faut délicatement mélanger aux autres ingrédients.

Le pain qui entre dans la pâte ne doit être ni trop frais ni trop rassis. Vous écarterez le pain brioché qui comporte beaucoup d'œufs et de beurre, au profit du pain blanc ou – pourquoi pas ? – du pain complet.

La forte densité de fruits confits et de raisins participe à la qualité du pudding, et l'on ne doit pas lésiner sur ce point. Certains pâtissiers l'agrémentent même de prunes ou de carottes, tout en faisant observer que c'est dans sa courte cuisson que réside le secret du pudding : le sucre ne doit pas caraméliser, encore moins les fruits. Le cognac (ou le rhum, si vous le préférez) sera versé dans la sauce au dernier moment, pour ne pas perdre son arôme.

1. Pour le christmas pudding, mélanger sur le plan de travail la farine, les trois sortes de raisins, les miettes de pain blanc, la graisse de rognons de bœuf hachée, les fruits et les écorces confits, le sel, le zeste de citron, la muscade, les épices mélangées et les amandes concassées.

2. Creuser un puits au milieu de ce mélange et y verser les œufs battus, la cassonade, le cognac et la Guinness. Bien mélanger le tout pour obtenir une pâte lisse.

pudding

3. Remplir de ce mélange un moule préalablement beurré. Recouvrir de papier sulfurisé beurré, nouer un linge autour et faire cuire 4 heures à la vapeur. Réserver au frais. Avant de servir, faire cuire à nouveau le pudding 2 heures à la vapeur.

4. Pour la sauce au cognac, faire bouillir le lait et battre en crème les jaunes d'œufs avec le sucre. Verser un quart du lait sur le mélange, remettre sur le feu et faire cuire à la nappe. La sauce doit former un ruban sur la spatule et ne doit pas bouillir. Passer au chinois, ajouter le cognac, puis garder au chaud. Démouler le pudding chaud sur le plat de service et servir la sauce au cognac en saucière.

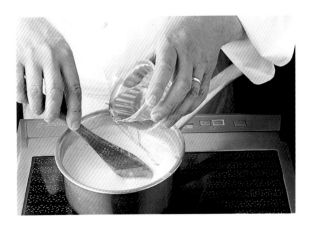

Préparation   *1 heure 30 minutes*
Cuisson   *45 minutes*
Difficulté   ★ ★ ★

Pour 8 personnes

Génoise blanche ou au chocolat :
    voir p. 294

Pâte à sucre ou pâte d'amandes :
    du commerce

Glace royale :
250 g de sucre glace
2 blancs d'œufs
colorant alimentaire

Sucre tiré :
1 kg de sucre
500 ml d'eau
200 ml de glucose
20 gouttes d'acide tartrique
colorants alimentaires

Exception faite de l'inévitable et crispante ritournelle qu'entonnent à chaque repas d'anniversaire, au moment du dessert, les convives égayés par diverses boissons, il existe de savoureuses manières de présenter ses vœux dans une telle circonstance, et ce gâteau figure parmi les plus adéquates. Michaël Nadell vous propose ici de perfectionner une base établie selon votre goût d'après l'une de ses autres recettes, le mazarin aux noix ou le bagatelle aux fraises et bananes.

La pâte à sucre vous sera fournie toute prête mais il vous faudra travailler en finesse pour couvrir les bords du gâteau d'une mince couverture. Le dessus recevra pour sa part une glace royale, que l'on peut détendre avec un peu d'eau si elle se solidifie en cours d'application.

Si vous réalisez vous-même les torsades, songez qu'il faut une pâte à sucre bien chaude et fortement pétrie qui permette la constitution de deux bandes homogènes. L'achèvement du décor final (roses et rubans) relève en principe d'un passage à la lampe à sucre, mais vous pourrez à défaut passer les sujets en sucre au four sur un papier sulfurisé.

Dresser un gâteau d'anniversaire aussi somptueux est évidemment pour un chef une excellente occasion d'attester son savoir-faire et de donner libre cours à sa créativité. Pour celui-ci, Michaël Nadell s'enorgueillit de l'avoir proposé avec succès à d'honorables membres du Parlement et même à des membres

1. Utiliser comme recette de base de ce gâteau le bagatelle ou le mazarin. Exécuter la recette de l'un ou de l'autre jusqu'au masquage (non compris). Poser sur un carton à gâteau l'entremets d'1 cm d'épaisseur. Étaler la pâte à sucre sur une épaisseur de 3 mm et en recouvrir entièrement le gâteau.

2. Réaliser une corde en tressant régulièrement deux rouleaux de pâte à sucre (ou pâte d'amandes) suffisamment longs pour faire le tour de l'entremets.

3. Pour la glace royale, passer le sucre glace au tamis, le verser dans un récipient, puis ajouter les blancs d'œufs et le colorant. Travailler à la spatule en bois pour obtenir une consistance bien ferme. À l'aide d'un cornet de papier, décorer le gâteau. Pour le sucre tiré, verser dans un poêlon en cuivre le sucre et l'eau. Porter à ébullition, écumer régulièrement au cours de la cuisson, puis ajouter le glucose.

4. Laisser cuire à 155 °C, ajouter 20 gouttes d'acide tartrique et porter la cuisson à 159 °C. Baigner la casserole 1 minute dans l'eau glacée pour arrêter la cuisson. Verser le sucre sur un marbre huilé, puis retourner le sucre avec une spatule en inox jusqu'à ce qu'il soit bien ferme. Tirer 30 à 40 fois sur le sucre jusqu'à ce qu'il brille, le colorer, puis confectionner des roses et des rubans pour en décorer l'entremets.

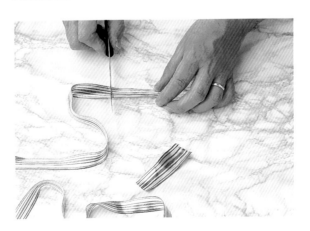

Lemon posse

Préparation   20 minutes
Cuisson   10 minutes
Difficulté   ✶ ✶

Pour 8 personnes

Crème au citron :
1 l de crème double (48 % de matières grasses)
5 feuilles de gélatine
zestes et jus de 3 citrons
230 g de sucre

Macarons :
100 g de poudre d'amandes
2 à 3 blancs d'œufs
250 g de sucre

Ce dessert date du règne d'Henry VIII Tudor, dont le père, Henry VII, obtint le trône d'Angleterre en triomphant de l'abominable Richard III. Ainsi pourrait-on s'imaginer ce dernier s'exclamant sur le champ de bataille de Bosworth : « Mon royaume pour cette crème au citron ! ». On découvrit par accident, à la fin du XVe siècle, le pouvoir fixateur du citron sur les crèmes cuites, dont on faisait alors une effarante consommation.

Michaël Nadell, collectionneur émérite, présente cette crème dans un verre à pied torsadé du début du XVIIIe siècle, dont il vous est recommandé de vous procurer la copie si vous souhaitez agir dans les règles de l'art. Pour soigner le contenu, choisissez bien une crème assez grasse (48 % de matières grasses), sinon elle aura tendance à cailler, et ne la maintenez pas bouillante.

Pour les macarons, seule une amande de qualité comme la variété espagnole avola, légèrement amère et plutôt coûteuse, pourra convenir à cette préparation. Si désuet que puisse paraître le broyage à l'ancienne (c'est-à-dire au pilon), ne perdez pas de vue qu'il faut obtenir un mélange intime des amandes et du sucre : c'est à cette condition que l'huile extraite des fruits secs parfumera les gâteaux.

La cuisson doit laisser le cœur des macarons moelleux, ce que vous ne pouvez réellement vérifier qu'en brisant l'un d'eux pour inspecter la tranche.

1. Pour la crème au citron, faire bouillir la crème, puis ajouter les feuilles de gélatine ramollies au préalable dans l'eau, les zestes et jus de trois citrons, et le sucre. Laisser refroidir. Avec la peau de l'un des citrons, faire une julienne et la blanchir deux fois. Réserver pour la décoration.

2. Pour les macarons, mélanger tous les ingrédients et travailler jusqu'à l'obtention d'un mélange bien lisse. À l'aide d'une poche à douille, former de petits tas de 3 cm de diamètre sur du papier sulfurisé. Aplatir la surface des tas avec un linge humide et cuire au four 15 à 20 minutes à 160 °C.

macaroon biscuit

3. À la sortie du four, décoller les macarons, les laisser refroidir et les couper en quatre parts. En réserver quelques-uns pour la décoration.

4. Disposer les morceaux de macarons dans le fond des coupes et les remplir à moitié de crème refroidie. Laisser prendre 20 minutes au réfrigérateur, puis achever le remplissage des coupes avec le restant de crème. Laisser prendre à nouveau 20 minutes. Décorer de zestes de citron de citron à la surface du verre et servir avec des macarons.

Mazarin

Préparation — *1 heure 45 minutes*
Cuisson — *15 minutes*
Difficulté — ★ ★ ★

Pour 8 personnes

Génoise au chocolat: voir p. 294

Ganache:
280 ml de lait
850 ml de crème fraîche (40 % de matières grasses)
1,3 kg de chocolat de couverture

Sirop au rhum:
500 ml d'eau
500 g de sucre
300 ml de rhum

Crème au beurre aux noix (voir p. 291):
100 g de cerneaux de noix

Décoration:
feuilles en chocolat
noix en pâte d'amandes

C'est bien le cardinal Mazarin (1602-1661), contre lequel se leva la terrible Fronde, qui donna son patronyme à ce gâteau traditionnel qu'il affectionnait de goûter, semble-t-il, entre deux coups d'État. Selon les sources, il y a d'ailleurs presque autant de recettes de mazarin que de mazarinades à la bibliothèque Mazarine, et non moins de garnitures: fruits confits, amandes, confiture d'abricots, marmelades, etc. On appréciera dans le cas présent le croquant des cerneaux de noix.

Michaël Nadell se procure la pâte de noix auprès d'un fournisseur privé, pour ainsi dire exclusif, qu'il ne vous sera guère facile de solliciter. Aussi précise-t-il que l'on peut substituer à ce produit un pralin spécifique, réalisé à base de noix de première qualité.

La France est terre de noix, et quelques régions se disputent la prééminence en la matière. Les noix du Périgord (riches en calories et en fibres) l'emporteront-elles sur les noix du Dauphiné, ou l'inverse? Leur savoureux parfum, l'excellence de leur goût ont depuis longtemps convaincu notre chef britannique et l'hommage qu'il leur rend ici ne manque pas de sincérité.

Le masquage final du mazarin à la ganache exige une température idoine, qui ne soit ni trop élevée ni trop basse. Vous l'étalerez d'un geste résolu, franchement, mais non sans avoir auparavant vérifié que la génoise est assez imbibée de sirop pour demeurer moelleuse.

1. Confectionner la génoise au chocolat. Étaler la pâte sur 5 mm d'épaisseur sur une plaque à pâtisserie recouverte de papier sulfurisé. Cuire au four 8 minutes à 230 °C. Pour la ganache, faire bouillir le lait avec la crème et incorporer en fouettant le chocolat cassé en morceaux. Laisser refroidir. Pour le sirop au rhum, faire bouillir l'eau avec le sucre, laisser refroidir, puis ajouter le rhum.

2. Confectionner la crème au beurre. Hacher les noix et les ajouter à cette crème. Couper quatre rectangles de génoise au chocolat. Poser le premier sur un carton à gâteau, imbiber de sirop, masquer de crème aux noix, recouvrir d'un deuxième rectangle imbibé et masquer de ganache. Poser le troisième rectangle, l'imbiber, masquer de crème aux noix et terminer avec le quatrième rectangle. Masquer du reste de ganache.

aux noix

3. Mettre le mazarin au froid pendant 20 minutes environ. À l'aide d'un couteau trempé dans l'eau chaude, égaliser les bords.

4. Confectionner deux feuilles de chocolat et une noix en pâte d'amandes, les placer sur un coin de l'entremets, puis achever le décor au cornet.

Michaël's

Préparation   *2 heures 30 minutes*
Cuisson   *1 heure 45 minutes*
Difficulté   *★ ★ ★*

Pour 8 personnes

Biscuit piémontais :
8 blancs d'œufs
500 g de sucre
200 g de poudre de noisettes
25 g de Maïzena

Sirop au rhum :
500 ml d'eau
500 g de sucre
280 ml de rhum

Ganache et biscuit de Savoie :
voir pp. 293 et 289

Meringue :
250 g de sucre
4 blancs d'œufs

Crème au beurre :
250 g de sucre
150 ml d'eau
3 œufs
500 g de beurre
essence de café

Décoration :
cacao en poudre

C'est à son épouse Stella que Michaël Nadell a choisi de dédier cette création « dodue » à souhait, pour laquelle vous façonnerez de belles et généreuses coques de meringue. La présentation des mets et leur décoration réclament un soin tout particulier, dont notre chef a fait l'apprentissage lorsqu'il exerçait son art dans les coulisses des grands hôtels londoniens.

Le secret d'une belle meringue réside avant tout dans l'élimination radicale de toute trace de jaune d'œuf (et c'est moins facile qu'il n'y paraît). Ensuite, et pour lui conférer la belle tenue que l'on espère, il est recommandé d'ajouter un peu plus de sucre (un quart environ) pour qu'elle soit un peu plus lourde.

Comme l'on procède à deux masquages successifs (crème au beurre et ganache), on laissera largement le temps au premier de se solidifier au frais avant d'entamer le second, afin d'empêcher tout amalgame entre les deux : outre que les parfums s'en trouveraient froissés, vous ne pourriez produire à la découpe le bel effet de juxtaposition qu'apprécie notre chef.

Indice évident de la paix des ménages (du ménage Nadell tout au moins), ce gâteau se veut aussi la réconciliation de provinces voisines ennemies : la Savoie et le Piémont, dont les biscuits respectifs cohabitent en parfaite intelligence, ce qui montre bien que la pâtisserie n'accorde pas d'importance aux frontières et aux préjugés.

1. Pour le biscuit piémontais, faire une meringue avec les blancs d'œufs et la moitié du sucre. Tamiser ensemble le reste du sucre, la poudre de noisettes et la Maïzena, puis incorporer le tout à la meringue. Dresser en disques sur une plaque recouverte de papier sulfurisé et cuire au four 1 heure environ à 150 °C. Pour le sirop au rhum, faire bouillir l'eau avec le sucre, laisser refroidir, puis ajouter le rhum.

2. Confectionner la ganache et le biscuit de Savoie. Pour la meringue, fouetter le quart du sucre avec les blancs d'œufs en neige bien ferme, puis ajouter le reste du sucre. Dessiner un cercle sur du papier sulfurisé et, à l'aide d'une poche à douille, former treize coques (symbole de chance) sur la circonférence intérieure et une grosse coque au centre. Faire cuire au four à 65 °C pendant une nuit.

Stella

3. Pour la crème au beurre, chauffer le sucre et l'eau jusqu'au gros boulé (121 °C). Battre les œufs jusqu'à consistance d'un sabayon et verser lentement le sucre par-dessus en fouettant jusqu'à complet refroidissement. Ajouter le beurre ramolli en petits morceaux et fouetter afin d'obtenir une consistance légère. Ajouter l'essence de café.

4. Pour le montage, placer sur un carton à gâteau un disque de biscuit piémontais et recouvrir d'une fine couche de ganache. Poser dessus une abaisse de biscuit de Savoie, imbiber de sirop et napper de crème au beurre. Poser le deuxième biscuit, imbiber et napper de ganache. Poser un deuxième biscuit piémontais et terminer avec la crème. Mettre au frais 10 minutes. Glacer avec la ganache liquide, saupoudrer le dôme de meringue de cacao et le poser sur le gâteau.

Préparation   *2 heures*
Cuisson   *30 minutes*
Difficulté   ✶ ✶ ✶

Pour 8 personnes

Pâte à stencil :
50 g de beurre
50 g de sucre glace
2 blancs d'œufs
50 g de farine
12 g d'extrait de café (Trablit)

Crème au rhum :
2 feuilles ¹/₂ de gélatine
70 g de sucre

130 ml de rhum
350 ml de crème fleurette

Biscuit joconde et pâte à choux :
   voir pp. 289 et 295
Mousse cappuccino :
8 g de café soluble en poudre
8 g de lait en poudre
160 ml de sirop à 18° Beaumé
140 g de sucre
15 feuilles de gélatine
30 ml de lait concentré
900 ml de crème fraîche
Gelée au café :
500 ml de sirop de sucre à 18° Beaumé
1 cuil. à soupe d'essence de café
2 feuilles ¹/₂ de gélatine
Décoration :
grains de café au chocolat

Michaël Nadell n'est pas un grand amateur de thé et moins encore de café fort. C'est pourquoi son choix ne se porte pas ici sur des arabicas de haute origine, ni même sur un plus modeste robusta, mais sur un café lyophilisé.

En effet, la douceur et l'arôme du cappuccino le comblent d'aise, au point qu'il a désiré les retrouver dans cette mousse inspirée des traditionnelles « jellies », les gelées anglaises dont l'usage remonte au Moyen Âge et qui font florès dans la pâtisserie d'outre-Manche.

Le biscuit joconde implique un traitement qui lui est spécifique : on le cuit rapidement à four chaud, en prenant garde à lui conserver à cœur toute son humidité, de sorte qu'il reste bien moelleux. La couche de choux garnis de mousse doit passer quelque temps au frais pour solidifier cette alliance et proscrire tout risque de déplacement des choux lorsqu'on en vient aux étages supérieurs du gâteau. Bien sûr, on ne peut travailler cette mousse que lorsqu'elle est encore chaude, à cause de sa teneur en gélatine.

Mais il faut attendre son refroidissement complet pour appliquer dessus le décor de gelée au café. Notre chef recommande plutôt de congeler carrément le gâteau, de le sortir du congélateur pour le garnir de gelée et de le laisser décongeler ensuite environ 4 heures.

1. Pour la pâte à stencil, battre au fouet le beurre en crème avec le sucre glace. Incorporer les blancs un à un et, pour finir, la farine et l'extrait de café. Étaler la pâte en une couche très fine sur du papier sulfurisé. Racler avec un peigne pour laisser un décor de lignes parallèles, puis refroidir au congélateur. Pour la crème au rhum, faire fondre la gélatine avec le sucre et le rhum, passer au chinois et laisser refroidir. Mélanger avec la crème montée en chantilly.

2. Confectionner le biscuit joconde. Sortir du congélateur la plaque recouverte de pâte à stencil et étaler dessus le biscuit joconde. Faire cuire à 200 °C pendant 10 minutes et laisser refroidir. Confectionner la pâte à choux. À l'aide d'une poche munie d'une douille unie, dresser sur une plaque de grosses profiteroles et les cuire au four 20 minutes à 180 °C. Garnir les profiteroles avec la crème au rhum.

appuccino

3. Pour la mousse cappuccino, faire fondre à chaud le café soluble et le lait en poudre dans le sirop, ajouter le sucre et porter à ébullition. Ajouter la gélatine ramollie à l'eau froide et le lait concentré, puis passer au chinois. Fouetter la crème fraîche et l'incorporer au mélange. Préparer cette mousse juste avant de servir. Pour la gelée au café, porter à ébullition le sirop, ajouter l'essence de café et, hors du feu, la gélatine.

4. Chemiser un moule en inox de papier sulfurisé. Couper une bande de joconde pour atteindre la moitié de la hauteur du moule. Dans le fond du moule, déposer un disque de joconde et le masquer d'une couche de mousse de 2 cm d'épaisseur. Déposer les choux autour du moule et l'un d'eux au centre. Finir de masquer avec la mousse jusqu'au rebord du moule. Mettre au congélateur, puis glacer de gelée au café. Décorer de grains de café en chocolat.

Préparation   *45 minutes*
Cuisson   *50 minutes*
Difficulté   ★ ★

Pour 8 personnes

100 g de confiture d'abricots
100 g de confiture de framboises

Crème pudding :
500 ml de lait
500 ml de crème fraîche (40 % de matières
   grasses)
2 œufs

8 jaunes d'œufs
175 g de sucre
225 g de chapelure de pain blanc frais
zestes de 2 citrons

Crème de groseilles :
500 g de groseilles
100 g de sucre
50 g de gelée de groseilles

Meringue suisse :
500 g de sucre glace
8 blancs d'œufs
jus de citron

Peut-on donner du « Gracieuse Majesté » à ce pudding dès lors qu'il est reconnu qu'on l'élève à la dignité royale ? Les manuels de savoir-vivre sont également silencieux sur ce point. On imagine du reste fort bien les gravures que Hogarth, par exemple, aurait consacrées à la cour du roi des puddings : le Christmas pudding en aurait été l'aumônier et toute une ribambelle de petits plum-puddings en habits de pages s'y seraient égaillés sous les charmilles.

Pour le décor de stucs et croisillons de meringue, il faut donner dans une dominante rouge que vous obtiendrez de préférence en mélangeant confitures d'abricots et de framboises. Avec des fruits mûrs et charnus, et une quantité raisonnable de sucre, vous n'aurez pas de peine à vous situer dans le registre voulu.

Vous constaterez que ce roi des puddings (on dit plus volontiers en anglais « reine des puddings » pour d'évidentes raisons de bon goût, alors que le pudding est masculin en français) se signale en outre par sa légèreté, puisqu'à la différence de la plupart de ses sujets il ne comporte pas de graisse de bœuf. Du reste, il n'est pas cuit à la vapeur mais au bain-marie, ce qui modifie sa consistance.

Enfin, signalons le curieux comportement de la meringue suisse, qui ne durcit pas tout de suite et présente après son passage au four une belle apparence dorée. Tout cela fait bon ménage avec la crème anglaise, que vous aurez soin de cuire à feu doux pour la rendre onctueuse et parfumée.

1. Pour la crème pudding, faire bouillir le lait avec la crème fraîche. Fouetter les œufs et les jaunes d'œufs avec le sucre, ajouter le mélange de lait et de crème, puis passer au chinois. Mélanger la chapelure fraîche avec les zestes de citrons râpés. Pour la crème de groseilles, faire bouillir tous les ingrédients jusqu'à obtenir un mélange onctueux. Passer au chinois et laisser tiédir.

2. Dans un plat allant au four, déposer la chapelure et remplir du mélange de crème et d'œufs. Laisser reposer 10 minutes, puis pocher au bain-marie 30 à 40 minutes au four à 160 °C. Dès que le mélange a bien pris, retirer du four.

3. Pour la meringue suisse, fouetter tous les ingrédients dans un bol au-dessus d'un bain-marie jusqu'à l'obtention d'un mélange bien ferme. À l'aide d'une poche et d'une douille cannelée, former un treillis de meringue et une bordure tout autour.

4. Mettre au four à 230 °C pour que la meringue prenne couleur. Laisser refroidir. Remplir en alternance de confiture d'abricots et de framboises les espaces ménagés par les lignes du treillis de meringue. Servir le pudding avec la crème de groseilles.

Sussex pond

Préparation   *30 minutes*
Cuisson   *2 heures 30 minutes*
Difficulté   ★ ★

Pour 8 personnes

Pâte à la graisse de rognons de bœuf :
500 g de farine avec levure incorporée
15 g de levure chimique
50 g de sucre
250 g de graisse de rognons de bœuf (ou
    graisse végétale) coupée en petits
    morceaux

1 pincée de sel
280 ml d'eau

Crème anglaise au miel :
500 ml de lait
175 g de miel
6 jaunes d'œufs

Garniture :
280 g de beurre
280 g de cassonade
1 gros citron à peau fine

Ce pudding du Sussex, au Sud de Londres, a dû s'enrichir des denrées importées par le port voisin de Newhaven. Le terme de « pond » (petit lac) caractérise l'écoulement du beurre à la découpe. Mais cette recette joue surtout sur le contraste entre l'acidité du citron et la douceur du miel, ici fort bien conçu par notre chef britannique.

La graisse de rognons de bœuf est essentielle dans le pudding et l'on doit rappeler que ce produit fragile, qu'il ne faut pas écraser dans le mélange, est d'abord coupé en petits morceaux roulés dans la farine. On remplace parfois la graisse de bœuf, par des graisses végétales, mais elle est bien un pilier de la tradition anglaise et s'inscrit dans de nombreuses préparations sucrées fort savoureuses.

Pour le reste, il faut choisir un citron jaune à peau très fine (certaines variétés italiennes, par exemple *primafiori* ou *feminello*), que l'on place au centre du pudding après l'avoir percé de petits trous : par là s'évaderont pendant la cuisson l'arôme et le jus, pour former avec la cassonade un sirop de qualité.

À l'inverse, les trous pratiqués dans la peau du citron vont y faire lentement pénétrer le beurre et le sucre présents dans la pâte. Cet effet sera particulièrement réussi lorsque vous aurez maîtrisé l'incorporation de la graisse de bœuf, dont la présence fait gonfler la pâte et lui permet d'exercer sur le citron des pressions légères, mais terriblement efficaces.

1. Pour la pâte à la graisse de rognons, mélanger sur le plan de travail tous les ingrédients, excepté l'eau. Faire une fontaine et ajouter lentement l'eau tout en mélangeant régulièrement pour obtenir une pâte bien lisse.

2. Étaler les trois quarts de la pâte et en chemiser le moule. Pour la crème anglaise au miel, faire bouillir le lait, puis battre en crème le miel et les jaunes d'œufs. Ajouter le lait au mélange de miel et de jaunes, remettre sur le feu et laisser cuire jusqu'à l'obtention d'un ruban sans jamais faire bouillir.

pudding

3. Remplir la moitié du moule avec le beurre coupé en morceaux et la cassonade. Ajouter un citron entier percé de trous à la fourchette. Finir de remplir le moule avec le restant de beurre et de cassonade.

4. Étaler en disque le restant de pâte et en recouvrir le dessus du moule en la faisant déborder tout autour. Recouvrir de papier sulfurisé beurré, entourer le moule d'un linge et faire cuire 2 heures 30 minutes à la vapeur. Servir chaud, accompagné de crème anglaise au miel.

Châtaignier

Préparation   *1 heure*
Cuisson   *20 minutes*
Difficulté   ✷ ✷

Pour 12 personnes

Ganache au chocolat au lait :
500 g de chocolat au lait
125 ml de lait concentré non sucré

Biscuit duchesse :
3 jaunes d'œufs
9 œufs
250 g de sucre
250 g de farine
50 g de beurre

Crème de marrons :
1 boîte de marrons glacés au sirop (125 g)
10 ml de rhum brun
250 ml de crème fleurette

Sirop au rhum :
100 g de sucre
200 ml d'eau
150 ml de rhum

Décoration :
pâte filo
marrons glacés
bande de biscuit rayé

En Belgique, les pâtissiers ont pour tradition de glacer les marrons et la famille Nihoul en a particulièrement l'expérience. Déjà, le grand-père de notre chef garnissait les dijonnaises, ces fonds de meringue agrémentés de chantilly, d'éclats de marrons. En Belgique il en existe une variété à la crème au chocolat, appelée « merveilleux ».

Au-delà de ces gâteaux fragiles, Christian Nihoul persiste dans le travail du marron en choisissant les matières premières avec le plus grand soin.

Un changement radical s'est produit en quelques générations : les pâtissiers ne procèdent plus eux-mêmes à la fabrication des ingrédients de base (broyage, fondant, pralin, massepain…),

mais sélectionnent rigoureusement leurs fournisseurs. C'est le cas pour les morceaux de marrons glacés, dont la qualité doit naturellement transcender la présentation défectueuse.

Une fois convertis en pâte, ces marrons glacés au sirop formeront avec une crème fleurette légère et un filet de rhum brun une garniture idéale, sans la moindre adjonction de sucre.

Pour le chocolat au lait de la ganache, on choisira de préférence un chocolat très lacté et très peu sucré. Il s'agit sans conteste d'une pâtisserie généreuse, très appréciée en hiver lorsque les gourmands recherchent des calories supplémentaires : selon notre chef, le succès de ce châtaignier, auprès des Japonais en particulier, se renouvelle chaque année sans jamais faiblir.

1. Préparer la ganache la veille : faire fondre le chocolat, porter le lait concentré à ébullition et l'incorporer au chocolat. Garder au frais. Pour le biscuit duchesse, monter à chaud dans le batteur les jaunes d'œufs, les œufs et le sucre. Laisser tourner jusqu'à complet refroidissement, puis ajouter à l'aide d'une écumoire la farine tamisée et le beurre fondu chaud. Étaler sur une plaque et cuire au four 20 minutes à 180 °C.

2. Pour la crème de marrons, mixer au robot-coupe une boîte (125 g) de marrons glacés et le sirop contenu dans la boîte. Ramollir au rhum, puis mettre au frais. Monter la crème en chantilly et l'incorporer à la crème de marrons. Pour le sirop, porter à ébullition le sucre et l'eau, laisser refroidir, puis ajouter le rhum.

3. Découper dans le biscuit duchesse trois disques de la grandeur du moule. Garnir en alternant biscuit imbibé de sirop au rhum et crème de marrons. Terminer de garnir avec une couche de crème. Réserver au froid 24 heures. Remettre la ganache à température en la chauffant au bain-marie et en glacer la totalité de l'entremets.

4. Entourer l'entremets d'une bande de biscuit rayé. Découper dans la pâte filo une feuille de châtaignier, la faire colorer au four et la poser sur le gâteau avec les marrons glacés.

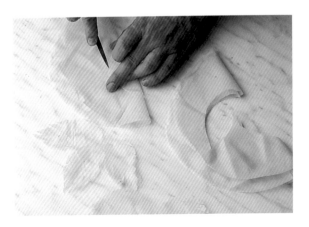

Préparation   *1 heure*
Cuisson   *20 minutes*
Difficulté   *✳ ✳*

Pour 12 personnes

Biscuit montmorency :
375 g de pâte d'amandes 50/50
4 œufs
40 g de farine
9 blancs d'œufs (250 g)
40 g de sucre
40 g de beurre

Crème pâtissière :
1 l de lait
125 g de sucre
10 jaunes d'œufs
80 g de Maïzena
Crème au café :
500 ml de crème pâtissière
2 feuilles de gélatine
500 ml de crème fleurette sucrée
50 ml d'essence de café
Décoration :
chocolat au lait
chocolat blanc
cacao en poudre

De toutes les charmantes légendes qui entourent l'apparition du café – et qui en font bien sûr un présent des dieux antiques aux malheureux mortels –, la plus vraisemblable a pour cadre le Yémen : le petit port de Moka témoignait d'un actif commerce avec les producteurs d'Abyssinie, plus précisément du petit royaume de Kaffa dont le nom serait à l'origine du mot « café ». Depuis lors, deux variétés principales (arabica et robusta) se sont réparti l'essentiel du marché et leurs qualités respectives sont bien connues des consommateurs.

Christian Nihoul préconise dans cette recette l'emploi d'une essence de café de qualité, le trablit, qui parfume très élégamment la crème pâtissière.

Les plus intrépides apprécieront certainement la variante artisanale qui consiste à verser dans un récipient du café bouillant et son marc sur du sucre en fusion, procédé de cuisson qui produit des bulles de gaz et de vapeur accompagnées de projections brûlantes. Si vous n'avez pas l'âme d'un vulcanologue, contentez-vous de l'emploi du paisible trablit. Encore faut-il avoir écarté de la crème pâtissière l'habituelle gousse de vanille qui la distingue.

Enfin, apportez le plus grand soin dans la préparation du délicat biscuit de montmorency, qui ne comporte pas les cerises du même nom, mais dont on attribue l'invention au cuisinier du duc de Montmorency-Laval, ministre des Affaires étrangères du roi Louis XVIII.

1. Pour le biscuit montmorency, battre la pâte d'amandes et les œufs, puis ajouter la farine. Monter les blancs en neige avec le sucre, les incorporer à la préparation précédente et terminer par le beurre fondu chaud.

2. Pour la crème au café, préparer la crème pâtissière : faire bouillir le lait avec une partie du sucre. Blanchir les jaunes d'œufs avec le restant de sucre, puis incorporer la Maïzena. Ajouter une partie du lait, remettre le tout dans la casserole et porter à ébullition. Laisser refroidir. Incorporer la gélatine ramollie à l'eau froide et le même poids de crème fleurette sucrée montée en chantilly. Parfumer à l'essence de café.

au café

3. Découper trois fonds dans la plaque de biscuit montmorency. Dans un moule, monter l'entremets en alternant fond de biscuit et crème au café disposée à la douille.

4. Confectionner de gros copeaux de chocolat au lait et de chocolat blanc pour décorer le gâteau. Saupoudrer la surface de cacao.

Préparation	30 minutes
Cuisson	15 minutes
Difficulté	★

Pour 10 à 12 personnes

Pistaches broyées :
125 g de pistaches
125 g de sucre

Pâte à friands :
pistaches broyées
210 g de sucre glace
210 g de blancs d'œufs
250 g de beurre
85 g de farine

Alors que la moitié des amandes employées en pâtisserie proviennent de Californie, Christian Nihoul a été considérablement étonné de ne pas trouver de quoi faire un broyage satisfaisant alors qu'il se trouvait aux États-Unis pour un festival. À quelque chose malheur est bon : voici notre chef qui se rabat sur les pistaches et s'efforce d'en obtenir un broyage fin, aussi fin que le sucre semoule. Et le résultat vaut bien le détour, sinon le voyage…

La cuisson de ces friands suppose l'emploi de moules en Flexipan, dont les qualités sont encore appréciées pour les babas au rhum ou même de petites quiches. À défaut, il suffit de verser la pâte dans un moule soigneusement beurré et de rester attentif pendant la cuisson.

Afin d'éviter toute adhérence des blancs d'œufs (qui pourrait compromettre la réussite de l'opération), vous soumettrez ces friands à une chaleur constante, de préférence d'origine électrique. Le biscuit doit gonfler d'un tiers de son volume en épousant la forme d'un champignon qui éclate. Après cuisson, les moules en Flexipan seront placés au réfrigérateur et vous ne démoulerez les friands qu'après le refroidissement ; si vous utilisez des moules en métal, démoulez sur une grille dès la sortie du four.

On déguste ces friands avec le café, le cas échéant avec un verre de vin doux (sauternes ou montbazillac). Les plus raffinés y verront une belle occasion de goûter un vieux porto tawny de 10 ans d'âge à la belle couleur dorée.

1. Broyer finement dans le robot-coupe les pistaches et le sucre.

2. Pour la pâte à friands, mélanger dans un bassin en cuivre les pistaches broyées, le sucre glace et les blancs d'œufs. Sur le feu, mélanger sans arrêt et chauffer le mélange « au piquant ». Porter le beurre à ébullition jusqu'à la cuisson noisette. Hors du feu, incorporer le beurre ainsi que la farine à la préparation précédente.

aux pistaches

3. Verser la pâte à friands dans des moules en Flexipan sur 8/10e de la hauteur. Cuire au four 10 à 15 minutes à 180 °C, puis, pour finir, à 150 °C.

4. Sortir du four, laisser refroidir et démouler les friands dans un plat ou sur une grille.

Gaufres de

Préparation   1 heure
Cuisson   7 à 10 minutes
Difficulté   ✶ ✶

Pour 40 gaufres

50 g de levure fraîche de boulanger
400 ml d'eau
675 ml de lait
900 ml de bière de Leffe
675 g de farine
350 g de poudre à biscuit

540 g de beurre
10 g de sucre vanillé
8 œufs
beurre
sucre glace pour saupoudrer

Si, dans les versions originales de *Tintin*, le capitaine Haddock traite à tout va ses adversaires de « moules à gaufres », c'est bien sûr un rappel des origines belges de Georges Rémi, alias Hergé, créateur des célèbres personnages de bande dessinée. Chaque ville de Belgique pratique en effet sa recette de pâte à gaufres : celle de Liège, par exemple, se prépare comme une pâte à pain additionnée de sucre de betterave ; celle de Bruxelles se veut plus fine et plus légère, où la confection et la dégustation des gaufres sont en hiver, pour ainsi dire, un sport national.

La bière a pour effet de pousser la pâte à la cuisson, ce qui l'empêche de s'affaisser dans le moule, qui ne doit pas pour autant la comprimer à l'excès. Dans l'idéal, la pâte occupe tout le volume du moule à gaufres et s'en retire aisément.

En principe, la gaufre fraîchement cuite est chaude, aérienne et croustillante, car le contact du fer dessèche les matières molles qui la composent. Si d'aventure elle assure un certain manque de tenue, c'est qu'elle n'a pas suffisamment cuit. Le fer peut ensuite se nettoyer facilement avec de l'eau additionnée de fécule.

Notre chef préconise dans cette recette l'emploi de bière de l'abbaye de Leffe, mais il ne faut pas oublier que la Belgique produit à elle seule près de 1 000 bières différentes et que plusieurs d'entre elles parfumeraient volontiers cette pâte à gaufres. Les Belges occupent le premier rang pour la consommation de bière en Europe, avec 108 litres par an et par habitant.

1. Après avoir fait fondre la levure dans l'eau et le lait, incorporer le mélange dans la cuve du batteur avec tous les ingrédients, en particulier la farine, en terminant par le beurre fondu chaud. Quand la pâte est bien lisse, la conserver 1 heure au réfrigérateur.

2. Chauffer le fer à gaufres et le beurrer méticuleusement au pinceau sur toute sa surface.

Bruxelles à la Leffe

3. Verser à la louche la pâte à gaufres sur la moitié du fer. Rabattre l'autre moitié, retourner et laisser cuire environ 6 à 7 minutes.

4. À la sortie du fer, saupoudrer les gaufres de sucre glace. Les déguster chaudes et croquantes, accompagnées de confiture de fraises fraîches (de préférence en été) ou de crème fraîche, autour d'un thé, d'un café ou d'un chocolat chaud.

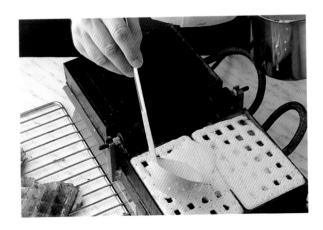

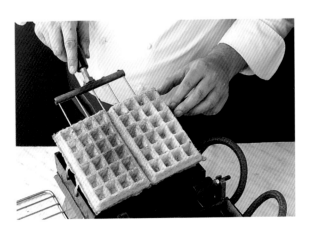

Misérable

Préparation   45 minutes
Cuisson   30 minutes
Difficulté   ✶ ✶

Pour 12 personnes

Biscuit :
8 blancs d'œufs (250 g)
100 g de sucre
50 g de farine
550 g d'amandes broyées
   (amandes blanches et sucre en quantités
   égales)

Crème au beurre :
175 ml d'eau
350 g de sucre
1/2 gousse de vanille
5 jaunes d'œufs
375 g de beurre

Décoration :
sucre glace
cacao en poudre

La préparation de ce misérable est presque aussi longue que le roman de Victor Hugo qui lui donne son nom. Fondé sur un principe d'une rare simplicité (la parfaite séparation des blancs d'œufs et des jaunes), il doit être commencé le mercredi pour une dégustation dominicale. Si vous avez préparé ce jour-là le biscuit et l'appareil à crème, vous procéderez le jeudi au fourrage du gâteau, à conserver entre-temps 48 heures au réfrigérateur. Le samedi vous servira volontiers à parfaire la présentation et le dimanche verra votre succès.

Paradoxalement, ce misérable est plutôt riche en matières premières, notamment en amandes finement broyées, dont la valeur nutritionnelle est élevée. Le broyage est ici composé pour moitié d'amandes et de sucre raffiné n° 1 ou n° 2.

Il n'est toutefois pas question de produire en fin de compte une pâte d'amandes : si vous procédez vous-même au broyage, prenez garde à lui conserver l'aspect d'une poudre. Vérifiez qu'il en est bien de même lorsque vous recourez à des fournisseurs extérieurs.

La crème au beurre (en fait une crème au sirop) doit être finement aromatisée à la vanille pour qu'elle ne soit pas trop lourde. Si vous la parfumez d'une gousse de vanille, n'oubliez pas que celle-ci peut resservir si vous la séchez et la conservez dans un bocal de sucre. Dégustez enfin ce gâteau très froid, car il peut, une fois réchauffé (ramené à température ambiante par exemple), se révéler écœurant.

1. Pour le biscuit, battre fermement les blancs d'œufs avec le sucre. Incorporer à cette meringue, à l'aide d'une spatule en bois, le broyage préalablement mélangé à la farine. Étaler la pâte sur une plaque recouverte de papier sulfurisé et mettre au four 30 minutes à 110 °C. À la sortie du four, réserver le biscuit sur une grille dans un endroit frais et humide.

2. Pour la crème au beurre, faire bouillir l'eau avec le sucre et la gousse de vanille fendue sur toute sa longueur. Battre les jaunes d'œufs afin de les blanchir. Lorsque le sirop bout, écosser la gousse de vanille à l'aide d'un couteau pour en retirer les graines et les réintégrer dans le sirop. Dans un bassin en cuivre, verser le sirop sur les jaunes en mélangeant vivement et cuire à la nappe. Réserver au frais.

3. Pour la finition de la crème, faire ramollir le beurre et le mélanger à la préparation précédente. Ôter le papier sulfurisé et couper le biscuit dans le sens de la longueur en deux parts de mêmes dimensions.

4. Étaler la crème au beurre sur la première abaisse de biscuit. Déposer par-dessus la seconde abaisse et bien tasser. Placer au frais 24 heures. Avec un couteau trempé dans l'eau chaude, couper les bords de l'entremets pour obtenir un rectangle net. Saupoudrer de sucre glace et de quelques taches de cacao.

Nuptia

Préparation   *1 heure*
Cuisson   *20 minutes*
Difficulté   ✶ ✶

Pour 12 personnes

Biscuit :
100 g de pâte d'amandes 50/50
250 g de sucre
5 jaunes d'œufs
9 œufs
315 g de farine
100 g de beurre fondu

Sirop au Cointreau :
100 g de sucre
200 ml d'eau
150 ml de Cointreau

Garniture et décoration :
crème Chantilly
fruits frais (ananas, framboises,
    fraises, raisins)
sucre glace

Crème au beurre : voir p. 291

Vous aurez beau faire preuve de bonne volonté, tous vos efforts seront vains si vous ne disposez pas d'abord de deux individus bien décidés à convoler en justes noces. Quoi que l'on ait pu naguère déduire des statistiques, cette espèce n'est pas encore en voie de disparition...

Christian Nihoul considère que ce gâteau n'est pas plus difficile qu'un biscuit tranché et fourré de crème fraîche, avec une couverture dont l'objectif est de dissimuler le montage tout en décorant l'ensemble d'un habile dessin à la douille. Pour donner aux desserts de mariage une blancheur immaculée, on recourt d'habitude à des glaçages au fondant ou même à des couvertures très lisses de massepain blanc.

Dans notre cas, les solutions techniques de notre chef ont pour effet de réduire sensiblement la teneur en sucre, de même qu'elles facilitent la découpe (qui se pratique souvent vers la fin du repas, par les mariés eux-mêmes, et dans une atmosphère qui n'incite guère à la concentration). Quant au décor, rien ne vous empêchera de ponctuer le dôme à votre façon, de tourtereaux en porcelaine ou en biscuit, voire de petits santons de Provence.

Le sirop peut accepter sans frémir diverses variantes : kirsch et fruits rouges, Grand Marnier et oranges, mais aussi des morceaux d'ananas, de bananes, etc. Et même s'il est d'usage de la massacrer sans scrupules, choisissez pour la circonstance un bel enregistrement de la « Marche nuptiale » de Mendelssohn.

1. Pour le biscuit, monter sur une source de chaleur électrique la pâte d'amandes avec le sucre, les jaunes et les œufs. Incorporer ensuite la farine et le beurre fondu, puis cuire au four environ 20 minutes à 170 °C. Découper le biscuit en trois abaisses. Dans un moule, disposer une abaisse de biscuit et l'imbiber de sirop au Cointreau. Garnir de crème Chantilly et de fruits frais.

2. Recouvrir de la deuxième abaisse, l'imbiber, puis la masquer à nouveau de crème Chantilly et de fruits frais. Couvrir avec la dernière abaisse.

ux fruits frais

3. Confectionner la crème au beurre en mélangeant un tiers de beurre en pommade avec deux tiers de chantilly italienne. Finir de dresser le gâteau en dôme avec cette crème.

4. À l'aide d'une poche et d'une douille à bûche, dessiner un quadrillage sur l'ensemble du gâteau et décorer de fruits frais légèrement saupoudrés de sucre glace.

Piémontais

Préparation   1 heure
Cuisson   30 minutes
Difficulté   ★ ★ ★

Pour 12 personnes

Biscuit à la pâte d'amandes :
360 g de pâte d'amandes 50/50
4 œufs
8 blancs d'œufs (250 g)
40 g de sucre
40 g de farine
40 g de beurre fondu
Biscuit joconde et meringue italienne :
     voir pp. 289 et 295

Crème noisette :
100 ml d'huile de pâte de noisettes
100 g de meringue italienne
3 feuilles de gélatine
200 ml de crème fleurette

Décoration :
essence de café
gelée miroir (voir p. 294)
chocolat

Pour le vatel autant que pour le paris-brest, le praliné est depuis 1896 une affaire de famille chez les Nihoul. On commence par torréfier les amandes, les noisettes et une gousse de vanille, avant d'ajouter leur poids de sucre glace. Après avoir broyé le tout, on dispose d'un praliné corsé qui fait merveille pour ce piémontais, hommage explicite à la qualité des noisettes du Piémont.

Il n'est pas toujours facile de trouver de l'huile de pâte de noisettes (et non de l'huile de noisettes que l'on utilise pour assaisonner les salades). La meilleure solution consiste sans doute à réaliser vous-même la pâte au robot-coupe après avoir cuit les noisettes au four et les avoir débarrassées de leur pellicule.

La banalisation des appareils réfrigérants facilite ce type de recette. Vous n'êtes plus tributaire d'une organisation sophistiquée, puisqu'il suffit d'étaler la fabrication du gâteau sur trois jours : le premier sera consacré au biscuit, le second aux crèmes de garniture et le troisième à la finition, avec à la fin de chaque étape une nuit de repos au frais.

Et puisque vous méritez bien une récompense après tant d'attente, pourquoi vous refuser pour la dégustation quelque verre bien givré d'un vin cuit à robe dorée – ou, pourquoi pas, le célèbre et recherché vin jaune du Jura, servi dans un « clavecin », verre spécial et typique qui tient dans la main.

1. Pour le biscuit, battre la pâte d'amandes et les œufs entiers. Monter les blancs en neige avec le sucre, les incorporer à l'appareil en même temps que la farine et finir par le beurre fondu chaud. Confectionner le biscuit joconde rayé. Couper une bande de biscuit joconde et en garnir l'intérieur du moule. Monter la meringue italienne.

2. Pour la crème noisette, mélanger délicatement l'huile de pâte de noisettes avec la meringue italienne. Ajouter les trois feuilles de gélatine fondues dans un peu d'eau et terminer en incorporant tout aussi délicatement la crème montée en chantilly.

3. Découper deux abaisses dans la plaque de biscuit à la pâte d'amandes. En prendre une pour constituer le fond du moule, la masquer de crème noisette et recouvrir de la deuxième abaisse de biscuit. Terminer de remplir le moule avec la crème restante. Réserver au congélateur.

4. Démouler et masquer délicatement au pinceau la surface de l'entremets d'essence de café. Glacer le dessus avec la gelée miroir et décorer d'une corolle de chocolat.

Préparation   *45 minutes*
Cuisson   *3 heures*
Difficulté   ✳ ✳

Pour 8 à 10 personnes

Meringue :
16 blancs d'œufs (500 g)
1 kg de sucre
125 ml d'eau

Glace à la vanille : voir p. 295

Décoration :
pistaches hachées
amandes effilées grillées
quelques feuilles de menthe
fruits rouges (framboises, fraises des bois,
    mûres et groseilles)
crème Chantilly

La généralisation des congélateurs nous permettant aujourd'hui de manger en toute saison tout et n'importe quoi, il faut réserver un hommage ému au grand-père de Christian Nihoul qui, selon ses propres termes, « avait bien raison de faire ce gâteau simple en soi mais tellement délicieux ». Rassembler assez de fruits rouges frais était à l'époque une performance que l'on ne pouvait atteindre qu'en usant de moyens de transports rapides et terriblement onéreux. Désormais, vous n'aurez plus besoin de revenir des bois pour sélectionner de beaux fruits rouges (framboises, fraises des bois, groseilles, mûres, airelles…) pour décorer votre préparation, et dont vous pourrez également parfumer en partie la glace à la vanille déjà enrichie de menthe hachée.

La préparation de la meringue suppose à l'origine des blancs d'œufs extraits et conservés à l'avance – ou même congelés dans un récipient en plastique. La cuisson s'effectue très lentement, de préférence dans un four à chaleur tournante (il s'agit de dessécher les blancs plutôt que de les cuire). L'objectif est de rendre l'extérieur de la meringue plus dur et croustillant, tandis que l'intérieur conserve son moelleux : c'est parfait lorsque la meringue se décolle seule de son papier de cuisson.

Une meringue bien cuite se conserve durablement dans une boîte en fer, mais avec une réserve : on ne doit pas la faire trop sécher, car l'intérieur deviendrait friable et perdrait beaucoup de ses propriétés.

1. Pour la meringue, monter les blancs d'œufs en neige avec un quart du sucre. Chauffer avec l'eau les trois quarts du sucre restant au gros boulé (121 °C) et verser en filet sur les blancs d'œufs montés.

2. Dresser des cercles de meringue de même grandeur sur une plaque couverte de papier sulfurisé. Cuire au four 2 heures environ à 150 °C. Réaliser la glace à la vanille.

des bois

3. Monter les cercles les uns sur les autres, les masquer de meringue, puis décorer de pistaches hachées et d'amandes effilées grillées. Mettre à sécher au four.

4. Garnir l'intérieur de la meringue de glace à la vanille parfumée de menthe fraîche hachée, et de fruits rouges. Recouvrir le gâteau de crème Chantilly et décorer de fruits rouges.

Séville

Préparation   *1 heure 30 minutes*
Cuisson   *15 à 20 minutes*
Difficulté   ✶✶

Pour 12 personnes

Biscuit au chocolat :
1 jaune d'œuf
5 œufs
135 g de sucre
90 g de farine
40 g de fécule
25 g de cacao en poudre

Pâte à bombe :
50 ml d'eau
250 g de sucre
10 jaunes d'œufs

Mousse au chocolat :
2 feuilles de gélatine
60 g de pâte à bombe
125 g de chocolat noir de couverture très amer
500 ml de crème fleurette
10 blancs d'œufs (330 g)
50 g de sucre

Ganache :
500 g de chocolat noir
350 ml de lait concentré non sucré

Décoration :
motifs de chocolat
truffes

C'est véritablement pour les amateurs de chocolat très amer que Christian Nihoul a réalisé cette recette, à l'occasion de l'exposition universelle de Séville en 1992. Le chocolat requis ne doit pas être acide, mais il offre un goût nettement plus prononcé que l'habituel chocolat amer.

Vous l'utiliserez frais, quitte à le faire fondre en cas de besoin – mais dans ce cas seulement, car notre chef précise qu'il lui faut quelque sollicitude et qu'il ne doit pas subir de brusques changements de température : une nuit dans un four à convexion, moyennant 40 à 50 °C, lui donnera la consistance voulue.

Car le chocolat se compose de plusieurs éléments que les variations de température font réagir différemment et qui pourraient le dénaturer dans un processus trop rapide (comme pour la sauce des poires belle-hélène).

Pour vous faciliter la tâche, vous pourrez sans problème préparer la veille le biscuit et la ganache. Prenez garde tout de même à les conserver séparément au frais, la couverture de ganache devant s'opérer le plus tard possible.

La saveur du chocolat très amer que l'on emploie dans ce gâteau doit séjourner longtemps en bouche et sollicitera intensément le palais des convives. Retenons aussi que la ganache à base de lait concentré présente beaucoup d'avantages : elle est plus élastique, nettement plus brillante que dans les recettes habituelles, et pour ces raisons s'adapte parfaitement à des opérations de couverture ou de glaçage.

1. Pour le biscuit au chocolat, travailler dans un récipient en cuivre le jaune, les œufs et le sucre jusqu'au ruban. À l'aide d'une spatule en bois, incorporer la farine, la fécule et le cacao tamisés. Verser la pâte dans un moule beurré et fariné de 3 cm de hauteur et cuire au four 15 à 20 minutes à 180 °C.

2. Pour la pâte à bombe, procéder comme pour une meringue. Pendant la cuisson du sucre, travailler les jaunes d'œufs dans la cuve du batteur pour les blanchir. Réduire la vitesse du batteur, verser en filet le sucre cuit au gros boulé (121 °C) sur les jaunes et laisser tourner jusqu'à complet refroidissement.

3. Pour la mousse au chocolat, faire ramollir les feuilles de gélatine à l'eau froide, les égoutter, les faire fondre et les ajouter à la pâte à bombe préalablement mélangée au chocolat fondu. Monter la crème en chantilly, ainsi que les blancs d'œufs et le sucre en neige. Mélanger délicatement les trois masses. Pour la ganache, faire fondre le chocolat, porter le lait à ébullition et mélanger le chocolat au lait. Réserver au congélateur.

4. Dans un moule, dresser un fond de biscuit au chocolat d'1 cm d'épaisseur et le recouvrir de mousse. Déposer un nouveau fond de biscuit légèrement imbibé de sirop de sucre et terminer de remplir avec le reste de mousse. Faire prendre au réfrigérateur, démouler, puis remettre au réfrigérateur. Faire revenir la ganache au bain-marie et en glacer le gâteau. Décorer de motifs et de truffes au chocolat.

Spéculoos

Préparation   30 minutes
Cuisson   30 minutes
Difficulté   ★★

Pour 8 personnes

500 g de beurre
750 g de cassonade foncée
250 g de cassonade claire
125 ml de lait
2 œufs
1 kg de farine

25 g de cannelle en poudre
7 g d'épices (noix muscade, clou de girofle,
          piment doux, coriandre)
30 g de levure chimique
1 pincée de sel

Les Bruxellois sont jaloux de cette spécialité locale, bien que son origine prête à controverse. Ce mot apparu vers 1925 (et sa variante spéculos) serait un emprunt du néerlandais *speculaas*, désignant des gâteaux similaires. Mais on lui cherche des sources bruxelloises et l'on cite un pâtissier du nom de Van Den Spigel (textuellement : « du miroir ») qui l'aurait inventé pour lui donner son nom, en latin *speculum*. Ou encore, et compte tenu des épices qu'il comporte, on peut y voir une corruption du latin *species*, qui désignait les condiments à l'époque du Bas-Empire.

Ignorer son étymologie n'empêche sûrement pas d'apprécier le gâteau lui-même, surtout dans la version léguée par le grand-père de Christian Nihoul. C'est une spécialité d'automne destinée aux enfants pour la Saint-Nicolas – et que l'on consomme aussi accompagnée d'un café ou d'un thé.

Une fois préparée et bien prise au réfrigérateur, il vous faudra beaucoup de forces pour donner à la pâte le traitement final. Elle est en effet très compacte et ne s'incline que devant un rouleau vigoureusement actionné. Les spéculoos se conservent longtemps sans perdre leur saveur.

La forme des moules est traditionnelle et sert aussi pour les couques de Dinant, proches du pain d'épices que nous connaissons. Il est assez courant, de nos jours à Bruxelles, de dire d'une personne affligée d'un front et d'un nez assez prononcés : « C'est un excellent modèle pour les moules à spéculoos. »

1. Pour préparer la pâte à spéculoos, mélanger tous les ingrédients sur le plan de travail et travailler délicatement la pâte à la main. Laisser reposer 24 heures au frais.

2. Travailler la pâte au rouleau en farinant au préalable le plan de travail. Fariner légèrement un moule en bois et y déposer une partie de la pâte.

3. Presser sur le moule, couper au ras des bords et enlever le surplus avec un fil à couper le beurre. Préchauffer le four à 180 °C.

4. Démouler le spéculoos à cru sur une plaque légèrement beurrée. Laisser cuire 30 minutes environ. Ôter de la plaque et laisser refroidir ce biscuit qui se conserve très bien et accompagne agréablement le café.

Gâteau à la meringue

Préparation   *1 heure*
Cuisson   *2 heures*
Difficulté   *✶*

Pour 10 personnes

Génoise : voir p. 292

Crème pâtissière (voir p. 288) **:**
600 ml de crème fleurette
30 ml de liqueur de framboises

Sirop de framboises :
100 g de framboises
100 g de sucre
200 ml d'eau

**Petits cylindres de meringue
italienne** (150 g) **:**
4 blancs d'œufs (120 g)
250 g de sucre

Garniture et décoration :
50 g de framboises
80 g de myrtilles

Dans cette recette, il n'est pas question d'un gâteau à la liqueur comme on en déguste couramment en Italie. C'est une formule simple qui permet de conjuguer sans fioritures inutiles le goût acidulé des fruits rouges et celui plus douceâtre de la meringue, sous un appétissant déguisement de petits cylindres éparpillés à la surface du gâteau.

C'est également facile à conserver, puisqu'en raison de sa forme on n'éprouve aucune peine à placer le gâteau dans une boîte hermétique.

Les framboises et les myrtilles poussent à peu près dans les mêmes conditions d'altitude et de climat, et sont toutes deux très riches en vitamine C. Si leurs couleurs diffèrent quelque peu, de même que leur saveur, il est permis de les considérer comme étroitement complémentaires.

Il existe de nombreuses variétés de framboises dont les noms multiplient les consonances poétiques : belle de Fontenay, malling promise, zeva remontante, etc. Quant aux myrtilles, elles répondent aussi au joli nom de « brimbelles », de nos jours légèrement tombé en désuétude.

Les myrtilles et les framboises ne se récoltent qu'à des périodes précises de l'année et disparaissent longtemps. Jusqu'à leur retour, il est bon de savoir que l'on peut utiliser dans ce dessert des morceaux de bananes ou encore de la pulpe de fruits de la Passion pour aromatiser le sirop.

1. Confectionner la génoise, puis la verser dans un moule de 20 cm de diamètre beurré et fariné. Cuire au four à 200 °C pendant 30 minutes. Une fois refroidie, la couper en deux abaisses. Confectionner la crème pâtissière et conserver les blancs d'œufs pour la réalisation de la meringue. Pour le sirop, mixer les framboises avec le sucre, ajouter l'eau et porter à ébullition. Laisser refroidir, puis passer au chinois.

2. Pour terminer la crème pâtissière, fouetter la crème fleurette en chantilly. Travailler légèrement la crème pâtissière dans un récipient, puis ajouter la liqueur de framboises et la chantilly. Pour la meringue, battre les blancs d'œufs en neige, puis ajouter délicatement le sucre. Dresser sur une plaque recouverte de papier sulfurisé de petits cylindres de 3 à 4 cm de long. Cuire les cylindres de meringue 1 heure 30 minutes environ au four à 140 °C.

aux framboises et myrtilles

3. Pour le montage, déposer sur un carton à gâteau une abaisse de génoise et l'imbiber de sirop de framboises. Masquer de crème pâtissière, parsemer toute la surface de framboises et de myrtilles. Recouvrir de la seconde abaisse d'un diamètre légèrement inférieur et l'imbiber. Masquer l'ensemble du gâteau en lui donnant une forme sphérique.

4. Recouvrir le tour et le dessus de l'entremets de petits cylindres de meringue. Terminer la décoration avec des framboises et des myrtilles. Mettre au frais avant de servir.

Meringue

Préparation   20 minutes
Cuisson   2 heures
Difficulté   ★

Pour 10 personnes

Meringue :
3 blancs d'œufs (100 g)
100 g de sucre
100 g de sucre glace
vanille en poudre (facultatif)

Crème gianduia :
50 g de pâte de noisettes
50 g de chocolat de couverture
20 g de cacao amer en poudre
50 g de noisettes grillées
600 ml de crème fleurette

Décoration :
cacao en poudre
amandes grillées hachées

Gianduia ou gianduja, c'est à la fois une variété de chocolat, une pâte très fine à base de chocolat et de noisettes, et un masque dans la tradition piémontaise. Cette région du Nord de l'Italie est aussi un grand producteur d'excellentes noisettes, par exemple l'aveline ou la ronde du Piémont, ce qui explique sans peine qu'on les exploite à foison dans les gâteaux typiques – qui portent eux aussi, naturellement, le nom de gianduia.

Flavio Perbellini nous oriente vers des noisettes de petite taille, agréablement parfumées. Il faut bien les griller pour les faire entrer dans une crème d'une grande douceur, sans aucun sucre mais liée par du chocolat comprenant au moins 60 % de cacao.

On devra terminer avec beaucoup de délicatesse cette crème gianduia : l'incorporation de la crème fouettée doit être réalisée en douceur, sous peine de faire tomber la chantilly et d'obtenir un mélange lourd et flasque. Dans la même catégorie, vous ferez preuve d'une extrême sollicitude pour la meringue italienne, qui doit, dans l'idéal, cuire à feu très doux toute une nuit sans la moindre trace de vapeur.

Pour obtenir enfin de « vieux blancs d'œufs », il est impératif de les conserver à 4 °C, ce qui ne présente aucun risque sur une durée approximative de 15 jours. L'hygiène y trouve donc son compte et la consistance de la meringue est nettement meilleure. La touche finale au pochoir achèvera la présentation.

1. Pour la meringue, verser les blancs d'œufs dans la cuve du batteur et les monter en neige bien ferme avec le sucre. Incorporer à l'aide d'une petite écumoire le sucre glace tamisé et un peu de vanille en poudre. Conserver un quart de cette meringue pour la finition de l'entremets.

2. Beurrer et fariner une plaque à pâtisserie (ou la recouvrir d'une feuille de papier sulfurisé) et dresser deux disques de meringue de 20 cm de diamètre. Cuire 2 heures environ à 120 °C.

gianduia

3. Pour la crème gianduia, faire fondre au bain-marie la pâte de noisettes, le chocolat de couverture et le cacao amer. Ajouter les noisettes grillées concassées. Une fois ce mélange refroidi, incorporer la crème fleurette montée en chantilly.

4. Pour le montage de l'entremets, déposer sur un carton à gâteau un disque de meringue, le masquer de crème gianduia et recouvrir du second disque de meringue. Terminer de masquer le gâteau avec la meringue restante. Décorer à l'aide d'un pochoir et saupoudrer de cacao. Garnir le tour du gâteau avec les amandes grillées hachées.

Préparation | 30 minutes
Cuisson | 30 minutes
Difficulté | ★★★

Pour 10 personnes

Crème vanille stracchin:
6 jaunes d'œufs (120 g)
180 g de sucre
60 g de beurre
1 pincée de Maïzena
1 gousse de vanille

Meringue:
8 blancs d'œufs (240 g)
60 g de sucre

Pâte feuilletée: voir p. 296

Décoration:
ganache (voir p. 293)
sucre glace

Amaretti (macarons aux amandes):
75 g d'amandes amères
225 g de sucre
1 blanc d'œuf
1 pincée de bicarbonate de soude

Ce vocable du dialecte vénitien (*stracchin*) désigne celui «qui perd de sa vitalité». Il est bien sûr question de la crème qui garnit cette pâte feuilletée très fine, dont la durée de vie est extrêmement limitée. Une fois dégonflée, elle perd ses propriétés, dont la légèreté n'est pas la moins précieuse. Il faut donc beaucoup de dextérité pour servir à temps ce dessert que l'on ne préparera qu'au dernier moment.

On peut évidemment commencer par le feuilletage, à conserver quelque temps au réfrigérateur pour éviter qu'il ne mollisse. Vous le présenterez au four plié comme un mouchoir, en veillant à le soumettre à une température assez douce pour le rendre bien croquant au terme d'une cuisson homogène qui ne ménage pas le centre au détriment des bords.

Alors commence le chemin de croix de la crème stracchin pour laquelle vous devez utiliser une casserole en cuivre sur feu vif, ou à défaut une casserole en inox au bain-marie. La crème épaissit lorsqu'elle atteint 82 à 83 °C, mais il faut continuer de la remuer pendant son refroidissement.

Le décor classique à base d'amaretti dont Flavio Perbellini vous recommande l'exécution risque bien de vous compliquer encore la découpe du feuilleté, laquelle ne se conçoit qu'avec un couteau-scie à lame fine. Songez à ce que ce dut être le jour où notre chef servit ce mille-feuille réalisé à grande échelle, lors d'une réception de 100 personnes en l'honneur du prince du Danemark !

1. Pour la crème stracchin, travailler les jaunes d'œufs, le sucre, le beurre ramolli, la Maïzena et la gousse de vanille. Cuire à feu doux en remuant constamment avec un fouet jusqu'à une température de 85 °C. Laisser tiédir.

2. Préparer séparément la meringue en battant les blancs d'œufs et le sucre. Mélanger délicatement les deux masses. Utiliser la crème stracchin rapidement. Confectionner le feuilletage, cuire une abaisse au four et la détailler en trois disques ovales. Réaliser la ganache.

stracchin

3. Pour la pâte à amaretti, travailler et broyer au robot les amandes amères et le sucre. Ajouter un peu de blanc d'œuf et une petite pincée de bicarbonate de soude.

4. Dresser les amaretti sur la plaque du four et cuire 30 minutes à 175 °C. Lorsqu'ils sont froids, les broyer au robot. Pour le montage, déposer sur un carton à gâteau un disque de feuilletage et le masquer de crème additionnée d'un peu d'amaretti. Recouvrir du deuxième disque et le masquer de crème. Coiffer le tout du troisième disque et masquer du reste de crème. Terminer avec les amaretti tout autour. Décorer avec la ganache et saupoudrer de sucre glace.

Préparation   *3 heures*
Cuisson   *1 heure 5 minutes*
Difficulté   ★ ★ ★

Pour 30 personnes

30 g de levain
30 g de levure de bière
70 ml de lait
1 kg de farine
12 œufs (570 g)
400 g de sucre

50 g de beurre de cacao
450 g de beurre
2 pincées de sel
1 goutte d'arôme d'orange
1 goutte d'arôme de vanille

On sert le pandoro pour Noël dans la région de Vérone, selon une tradition presque aussi établie que l'histoire des Capulet et des Montague, qui respectivement donnèrent naissance à Juliette et Roméo. Le pandoro doit avoir la forme d'une étoile à huit branches, et s'inspire d'un autre gâteau sec et plus plat, le madalin, qui comporte moins de beurre.

C'est justement pour incorporer le beurre qu'il faut gagner le tour de main du spécialiste : selon Flavio Perbellini, il faut conserver quelques heures le pâton au frais (4 °C) et procéder comme pour les croissants, en lui donnant trois tours. Toutes les opérations doivent être accomplies dans la même journée,

comme dans une tragédie classique : une interruption pourrait avoir sur le résultat de regrettables conséquences.

Pour atténuer les difficultés, il est important de faire le choix d'une farine plutôt riche en gluten. Bien sûr, il vous faut aussi surveiller pendant la cuisson que le dessus ne colore pas trop.

Il n'est peut-être pas très commode de se procurer un moule en étoiles à huit branches, d'autant plus que les Véronais prétendent s'en être réservé l'exclusivité. Il vous reste donc à faire le voyage pour l'acquérir sur place, ou à défaut vous mettre en chasse d'un autre moule qui respecte le symbole de l'étoile.

1. Faire fondre le levain, ajouter la levure de bière, le lait et 140 g de farine. Travailler le tout et laisser lever la pâte dans un endroit tempéré à 30 °C jusqu'à ce que son volume ait doublé. Pour le premier pétrissage, travailler les 270 g de pâte ainsi réalisés avec 300 g de farine, 3 œufs, 50 g de sucre et 50 g de beurre de cacao. Laisser lever jusqu'à ce que la pâte double de volume.

2. Pour le second pétrissage, travailler les 820 g de pâte ainsi réalisés avec 600 g de farine, 7 œufs et 50 g de beurre fondu. Travailler la pâte jusqu'à ce qu'elle soit devenue lisse, puis ajouter 350 g de sucre, 2 œufs, 2 pincées de sel, ainsi que les arômes d'orange et de vanille. Amalgamer 350 g de beurre. Détailler la pâte en morceaux de 750 g.

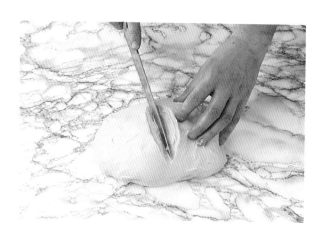

3. Après avoir achevé la découpe de la pâte en morceaux, façonner chacun d'eux pour leur donner la forme d'une boule.

4. Déposer chaque boule de pâte dans un moule haut en forme d'étoile. Laisser lever 10 heures à une température de 24 °C (ou 12 heures à 21 °C) jusqu'à ce qu'elle double de volume. Cuire 1 heure 5 minutes à 175 °C.

Préparation	*3 heures*
Cuisson	*1 heure 5 minutes*
Difficulté	★ ★ ★

Pour 30 personnes

30 g de levain
30 g de levure de bière
70 ml de lait
1,140 kg de farine (« Chopin W » 360-380)
10 œufs (500 g)
500 g de beurre

400 g de sucre
10 g de sel
arôme de vanille
arôme de citron
arôme d'orange
300 g de raisins secs
140 g d'oranges confites
140 g de citrons confits

Aujourd'hui connu et apprécié dans le monde entier, le panettone fut inventé par un pauvre boulanger milanais qui fit ainsi fortune. Selon les villes, on distingue certaines variations dans ses composants, puisque par exemple les Véronais le pratiquent au moyen d'un levain spécialement enrichi de levure de bière, ce que les Milanais ne connaissent pas.

Chez les Perbellini, où l'on est pâtissier depuis quatre générations, un secret de fabrication s'attache au panettone depuis 1852. Notre chef présente ici une formule artisanale courante de ce gâteau brioché, qui traditionnellement amalgame fruits secs et fruits confits, et que l'on confectionnait à l'origine pour Noël.

Il faut prendre garde à ne pas commettre d'excès dans le dosage des deux catégories de fruits : les premiers diminuent la teneur en eau du biscuit, les seconds pourraient lui valoir un excès de sucre et déséquilibrer son goût. Du reste, la version vénitienne du panettone élimine les fruits confits, que remplace alors un parfum d'orange assez marqué.

Afin de faire lever la pâte, Flavio Perbellini dispose d'un levain vieux de 30 ans, sous la forme d'un pâton roulé serré dans une étoffe épaisse, tel un saucisson. C'est à l'aide de tels moyens, et du fameux papier « pizotino » (bien plus commode qu'un moule métallique) où l'on recueille la pâte à cuire, que l'on s'inscrit à coup sûr dans le droit fil des meilleures traditions.

1. Faire fondre le levain, ajouter la levure de bière, le lait et 140 g de farine. Travailler la pâte, puis la laisser lever à 30 °C jusqu'à ce que son volume ait doublé.

2. Pour le premier pétrissage, travailler les 270 g de pâte ainsi réalisés avec 300 g de farine, 3 œufs, 50 g de beurre et 50 g de sucre. Laisser lever jusqu'à ce que la pâte double de volume.

3. Pour le second pétrissage, travailler les 820 g de pâte ainsi réalisés avec 700 g de farine, 7 œufs, 350 g de sucre, 450 g de beurre, le sel, ainsi que les arômes de vanille, de citron et d'orange. Travailler la pâte jusqu'à ce qu'elle soit devenue lisse.

4. Amalgamer le tout et verser les fruits confits (raisins secs, oranges et citrons) coupés en petits cubes. Partager la pâte en portions d'1 kg, la travailler de façon à obtenir une boule et la mettre ensuite dans un moule en papier. Faire lever à 24 °C pendant 10 heures environ, jusqu'à ce que la pâte double de volume. Cuire 1 heure 5 minutes environ à 175 °C.

Semifreddo

Préparation   *1 heure*
Cuisson   *30 minutes*
Difficulté   ✷ ✷

Pour 10 personnes

Meringue italienne et génoise :
  voir pp. 295 et 294

Crème de base :
560 ml de crème Chantilly
140 g de meringue italienne
5 feuilles de gélatine
vanille en poudre

Crème à la pistache :
25 g de pâte de pistaches
250 g de crème de base

Crème au chocolat :
30 g de chocolat de couverture
200 g de crème de base

Pour imbiber :
100 ml de liqueur de mandarine à 18°

La floraison universelle des pizzérias et restaurants italiens donne à tous les Européens l'illusion de connaître parfaitement les desserts italiens les plus répandus, tels le semifreddo et le tiramisù. Car il existe, à côté des recettes traditionnelles perpétuées avec amour par les grands chefs, de calamiteuses versions industrielles sur lesquelles on restera discret.

Le semifreddo de Flavio Perbellini met en valeur la multiplicité des fruits secs d'Italie, dont on connaît déjà quelques spécimens : les amandes avolas (dont on fait de succulentes dragées), les noisettes rondes du Piémont… et ici les pistaches, riches en vitamine A et en sels minéraux, qui, sous la forme d'une pâte colorée et forte en goût, donnent à ce gâteau des saveurs spécifiques.

Le semifreddo se compose de trois épaisseurs : la génoise, la meringue (italienne, bien sûr, avec toute la finesse d'exécution que suppose le mélange du sucre brûlant versé sur les blancs battus) et la crème de base, qui se décline elle-même en trois parfums : vanille, chocolat et pistache. La génoise sera par ailleurs suffisamment imbibée de liqueur de mandarine à 18°, obtenue par macération des écorces.

Le gâteau ne doit être en fin de compte ni trop léger ni trop épais : il relève en tout cas de cet art subtil des nuances que l'on apprécie depuis le XVIᵉ siècle dans l'œuvre d'un autre Véronais célèbre, Paolo Caliari dit Véronèse, l'auteur des célèbres *Noces de Cana*.

1. Réaliser la meringue italienne. Confectionner la génoise, puis la verser dans un moule beurré et fariné de 20 cm de diamètre. Cuire au four à 220 °C pendant 30 minutes. La découper après refroidissement en deux abaisses. Pour la crème de base, mélanger la crème Chantilly avec 140 g de meringue italienne, la gélatine ramollie à l'eau et la vanille en poudre.

2. Pour la crème à la pistache, travailler au fouet dans un récipient 25 g de pâte de pistaches et ajouter petit à petit 250 g de crème de base.

al pistacchio

3. Pour la crème au chocolat, faire fondre au bain-marie le chocolat de couverture. Laisser refroidir légèrement et l'incorporer délicatement à 200 g de crème de base.

4. Sur un carton à gâteau, poser une abaisse de génoise, l'imbiber de la moitié de la liqueur de mandarine et masquer de crème à la pistache. Recouvrir avec la seconde abaisse et l'imbiber de la liqueur restante. Lisser l'entremets avec le reste de crème à la pistache, puis mettre au frais. À l'aide d'une poche à douille cannelée, masquer le tour de crème au chocolat et le dessus de crème de base, en utilisant une autre poche.

Tiramisù

Préparation   25 minutes
Cuisson   30 minutes
Difficulté   ✲ ✲

Pour 10 personnes

Biscuit de Savoie : voir p. 289

Crème tiramisù :
7 jaunes d'œufs (150 g)
150 g de sucre glace
400 g de mascarpone
8 blancs d'œufs (250 g)
250 g de sucre

Sirop au café :
200 g de sucre
30 g de café lyophilisé
400 ml d'eau

Amandes pralinées :
300 g d'amandes effilées
liqueur de fleurs d'oranger
sirop à 30° Beaumé
vanille en poudre

Décoration :
sucre glace

Vigoureux et tonique, le tiramisù blanc résulte d'une triple alliance : mascarpone, café et biscuit de Savoie. Il est fort prisé des Italiens qui apprécient à la fois son goût marqué par le café et l'onctuosité de sa texture. La réputation de ce dessert franchit les modes et les frontières de l'Italie. Il s'agit littéralement d'un remontant à base d'œufs, dont Flavio Perbellini détient la recette ancestrale et perpétue la qualité.

Le biscuit de Savoie (on n'oublie pas que les ducs de Savoie sont devenus rois d'Italie) se distingue de la génoise traditionnelle, car il comporte davantage de jaunes d'œufs, moins de blancs et moins de farine. Il ne faut pas le confondre avec le gâteau de Savoie, qui relève d'une technique de fabrication toute différente.

Le choix du mascarpone est lourd de conséquences pour la réalisation du tiramisù, qu'il va puissamment nuancer de son arôme : on cherchera donc un fromage très frais, doux et crémeux, finalement assez proche de la crème épaisse. Aujourd'hui disponible toute l'année (alors qu'il s'agissait en principe d'un fromage d'hiver), le mascarpone existe même en version stérilisée dont la conservation pendant quelques jours au frais ne pose guère de problèmes. Pour être adapté au tiramisù, il ne doit surtout pas être amer.

Si vous souhaitez servir un entremets plus sucré, il vous est possible d'ajouter en cours de préparation un léger sabayon cuit, fouetté et monté.

1. Confectionner le biscuit de Savoie, puis la verser dans un moule de 20 cm de diamètre beurré et fariné. Cuire au four 30 minutes à 220 °C . Une fois refroidie, la couper en trois abaisses. Pour la crème tiramisù, travailler au fouet les jaunes d'œufs et le sucre glace jusqu'à l'obtention d'un ruban, puis ajouter le mascarpone. Battre à part 250 g de blancs d'œufs très frais avec 250 g de sucre.

2. Mélanger délicatement dans la préparation à mascarpone les blancs d'œufs montés en neige très ferme avec le sucre. Pour le sirop au café, faire bouillir le sucre avec l'eau. Hors du feu, ajouter le café lyophilisé.

bianco

3. Déposer sur un carton à gâteau une abaisse de biscuit de Savoie, l'imbiber de sirop au café et la masquer de crème tiramisù. Recouvrir avec la deuxième abaisse, imbiber de sirop au café et masquer de crème tiramisù. Coiffer le tout avec la dernière abaisse et masquer du reste de crème.

4. Pour les amandes pralinées, étaler sur une plaque 300 g d'amandes effilées, puis les humecter légèrement de liqueur de fleurs d'oranger et de sirop à 30° Beaumé, avec une petite pincée de vanille en poudre. Faire colorer sous le gril ou la salamandre. Masquer entièrement l'entremets d'amandes pralinées et le saupoudrer de sucre glace. Conserver au frais.

Préparation   *25 minutes*
Cuisson   *40 minutes*
Difficulté   ✳ ✳

Pour 10 personnes

300 g de crème pâtissière (voir p. 292) **:**
15 ml de liqueur de marasquin

Génoise : voir p. 294

Pâte d'amandes :
500 g d'amandes blanches
450 g de sucre
50 g de trimoline
1 blanc d'œuf
un peu de zeste d'orange râpé

Sirop à 30° Beaumé :
100 g de sucre
100 ml d'eau

Voici une recette que connaissent et pratiquent, avec des succès divers, tous les pâtissiers d'Italie. Si d'aventure il vous en restait après l'avoir goûtée, sachez que cette agréable spécialité peut se conserver deux jours à température ambiante et le cas échéant cinq à six jours au réfrigérateur.

Flavio Perbellini présente, dans les traditions de son établissement séculaire, la torta delizia sous la forme d'une génoise fourrée de crème pâtissière et imbibée de marasquin. L'origine de la liqueur de marasquin est principalement dalmate : c'est en effet dans la région de Zara (aujourd'hui Zadar, en Dalmatie) que l'on fabrique cette liqueur à partir d'eau-de-vie de marasque, une variété de cerise amère cultivée dans la région.

La cerise marasque connaît d'ailleurs d'autres usages : on la rencontre ainsi dans les glaces (elle côtoie fort bien la vanille, comme les cerises amarena) et Flavio Perbellini cite encore l'amarcine, un dessert composé de marasques cuites au sucre avec des clous de girofle, de la cannelle et du sirop bien concentré.

Parmi les différentes amandes que l'on peut sélectionner ici, ce sont les marri de Sicile qui présentent les qualités les plus évidentes et conviennent le mieux à cette recette. La pâte d'amandes doit être fine, ce qui rend parfois nécessaire le recours à la broyeuse, voire à la pétrisseuse. À défaut, on pourra travailler l'ensemble au mortier de bois, quitte à lui consacrer beaucoup de temps.

1. Préparer une crème pâtissière classique et la parfumer au marasquin dès qu'elle a refroidi. Confectionner la génoise, puis la verser dans un moule beurré et fariné de 20 cm de diamètre. Cuire au four à 200 °C pendant 30 minutes et la découper en deux abaisses après refroidissement.

2. Pour la pâte d'amandes, broyer et travailler avec le robot pétrisseur les amandes blanches, le sucre et la trimoline. Ajouter le blanc d'œuf et le zeste d'orange râpé.

delizia

3. Pour le montage, déposer sur un carton à gâteau une abaisse de génoise, l'imbiber de sirop de marasquin et masquer avec la crème pâtissière. Recouvrir avec la seconde abaisse. Pour le sirop à 30° Beaumé, verser dans une casserole le sucre et l'eau, puis porter à ébullition.

4. À l'aide d'une poche à douille plate cannelée, recouvrir le gâteau de pâte d'amandes. Le passer au four à 250 °C pendant 8 à 10 minutes pour le dorer. À la sortie du four, lustrer d'un nappage blond ou d'un sirop de sucre à 30° Beaumé.

Préparation   45 minutes
Cuisson   30 minutes
Difficulté   ★ ★

Pour 10 personnes

Pâte feuilletée :
500 g de farine
15 g de sel
250 ml d'eau
400 g de beurre

Crème pâtissière :
300 ml de lait
2 jaunes d'œufs (35 g)
100 g de sucre
45 g de farine

10 g de Maïzena
25 ml de marsala
25 ml de liqueur d'alchermes

Amaretti (macarons aux amandes) :
75 g d'amandes amères
225 g de sucre
1 blanc d'œuf
1 pincée de bicarbonate de soude

Génoise :
4 œufs
125 g de sucre brun
125 g de farine
25 ml de rhum brun

Ganache (voir p. 293) :
100 g de chocolat noir
125 ml de crème fraîche

Décoration :
sucre glace

Ce gâteau classique qui conjugue un feuilletage, une génoise et une crème pâtissière se situe parfaitement dans l'héritage de Luigi Perbellini, le fondateur de la pasticceria de Vérone. Tout cela demande évidemment sérénité et sens de l'organisation, jusqu'au montage final où triomphe le savoir-faire du professionnel.

Conforme aux traditions, la crème pâtissière ne comporte pas de gélatine. D'autre part, la génoise (que l'on appelle en Italie « pan de spagna ») et la pâte feuilletée doivent être réalisées dans l'instant pour ne rien perdre de leur fraîcheur, respectivement moelleuse et croquante. On citera pour mémoire la ganache et les traditionnels amaretti qui complètent le tableau.

La torta italiana s'imbibe de trois liqueurs différentes, ce qui n'interdit pas aux enfants d'y goûter lors des fêtes familiales. Le rhum brun est connu, peut-être moins le marsala, qui fait la fierté des vignobles siciliens : c'est un composé de vin blanc aromatique, d'eau-de-vie et de sirop de raisin qui titre environ 18 % d'alcool. Quant à la rouge liqueur d'alchermes, il s'agit d'une base d'épices à laquelle on ajoute quelques arômes de fleurs : rose, iris et essence de jasmin.

On ne mélange pas ces trois produits, pas plus que l'on ne consomme crues les amandes amères qui servent à la confection des amaretti : elles contiennent de faibles quantités d'acide cyanhydrique, dont on extrait le cyanure.

1. Pour le feuilletage, travailler la farine, le sel, l'eau et 75 g de beurre ramolli. Mettre en boule et placer 30 minutes au froid. Étaler la pâte en étoile, déposer au milieu 325 g de beurre, replier les branches de l'étoile et donner deux tours. Remettre au frais 20 minutes, donner deux tours et terminer 20 minutes plus tard par deux autres tours. Déposer une abaisse de 0,5 cm d'épaisseur sur une plaque et cuire au four à 230 °C. Détailler deux disques de 20 cm.

2. Pour la crème pâtissière, faire bouillir le lait. Travailler les jaunes et le sucre, puis verser le lait bouillant en fouettant. Ajouter la farine et la Maïzena tamisées, puis porter à ébullition 2 minutes. Laisser refroidir et verser le marsala et la liqueur. Pour les amaretti, travailler au robot-coupe les amandes amères et le sucre. Ajouter un peu de blanc d'œuf et de bicarbonate. Étaler sur une plaque et cuire 25 minutes au four à 175 °C. Écraser les amaretti refroidis.

taliana

3. Pour la génoise, faire tiédir au bain-marie dans le bol du mélangeur les œufs et le sucre en remuant au fouet. Mettre ensuite à tourner à vitesse 3, puis à vitesse 2 une fois la génoise montée, jusqu'à complet refroidissement. Le mélange doit former le ruban. À l'aide d'une écumoire, mélanger délicatement la farine tamisée. Verser dans le moule beurré et fariné, puis cuire au four 30 minutes environ à 200 °C.

4. Poser sur un carton à gâteau un disque de feuilletage et le masquer de crème. Recouvrir de la génoise, l'imbiber de rhum et masquer de crème. Ajouter le second disque de feuilletage et masquer le tout du reste de crème. Entourer d'amaretti, décorer avec la ganache et saupoudrer de sucre glace.

Préparation   *1 heure*
Cuisson   *30 minutes*
Difficulté   ✶ ✶

Pour 10 personnes

**Crème pâtissière, meringue italienne
 et génoise :** voir pp. 295 et 294

Crème pistache :
150 g de crème pâtissière
125 g de meringue italienne
30 g de pâte de pistaches

Crème au rhum :
150 g de crème pâtissière
125 g de meringue italienne
50 ml de rhum brun

Pour imbiber la génoise :
50 ml de liqueur d'alchermes
50 ml de rhum
50 ml de marsala

Décoration :
fruits
pistaches

Cette « soupe anglaise » n'a jamais connu la Grande-Bretagne, puisqu'il semble qu'elle a vu le jour chez les pâtissiers napolitains. Il faut évidemment rétablir cette paternité qu'une tenace tradition s'obstine à camoufler, tant est grande la renommée internationale de ce dessert typiquement italien.

Les fins observateurs y verront s'appliquer le principe tricolore du drapeau italien : tel est le résultat d'une cohabitation de trois liqueurs déjà rencontrées dans la torta italiana : rhum brun, marsala et liqueur d'alchermes. On peut sans déchoir leur consentir quelques variantes, par exemple madère ou porto plutôt que marsala, ou liqueur de mandarine, voire Grand Marnier, à la place de la liqueur d'alchermes.

La grande affaire de la zuppa inglese, c'est la présence de ces trois liqueurs distinctes dont on imbibe chacune des abaisses de génoise et entre lesquelles on alterne les crèmes. On peut fort bien imaginer de compliquer ces dernières en ajoutant des noisettes pilées, des morceaux de chocolat ou des fruits macérés.

Un dernier point mérite enfin toute votre attention : la meringue italienne qui parachève l'édifice et doit être réalisée sur l'heure pour couvrir exclusivement le sommet de la préparation. Flavio Perbellini ne saurait accepter qu'elle ne soit pas parfaitement lisse ou qu'elle comporte des grumeaux. Pour une présentation plus élégante encore, vous pouvez la flamber légèrement au chalumeau.

1. Confectionner la crème pâtissière ainsi que la meringue italienne. Réaliser la génoise, puis la verser dans un moule de 20 cm de diamètre beurré et fariné. Cuire au four à 220 °C pendant 30 minutes. Une fois refroidie, la couper en trois abaisses. Préparer la crème pistache en mélangeant 150 g de crème pâtissière, 125 g de meringue et la pâte de pistaches.

2. Pour la crème au rhum, procéder de la même façon que pour la crème pistache en remplaçant la pâte de pistaches par 50 ml de rhum.

inglese

3. Pour le montage, poser sur un carton à gâteau la première abaisse de génoise, l'imbiber de liqueur d'alchermes et masquer d'une couche de crème au rhum. Recouvrir avec la deuxième abaisse de génoise et l'imbiber de rhum. Masquer de crème pistache, coiffer le tout de la troisième abaisse et l'imbiber de marsala.

4. Masquer la surface de l'entremets avec la meringue italienne. Procéder à un décor de meringue à l'aide d'une poche à douille. Compléter le décor de fruits et de pistaches. Conserver au frais jusqu'à consommation.

Préparation   *1 heure 30 minutes*
Cuisson   *50 minutes*
Difficulté   ✶ ✶ ✶

Pour 12 caraïbes

Crème brûlée à l'orange :
250 ml de crème fleurette
50 g de sucre
4 jaunes d'œufs (75 g)
30 ml de jus d'orange
zeste râpé d'1 orange

Mousse caraïbe :
4 jaunes d'œufs (80 g)
150 ml de sirop à 30° Beaumé
500 ml de crème Chantilly

250 g de chocolat de couverture Caraïbe
(70 % de cacao)

Feuilleté croquant :
75 g de riz soufflé
120 g de feuilletine
230 g de praliné sucré
100 g de chocolat de couverture au lait
Biscuit cacao : voir p. 289
Gelée au cacao :
240 ml d'eau
300 g de sucre
100 g de cacao en poudre
200 ml de crème fleurette
6 feuilles de gélatine
Décoration :
chocolat de couverture au lait
plaquettes de chocolat

En 1993, la délégation belge avait déjà accédé pour la coupe du monde de la pâtisserie à la deuxième marche du podium. En 1995, l'essai fut transformé par les soins de trois complices : Rik de Baere, Pierre Marcolini et Gunther Van Essche ; ce dernier est devenu depuis l'assistant de Bernard Proot. Pour obtenir ce triomphe, il leur a fallu réaliser des pièces sur le thème de l'envol, dont ce caraïbe n'est pas la moins intéressante.

Il faut beaucoup d'adresse pour maîtriser à ce niveau les divers ingrédients d'une recette diablement sophistiquée : c'est le cas de la feuilletine, par exemple, qui doit être ultra-croustillante et réclame à cette fin, après avoir été sucrée, qu'on lui associe du riz soufflé. Ce combiné croquant-sucré produira beaucoup d'effet sur vos convives.

Pour la mousse caraïbe, il est indispensable d'utiliser un chocolat amer avec au moins 70 % de cacao, alors que le chocolat de couverture varie entre 50 et 55 %. On admet sans peine que vous ne soyez pas un expert en fabrication de gelée au cacao, aussi veillez à mélanger tous les ingrédients sur le feu, hormis la gelée, qu'il faudra intégrer après refroidissement, lorsque le mélange aura atteint la température de 60 °C.

N'allez surtout pas préparer la crème brûlée dans un four à ventilation, qui ne donnerait pas le résultat souhaité – et prenez le plus grand soin pour établir les proportions de crème et de chocolat, l'amertume de ce dernier ne devant pas éclipser la douceur de la crème.

1. Pour la crème brûlée à l'orange, mélanger tous les ingrédients sans les chauffer dans un récipient. Passer au chinois, verser dans une plaque de Flexipan et cuire 50 minutes à 100 °C. Réserver au congélateur. Pour la mousse caraïbe, préparer au bain-marie une pâte à bombe avec les jaunes d'œufs et le sirop, ajouter le chocolat Caraïbe fondu à 40 °C, puis incorporer la chantilly.

2. Pour le feuilleté croquant, mélanger tous les ingrédients avec le chocolat au lait fondu. Étaler sur une plaque sur 0,5 cm d'épaisseur et mettre au congélateur. Pour le montage des gâteaux, garnir à moitié des moules en Flexipan de mousse caraïbe, puis poser dessus un disque de biscuit cacao et la crème brûlée congelée. Couvrir de mousse caraïbe et terminer avec un disque de feuilleté croquant congelé. Réserver au congélateur.

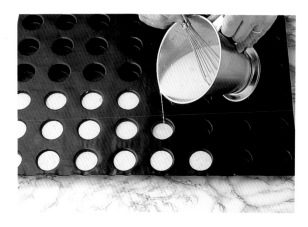

3. Pour la gelée au cacao, faire chauffer tous les ingrédients, sauf la gélatine, jusqu'à 65 °C. Laisser refroidir et ajouter la gélatine. Démouler les gâteaux, les poser sur une plaque et les glacer avec la gelée au cacao.

4. Pour la décoration, faire fondre au bain-marie le chocolat au lait, le verser dans un cornet de papier et en décorer les caraïbes. Disposer tout autour des plaquettes de chocolat.

Del rey

Préparation   45 minutes
Cuisson   1 heure 30 minutes
Difficulté   ✳ ✳

Pour 8 personnes

Biscuit au chocolat :
5 œufs (250 g)
60 g de sucre
50 g de farine
30 g de stabilisateur
80 g de beurre
150 g de chocolat de couverture au lait

Mousse jivara :
4 jaunes d'œufs (80 g), 40 ml de sirop
60 g de sucre
420 ml de crème Chantilly
200 g de chocolat de couverture au lait
Ganache aux fruits des bois :
70 g de chocolat de couverture noir
200 g de fruits des bois
40 g de sucre, 1 feuille ¹/₂ de gélatine
Crème brûlée :
250 ml de crème fleurette
50 g de sucre
4 jaunes d'œufs (70 g)
¹/₂ gousse de vanille
Décoration :
disques de chocolat

On peut discuter l'origine du nom de cette spécialité, qui est aussi celui de la chocolaterie pâtisserie de Bernard Proot. Que cela signifie « du roi » en espagnol ne fait aucun doute, mais cela ne suffit pas. C'est également un discret hommage à la précédente propriétaire, Mme Adèle Reymacckers, qui s'est volontiers prêtée à ce jeu de mots polyglotte.

Quelques remarques sur l'organisation : vous devrez préparer la mousse jivara la veille, et avec la concentration requise pour incorporer au bon moment la crème Chantilly dans la masse que forment caramel et chocolat. La température devra être assez modérée pour éviter d'écraser la crème et la mousse développera ainsi un agréable parfum de chocolat au lait avec un petit goût fruité.

La ganache n'accepte que des fruits de première qualité, suffisamment mûrs et parfumés. Même si vous ne les utilisez pas en décoration, ne travaillez pas avec des fruits talés ou tachés, car leur goût s'en ressentirait.

Les amateurs préconisent un chocolat noir de couverture fort en cacao (50 ou 55 %), mais en dosant scrupuleusement sa proportion pour qu'il n'aille pas couvrir ou dénaturer le goût des fruits.

Pour décorer l'entremets, la plus grande liberté vous est accordée. Laissez-vous guider par votre imagination, sans oublier que ce dessert a des consonances royales et qu'il ne faut pas manquer de les honorer.

1. Pour le biscuit, battre œufs et sucre, puis ajouter farine et stabilisateur. Mélanger beurre et chocolat fondus, puis amalgamer les deux masses. Dresser des cercles avec une douille n° 4 et cuire 40 minutes à 100 °C. Pour la mousse jivara, battre les jaunes et le sirop jusqu'à refroidissement. Faire un caramel avec le sucre et mélanger avec 60 ml de chantilly. Verser le chocolat fondu sur la pâte, ajouter le caramel, puis le reste de chantilly.

2. Pour la ganache aux fruits des bois, faire fondre le chocolat. Cuire les fruits avec le sucre, laisser tiédir, puis ajouter la gélatine ramollie à l'eau froide et le chocolat fondu. Pour la crème brûlée, mélanger tous les ingrédients dans un récipient sans chauffer. Passer au chinois. Verser dans des moules en Flexipan et cuire 50 minutes au four à 100 °C.

3. Une fois refroidie, glacer la crème brûlée avec une fine couche de ganache aux fruits des bois, puis réserver au congélateur.

4. Pour le montage de l'entremets, chemiser un moule de film alimentaire. Verser une couche de mousse jivara dans le fond et placer un disque de biscuit au chocolat par-dessus. Ajouter un disque de crème brûlée congelée, remplir avec le reste de mousse et terminer avec un disque de biscuit. Pour démouler, retourner le gâteau et retirer le film. Décorer selon l'envie et disposer des disques de chocolat tout autour de l'entremets.

Préparation	40 minutes
Cuisson	5 minutes
Difficulté	★ ★

Pour 8 personnes

**Biscuit joconde au praliné
et chocolat café :**
15 g de sucre, 6 œufs (125 g)
2 blancs d'œufs (75 g)
25 g de farine
190 g de mélange poudre d'amandes/sucre
(en proportions égales)
25 g de chocolat de couverture au café
25 g de praliné
beurre fondu

Mousse chocolat pralinée à l'orange :
5 jaunes d'œufs (100 g)
120 ml de sirop à 35° Beaumé
175 g de chocolat à l'orange

125 g de chocolat de couverture noir
100 g de pâte pralinée sucrée
450 ml de crème Chantilly non sucrée
Mousse chocolat au lait d'amandes :
150 ml de lait d'amandes
4 jaunes d'œufs (90 g)
150 g de chocolat de couverture au café
120 g de chocolat de couverture noir
500 ml de crème fouettée
Miroir au cacao :
180 ml d'eau, 225 g de sucre
150 ml de crème fleurette
75 g de cacao en poudre
4 feuilles de gélatine, gelée neutre
Décoration :
plaquettes de chocolat, pâte étirée

Cette recette a permis à Gunther Van Essche, le brillant second de Bernard Proot, d'être consacré chef pâtissier de l'année 1995 et de remporter le prix Prosper Montagné qui jouit en Belgique d'une forte considération, à l'égal du concours du meilleur ouvrier de France. On traduira donc « victoria » par victoire, car d'autres interprétations (comme l'allusion à l'infatigable reine d'Angleterre) ne semblent guère capables de nourrir un débat.

Nous sommes en tout cas bien loin de la *Victoire de Samothrace*, car il faut nécessairement disposer de ses deux bras pour exécuter proprement ce régal, variation haute en couleur autour de deux mousses aux arômes voisins.

Pour Gunther Van Essche, seul un chocolat à 50 % de cacao peut satisfaire ici les amateurs les plus exigeants. On l'utilisera sous forme de couverture noire, tant pour la mousse pralinée à l'orange que pour la mousse au lait d'amandes, qui toutes deux seront légères et fondantes en bouche. Pour y parvenir, il est souhaitable de travailler les masses avec finesse, notamment pour soigner l'aspect final.

On peut naturellement préférer composer son propre chocolat à l'orange, plutôt que de recourir à celui du commerce : il suffira de réaliser une infusion enrichie de zestes d'oranges, réduite à l'état de concentré pour être incorporée à la mousse. Le miroir au cacao exige une poudre très fine, susceptible de produire un brillant véritable.

1. Pour le biscuit joconde, travailler 1 cuil. à soupe de sucre avec les œufs, puis monter les blancs en neige avec le reste de sucre. Amalgamer les deux masses. Mélanger la farine avec le mélange de poudre d'amandes et de sucre, puis l'incorporer aux œufs. Ajouter le chocolat fondu, le praliné et, pour finir, le beurre fondu. Dresser sur une plaque des fonds de 22 cm de diamètre. Cuire au four 5 minutes à 230 °C.

2. Pour la mousse chocolat pralinée à l'orange, monter au bain-marie une pâte à bombe avec les jaunes d'œufs et le sirop. Y mélanger les chocolats fondus avec la pâte pralinée et incorporer délicatement la chantilly. Dans un moule de 2 cm de hauteur, disposer un fond de biscuit joconde et remplir de mousse pralinée à l'orange. Réserver au congélateur. Préparer la pâte étirée pour le décor final.

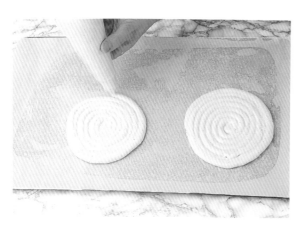

Victoria

3. Pour la mousse au chocolat et au lait d'amandes, monter au bain-marie une pâte à bombe avec le lait d'amandes et les jaunes d'œufs. Ajouter le chocolat fondu et incorporer délicatement la crème fouettée. Chemiser de film alimentaire un moule de 4 cm de haut et 24 cm de diamètre. Garnir de mousse au lait et placer à l'intérieur la mousse pralinée congelée. Finir de garnir avec le restant de mousse et couvrir d'un fond de joconde. Mettre au congélateur.

4. Pour le miroir au cacao, faire chauffer tous les ingrédients, excepté la gélatine et la gelée, jusqu'à 65 °C. Après refroidissement, ajouter les feuilles de gélatine trempées et épaissir avec la gelée neutre jusqu'à l'obtention d'une bonne consistance. Démouler l'entremets et le glacer entièrement avec le miroir au cacao. Garnir de plaquettes fantaisies en chocolat. Terminer au cornet par une inscription au chocolat blanc et décorer à la pâte étirée.

Préparation	1 heure
Cuisson	10 minutes
Difficulté	✷ ✷

Pour 10 gourmands

Mousse de fromage blanc :
60 g de sucre
20 ml d'eau
8 jaunes d'œufs
21 feuilles de gélatine
1 kg de fromage blanc
1,1 l de crème Chantilly
Mousse au chocolat au lait :
125 ml de sirop

4 jaunes d'œufs (70 g)
225 g de chocolat de couverture au lait
430 ml de crème Chantilly
Biscuit joconde : voir p. 289
Pâte à cigarettes :
100 g de beurre
100 g de sucre glace
3 blancs d'œufs (100 g)
Sirop au kirsch :
100 g de sucre
200 ml d'eau
150 ml de kirsch
Décoration :
figures en chocolat
disques de sucre cristallisé

Bien sûr, la gourmandise fait partie des sept péchés capitaux. Bien sûr, il faudrait savoir se détourner des épisodes gourmands de notre vie quotidienne, de tous les plaisirs de la table et des autres biens de ce monde. Mais les principes sont bien encombrants lorsqu'on se trouve confronté sans autre défense à la diabolique tentation que nous propose ici Bernard Proot : un subtil mariage entre le fromage blanc et le chocolat au lait.

Avec une rare impudence, voici d'ailleurs que notre chef anversois confesse une troublante préférence pour le fromage blanc plutôt gras (40 %). Pour seule excuse, on signalera que le chocolat doit quand même rester dominant, même s'il est perdant au poids, et comporter au moins 50 % de cacao.

Toute la réussite de la préparation repose sur la maîtrise des températures et des consistances : c'est le cas pour la phase de mélange des divers ingrédients que comportent les mousses ; ce l'est encore pour la fluidité du chocolat refroidi que l'on intègre dans la pâte à bombe, dont le dressage poserait autrement quelques délicats problèmes.

Pour la mousse de fromage blanc, l'indispensable gélatine doit être incorporée tiède, sinon des grumeaux risquent d'apparaître. Si l'on souhaite enfin se dispenser du décor en pâte à cigarettes, il est possible de n'utiliser qu'un biscuit joconde non rayé, sans oublier tout de même les petits apprêts chocolatés préconisés en fin de course.

1. Pour la mousse de fromage blanc, chauffer le sucre avec l'eau à 121 °C, verser sur les jaunes et battre jusqu'à complet refroidissement. Ajouter la gélatine fondue, le fromage blanc et terminer par la crème Chantilly. Pour la mousse au chocolat au lait, faire une pâte à bombe avec le sirop et les jaunes d'œufs, puis ajouter le chocolat au lait fondu. Laisser refroidir, puis incorporer la chantilly.

2. Préparer le biscuit joconde et l'étaler finement sur une plaque recouverte de papier sulfurisé. Rayer avec un peigne et congeler. Pour la pâte à cigarettes, travailler le beurre en pommade et le sucre glace, puis ajouter les blancs d'œufs. En recouvrir d'une fine couche le biscuit joconde durci et cuire au four 10 minutes. Découper des bandes de 2 cm de haut et en chemiser des moules individuels. Garnir de mousse de fromage blanc jusqu'au bord.

3. Découper dans le reste du biscuit joconde des disques de 4 cm de diamètre et les imbiber de sirop au kirsch. En recouvrir la mousse de fromage blanc. Conserver au frais.

4. Démouler les gourmands et dresser dessus une rosace de mousse au chocolat à l'aide d'une poche à douille cannelée n° 6. Terminer avec une figure de chocolat et un disque de sucre cristallisé.

Macadamia

Préparation   1 heure 30 minutes
Cuisson   15 minutes
Difficulté   ✳

Pour 8 personnes

Biscuit dacquoise aux noix de macadamia :
15 blancs d'œufs (450 g)
250 g de sucre
450 g de mélange poudre d'amandes/sucre
   (en quantités égales)
100 g de farine
5 blancs d'œufs (150 g)
50 ml de crème fleurette
45 g de paillettes de chocolat
noix de macadamia

sucre glace

Crème anglaise :
330 ml de lait
5 jaunes d'œufs (90 g)
110 g de sucre

Mousse au chocolat :
500 g de crème anglaise
450 g de chocolat noir de couverture
600 ml de crème Chantilly

Décoration :
sucre glace

Même si l'on peut être tenté d'y voir un hymne au monde urbain (et au génial revêtement des rues et trottoirs de nos cités modernes qui porte le nom de son inventeur, l'ingénieur écossais J. McAdam), le macadamia désigne en fait une variété de noix d'Australie qui doivent leur nom à un naturaliste australien, John Macadam.

La noix de Queensland ou macadamia est donc le fruit d'un arbre tropical et s'apparente à la noix de coco pour le goût. Elle appartient à la famille des protéacées, ce qui vous interdit, même si vous le souhaitiez, de la confondre avec la noix du Brésil (lécythidacée) ou encore la noix de pécan (juglandacée).

On se penchera d'abord sur le biscuit dacquoise, que l'on prépare au moyen de blancs d'œufs très frais. Ensuite, il suffit d'être attentif aux conditions de température dans lesquelles s'effectue le mélange de la mousse. Ce n'est guère plus délicat que l'habituelle confection d'une crème anglaise, que l'on aura soin de refroidir avant d'ajouter la crème Chantilly.

Il est souhaitable de prévoir, lors du montage, un temps de repos au frais après chaque étape : de la sorte, les éléments prennent une bonne consistance et l'ensemble présente une heureuse tournure. Si vous le souhaitez, vous pouvez remplacer la mousse au chocolat par une crème au beurre, un peu plus fragile.

1. Pour le biscuit dacquoise, monter les blancs d'œufs avec le sucre. Mélanger la poudre d'amandes et le sucre, la farine, les blancs d'œufs, la crème et les paillettes de chocolat. Incorporer cette préparation aux blancs d'œufs montés. Sur une plaque recouverte de papier sulfurisé, verser le biscuit dans des cercles de 2 cm de hauteur. Retirer les cercles, parsemer de noix de macadamia, saupoudrer de sucre glace et cuire au four 15 minutes à 170 °C.

2. Pour la mousse au chocolat, préparer la crème anglaise : mettre le lait à bouillir. Travailler les jaunes d'œufs avec le sucre, mélanger avec le lait et cuire à la nappe. Incorporer le chocolat de couverture à la crème anglaise, laisser refroidir et incorporer la crème Chantilly.

3. À l'aide d'une poche et d'une douille unie, réaliser tout autour de la première abaisse de biscuit une corolle de mousse au chocolat.

4. Recouvrir avec le deuxième fond de biscuit. Déposer l'entremets au frais pendant 2 heures. Au moment de servir, saupoudrer de sucre glace.

Préparation   1 heure 30 minutes
Cuisson   20 minutes
Difficulté   ★ ★

Pour 8 personnes

**Biscuit joconde, biscuit duchesse et
  meringue italienne :** voir pp. 289 et 295

Mousse à la Passion :
750 ml de crème Chantilly
500 g de pulpe de fruits de la Passion
220 g de meringue italienne
4 feuilles de gélatine

Sirop à la Passion :
375 g de pulpe de fruits de la Passion
100 ml de sirop
40 ml de kirsch

Confiture de framboises :
1 kg de framboises
1 kg de sucre
20 g de pectine

Décoration :
gelée à la Passion
fruits de saison

Le fruit de la passiflore n'est pas très flatteur : pour être sûr de sa fraîcheur et de sa maturité, on le choisit fripé, terne et grisâtre. Mais il n'en développe pas moins de subtils arômes dès que l'on a franchi le stade de cette première apparence. La préparation raffinée que lui fait ici subir notre chef anversois va même transfigurer cet arôme et combler votre palais.

Par exemple, l'intégration des fruits de la Passion dans la crème se fait petit à petit, sans précipiter le battage qui doit être souple et lent. C'est bien de la pulpe des fruits que l'on a besoin dans cette opération, c'est-à-dire de l'arille, le tégument assez charnu qui enserre les graines. Il est utile de filtrer les fruits pour exclure ces dernières.

Sa richesse en vitamines, en sels minéraux et autres principes revigorants explique sans peine la vogue actuelle du fruit de la Passion, désormais le plus familier des fruits exotiques avec l'ananas. Dans cette recette, il s'harmonise avec la framboise, qui occupe le second étage de notre petit édifice.

Ce gâteau se monte à l'envers pour obtenir au final un dessus de mousse irréprochable et une meilleure assise de la gelée. Les abaisses de biscuit doivent être imbibées avec beaucoup de soin pour assurer un punchage homogène. Bernard Proot vous recommande d'utiliser un spray, ou même un biberon, et de répartir le sirop de manière égale sur toute la surface du biscuit.

1. Confectionner le biscuit joconde rayé et le biscuit duchesse. Pour la mousse à la Passion, mélanger la crème Chantilly avec la pulpe de fruits de la Passion. Préparer la meringue italienne, puis ajouter la gélatine fondue dans la meringue encore chaude. Laisser refroidir et incorporer la mousse à la Passion. Chemiser les moules avec des bandes de biscuit joconde rayé.

2. Disposer dans le fond de chaque moule une abaisse de biscuit duchesse, l'imbiber de sirop à la Passion et masquer d'une couche de mousse. Pour la confiture de framboises, cuire les framboises avec le sucre et la pectine à feu doux jusqu'à consistance d'un sirop. Retirer du feu et laisser refroidir.

3. Recouvrir la seconde abaisse de biscuit duchesse avec de la confiture de framboises. Déposer à l'intérieur du moule sur la mousse à la Passion.

4. Terminer de garnir le moule avec le reste de mousse. Placer au congélateur. Glacer la surface du gâteau avec une gelée à la Passion et décorer de fruits de saison.

Préparation	1 heure 30 minutes
Cuisson	15 minutes
Difficulté	✳ ✳ ✳

Pour 12 entremets

Décoration :
chocolat de couverture au lait
sucre glace
Ganache blanche et crème pâtissière :
    voir pp. 293 et 292
Crème chiboust :
crème pâtissière
190 ml de champagne
90 ml de jus de mandarine
60 ml de crème fleurette

6 jaunes d'œufs (125 g)
30 g de poudre de flan
5 feuilles de gélatine

30 ml de liqueur de mandarine Napoléon
6 blancs d'œufs (175 g)
225 g de sucre
Mousse de mandarine au lait d'amandes :
2 jaunes d'œufs (50 g)
120 ml de lait d'amandes
280 ml de crème fleurette
2 blancs d'œufs (55 g)
90 g de sucre
6 feuilles de gélatine
190 ml de jus de mandarine
30 ml de liqueur de mandarine Napoléon
Biscuit : (voir p. 288)
Gelée de mandarine :
100 ml de jus de mandarine concentré
300 ml d'eau

La finesse et la qualité des produits qui composent ce royal, le soin que son inventeur apporte au décor (digne des fastes d'une cour souveraine), l'universelle réputation du champagne qui parfume la crème chiboust : tout concourt à justifier l'ambitieuse appellation qu'a choisie Bernard Proot. Ce dessert est fortement imprégné de l'arôme acidulé de la mandarine, déclinée en jus et en liqueur.

La liqueur de mandarine Napoléon fut créée par un Belge au milieu du XIXe siècle. C'est une liqueur dérivée d'un alcoolat d'écorces de mandarines de Sicile macérées dans le cognac. La qualité du produit est aujourd'hui garantie par les soins de Georgy Fourcroy, qui chaque année décerne également le prix mandarine Napoléon à l'un des meilleurs pâtissiers du monde.

Le décor de faux bois n'est pas d'une réalisation facile : il faut d'abord peigner le chocolat au lait, le placer au congélateur assez longtemps pour qu'il prenne, et alors seulement le décorer par endroits de ganache au chocolat blanc (à base de lait d'amandes, de préférence originaire d'Italie).

Vous prendrez ensuite le plus grand soin lors du mélange des différents ingrédients qui composent les crèmes : la crème chiboust, notamment, ne se réussit qu'à la condition d'une stricte maîtrise des températures. La mousse de mandarine demande les mêmes exigences. Enfin, pour souligner encore la couleur des mandarines, ne dédaignez pas de recourir (en faible quantité) à de la gelée d'orange.

1. Préparer le décor imitation bois : sur une feuille de plastique, dessiner du faux bois en étalant le chocolat au lait à l'aide d'un peigne spécial. Réserver au congélateur. Recouvrir ensuite d'une fine couche de ganache blanche et laisser prendre au frais.

2. Pour la crème chiboust, faire d'abord une crème pâtissière. Porter à ébullition le champagne, le jus de mandarine et la crème. Blanchir au fouet les jaunes d'œufs, ajouter la poudre de flan, mélanger avec le champagne et faire bouillir. Hors du feu, ajouter la gélatine ramollie à l'eau froide et la liqueur. Monter les blancs en neige et verser doucement dessus le sucre chauffé à 121 °C. Laisser tourner jusqu'à refroidissement. Mélanger les deux préparations.

3. Pour la mousse de mandarine, monter au bain-marie les jaunes d'œufs avec 45 ml de lait d'amandes. Fouetter ensuite la crème fleurette en chantilly. Préparer une meringue italienne (blancs d'œufs + sucre) et ajouter la gélatine ramollie à l'eau froide. Mélanger la chantilly, 75 ml de lait d'amandes, le jus de mandarine et la liqueur. Amalgamer ensuite les trois préparations.

4. Pour le montage, dresser la crème chiboust dans de petits moules et congeler 1 heure et demie. Verser la mousse à la mandarine dans des moules individuels et placer la crème chiboust congelée dessus. Terminer avec un biscuit de 5 cm de diamètre. Mettre au frais 1 heure et demie, puis démouler. Glacer avec la gelée de mandarine. Décorer de plaquettes en faux bois et d'un physalis saupoudré de sucre glace.

Préparation	1 heure
Cuisson	8 minutes
Difficulté	✶ ✶

Pour 12 personnes

Biscuit joconde à la pistache :
6 œufs
125 g de sucre
40 g de pâte de pistaches
300 g de mélange poudre d'amandes/sucre
    (en quantités égales)
7 blancs d'œufs (215 g)
45 g de sucre
40 g de beurre
40 g de farine

Crème à l'abricot :
310 ml de crème Chantilly
510 g de pulpe d'abricots
190 g de meringue italienne
6 feuilles de gélatine
Crème au chocolat :
3 jaunes d'œufs
100 ml de sirop
190 g de chocolat noir de couverture
375 ml de crème fouettée
Sirop à l'abricot :
150 g de pulpe d'abricots
250 ml de sirop
50 ml de liqueur d'abricot
Décoration :
meringue italienne, fruits rouges

Est-ce l'influence des courants historiques dont on perçoit l'importance, par exemple entre les écoles de peinture de Flandre et de Toscane ? Bernard Proot nous emmène, le temps d'un dessert de superbe apparence, dans la célèbre province du chianti. De fait, l'alternance du décor géométrique de brillant et de mat rappelle sans difficulté les mosaïques et parements des édifices religieux que l'on admire en Italie du Nord (Sienne, Florence, Milan…).

Mais la confection de ce dessert, s'il comporte une architecture plutôt simple, vous demandera moins de peine que les immenses chantiers de ces cathédrales qui durèrent des siècles entiers et consommèrent une main-d'œuvre inimaginable.

La base en est l'abricot, à la fois présent dans la crème et le sirop, et que vous choisirez bien mûr selon votre couleur préférée : rouge du Roussillon, orangé de Provence, etc. Bernard Proot ne voit pas d'inconvénient hors saison, à recourir à des fruits congelés dans leur pleine maturité, pourvu qu'ils aient alors été traités selon toutes les règles de l'art.

Le biscuit joconde à la pistache doit être étalé sur une certaine épaisseur, car il faut pouvoir, à la découpe, apprécier distinctement chacune des couches du gâteau : le biscuit n'a donc pas de raison de s'effacer devant les pommes, le chocolat ou l'abricot. Bien évidemment, vous accompagnerez ce dessert très parfumé d'un moelleux coulis… d'abricots.

1. Pour le biscuit joconde, travailler les œufs, le sucre, la pâte de pistaches, puis ajouter le mélange poudre d'amandes/sucre. Monter les blancs avec le sucre, mélanger les deux préparations, puis terminer par le beurre fondu et la farine. Dresser sur une plaque et cuire environ 8 minutes à 240 °C. Pour la crème à l'abricot, mélanger la chantilly et la pulpe d'abricots. Monter la meringue, ajouter la gélatine fondue et mélanger délicatement l'ensemble.

2. Pour la crème au chocolat, préparer une pâte à bombe en montant au bain-marie les jaunes d'œufs et le sirop. Ajouter le chocolat fondu et incorporer la crème Chantilly en dernier. Pour le sirop à l'abricot, mélanger la pulpe d'abricots, le sirop et la liqueur d'abricot. Poser la première abaisse de biscuit joconde sur un carton à gâteau et l'imbiber de sirop à l'abricot.

3. *Masquer d'une couche de crème au chocolat. Déposer dessus la deuxième abaisse de biscuit et l'imbiber de sirop. Préparer la meringue italienne pour le décor.*

4. *Recouvrir la deuxième abaisse de crème à l'abricot. Terminer avec la troisième abaisse de biscuit, l'imbiber et mettre au congélateur. Recouvrir d'une fine couche de meringue toute la surface du gâteau. Avec la lame d'un couteau trempée dans l'eau chaude, égaliser le tour de l'entremets. Caraméliser la meringue avec un fer chauffé au rouge et achever le décor avec des fruits rouges. Laisser refroidir 4 heures avant de servir*

Préparation   1 heure
Cuisson   20 minutes
Difficulté   ★

Pour 7 personnes

Pâte sablée :
250 g de beurre
100 g de sucre
2 œufs (100 g)
100 g de mélange poudre d'amandes/sucre
    (en quantités égales)
3 g de vanille en poudre
450 g de farine

Crème d'amandes :
100 g de beurre
2 petits œufs (75 g)
250 g de mélange poudre d'amandes/sucre
    (en quantités égales)
12 g de Maïzena
12 ml de liqueur de noix

Caramel aux noix :
200 g de sucre
160 ml de crème fleurette
140 g de noix

Il existe de multiples sortes de noix, dont la production cause la rivalité de deux belles provinces françaises : le Périgord et le Dauphiné. Bernard Proot, qui prise beaucoup Grenoble et sa région, préfère les noix originaires du Dauphiné et parle avec émotion de celles que l'on y déguste en novembre.

Côté amandes, ce sont celles d'Italie qui recueillent ses suffrages, même si celles de Californie sont aujourd'hui plus courantes. Les amandes italiennes gardent un arôme, une rondeur, une qualité hors pair. Notre chef les broie lui-même avec tout le soin qu'elles méritent et les incorpore à cette délicieuse crème d'amandes rehaussée de liqueur de noix concentrée.

On aurait tort de négliger ces liqueurs de fruits secs ou de plantes, pleines de vertus médicinales et jadis fort appréciées, sous prétexte qu'elles sont tombées en désuétude. Elles pourraient fort bien connaître une nouvelle popularité dans le cours des prochaines années.

Pour les fonds de tartelettes, veillez à ne pas rendre la pâte sablée trop élastique : ne travaillez pas trop longtemps les ingrédients et laissez longuement reposer la pâte au frais. Bernard Proot prépare en une seule fois toute la pâte qu'il utilisera dans la semaine. La cuisson doit être douce et dorer simplement la pâte, sans plus.

1. Pour la pâte sablée, travailler le beurre et le sucre. Ajouter les œufs ainsi que le mélange de poudre d'amandes et de sucre, la vanille et la farine tamisée. Réserver au frais. Étaler une abaisse de pâte, la détailler à l'aide d'un emporte-pièce et foncer les moules.

2. Pour la crème d'amandes, travailler le beurre en pommade, ajouter les œufs, le mélange de poudre d'amandes et de sucre, ainsi que la Maïzena. Terminer en ajoutant la liqueur de noix.

aux noix

3. Garnir les fonds de tartelettes d'une fine couche de crème d'amandes et cuire au four environ 15 minutes à 200 °C.

4. Pour le caramel aux noix, faire caraméliser le sucre dans le poêlon, décuire avec la crème bouillante et ajouter les noix. Remplir les tartelettes de caramel aux noix. Laisser refroidir avant de servir.

Préparation — 1 heure
Cuisson — 20 minutes
Difficulté — ✷ ✷

Pour 8 personnes

Biscuit duchesse, biscuit joconde rayé et meringue italienne :
voir pp. 289, 290 et 295

Mousse à la rhubarbe :
170 ml de crème Chantilly
250 g de pulpe de rhubarbe
30 g de pulpe de fraises
4 feuilles de gélatine
125 g de meringue italienne

Mousse à la fraise :
170 ml de crème Chantilly
250 g de pulpe de fraises
jus d'1/2 citron, 6 feuilles de gélatine
170 g de meringue italienne

Sirop de fraise :
200 ml de sirop
250 g de pulpe de fraises
100 ml de liqueur de fraise

Gelée de fraise :
250 g de pulpe de fraises
250 g de sucre
2 g de pectine

Garniture et décoration :
quelques fraises des bois
quelques feuilles de menthe

Tout comme la secrète cité de l'Adriatique où malgré les touristes le mystère et le poids de l'histoire demeurent tapis tout au long des canaux, ce gâteau ne laisse guère présager, sous son décor de fraises des bois, la complexité de sa garniture. C'est avec beaucoup de malice que Bernard Proot dissimule sa mousse à la rhubarbe, réservant ses explications pour après la dégustation, tant il est vrai que cette plante, jadis utilisée en médecine, n'a pas toujours joui d'une flatteuse réputation.

Il faut consommer la rhubarbe bien rouge, en saison (de mai à juillet), et n'accepter que des tiges dures et cassantes. En prévision de l'hiver, vous pouvez aussi congeler sous vide cette polygonacée dont on fait volontiers des compotes et des confitures.

Il n'y a guère de substitut possible à la rhubarbe, qu'apprécient les Anglais, mais que, selon Bernard Proot, les Belges méconnaissent. Si vous y tenez, faites une tentative avec le citron vert, pourvu qu'il ait un arôme très prononcé – mais le résultat sera peut-être décevant.

La composition de ce dessert, depuis le biscuit duchesse jusqu'à la meringue, doit être effectuée en continu, moyennant quelques passages intermédiaires au congélateur, histoire de bien raffermir les différents composants. On ne saurait oublier que la fraise est très populaire en Belgique, où l'on cultive la variété elsanta, de forme régulière et très parfumée à maturité.

1. Pour la mousse à la rhubarbe, mélanger la chantilly avec la pulpe de rhubarbe et la pulpe de fraises. Faire fondre la gélatine ramollie à l'eau froide et l'incorporer à la meringue. Mélanger la meringue à la mousse à la rhubarbe. Procéder de même pour la mousse à la fraise. Réaliser le biscuit duchesse et le biscuit joconde rayé.

2. Pour le sirop de fraise, porter à ébullition le sirop avec la pulpe de fraises. Laisser refroidir et ajouter la liqueur de fraise. Chemiser un moule avec une bande de biscuit joconde rayé et déposer au fond un disque de biscuit duchesse. Remplir à moitié de mousse à la rhubarbe.

3. Recouvrir d'un disque de biscuit et imbiber de sirop de fraise. Répartir les fraises des bois sur le biscuit. Terminer de garnir avec la mousse à la fraise et mettre au congélateur pendant 4 heures. Pour la gelée de fraise, porter à ébullition la pulpe de fraises avec le sucre. Hors du feu, ajouter la pectine et laisser refroidir.

4. Dresser tout autour de l'entremets, à l'aide d'une poche et d'une douille à saint-honoré, une bordure de meringue italienne ; la colorer au chalumeau. Glacer le centre avec la gelée de fraise et décorer de fraises des bois.

Préparation   1 heure
Cuisson   20 minutes
Difficulté   ★

Pour 8 personnes

Biscuit capuchina :
10 jaunes d'œufs
1 gousse de vanille

Sirop à la vanille :
250 ml d'eau
125 g de sucre
1/2 gousse de vanille

Décoration :
sucre glace
gousses de vanille (facultatif)
menthe fraîche
abricots caramélisés

Bien qu'ils portent le même nom, le biscuit capuchina et la tarte capuchina présentent quelques subtiles différences. On prépare par exemple ce biscuit à la vapeur et l'on peut apprécier la simplicité de ses ingrédients : œuf, vanille, sucre, formant un gâteau d'une extrême légèreté. Il est même paradoxal de réussir à partir d'ingrédients aussi courants un dessert de cette qualité.

Votre patience (une vertu qui n'a pas de prix) est la condition du succès. Dès que l'eau est en ébullition, on doit interrompre aussitôt la cuisson, déposer le biscuit dans le moule et patienter 20 minutes avant de poursuivre la préparation. Ce laps de temps vous sera très utile pour la crème anglaise à la vanille, ou le coulis d'abricots ou de framboises qui sert d'accompagnement.

Est-il besoin de préciser que l'on ne peut employer que des œufs d'une parfaite fraîcheur ? Prenez garde à ne pas trop les monter, car un brassage excessif provoquerait une trop forte circulation de l'air à l'intérieur de la masse et votre biscuit s'écroulerait comme un château de cartes (pour ne pas dire un château en Espagne).

L'évaporation consécutive à la cuisson du biscuit est très faible. Il faut nécessairement, comme l'indique la phase 3, que le sirop soit versé très chaud sur le biscuit et que vous preniez le temps de le laisser ensuite reposer 12 à 15 heures. Sa légèreté s'accommodera fort bien, par la suite, d'un décor de feuilles de menthe fraîche très parfumée.

1. Pour le biscuit capuchina, travailler les jaunes d'œufs avec les graines de la gousse de vanille. Verser la pâte dans un moule à manqué beurré de 18 x 3,5 cm de hauteur. Pour le sirop à la vanille, porter à ébullition l'eau, le sucre et la demi-gousse de vanille.

2. Cuire 20 minutes le biscuit à la vapeur dans un récipient hermétiquement fermé.

capuchina

3. Après la cuisson, arroser immédiatement le biscuit capuchina de sirop à la vanille très chaud. Laisser refroidir 12 heures au réfrigérateur.

4. Sortir le capuchina du réfrigérateur et le faire égoutter sur une grille. Saupoudrer de sucre glace et glacer au fer rouge. Éventuellement, faire sécher au four des gousses de vanille vidées, les tremper dans le blanc d'œuf et les enrober de sucre semoule. Mettre au four à 180 °C pour que les cristaux se forment et disposer ces gousses sur l'entremets. Décorer de feuilles de menthe et de quartiers d'abricots caramélisés.

Préparation	2 heures 15 minutes
Cuisson	30 minutes
Difficulté	★ ★ ★

Pour 8 personnes

Crème caramel au café :
250 g de sucre
500 ml de crème fleurette
5 g de café soluble
6 jaunes d'œufs
6 feuilles de gélatine
750 ml de crème fouettée

Croustillant de gaufre :
300 g de nougat de Jijona liquide
200 g de chocolat de couverture au lait
50 g de beurre
120 g de gaufres écrasées
Biscuit aux noisettes :
7 blancs d'œufs (225 g)
75 g de sucre
375 g de poudre de noisettes grillées
Décoration :
caramel fondu
gelée miroir (voir p. 294)
fruits rouges de saison
grillage en chocolat

Le caractère exceptionnel de ce gâteau réside dans son fond de gaufrette croustillante dont la surface fragile rappelle les alvéoles des ruches d'abeilles. Chacune de ses cavités peut accueillir du sucre, de la crème, de la confiture ou quelque autre douceur dont le moelleux se conjugue au croustillant de la pâte.

L'idée de ce dessert commence lorsque Francisco Torreblanca se délecte d'une glace à la vanille garnie de lamelles de chocolat. Inspiré par ce contraste, notre chef établit la recette du croustillant de gaufre, enrichi de beurre et de crème, puis mis au frais pour y prendre la consistance voulue.

Il faut préparer délicatement la crème à base de caramel blond, réalisé à sec, pour en garnir avec soin chaque lamelle du croustillant de gaufre. Cette crème ne devra en aucun cas bouillir. L'adjonction de café met en scène un café doux de type « Colombie » moulu très finement, ou encore un café soluble de première qualité. Il faut cependant veiller à choisir un café dont le goût n'éclipse pas celui du caramel.

Pour le biscuit aux noisettes qui sert de base à tout l'édifice, notre chef préconise l'emploi des savoureuses noisettes de Tarragone, ou à défaut de pistaches ou de noix. Dans tous les cas, vous les moudrez avec leur peau pour intégrer à la préparation l'ensemble du fruit sec.

1. Pour la crème caramel au café, faire caraméliser le sucre à sec. Dans une sauteuse, décuire avec la crème fleurette chaude et ajouter le café soluble. Travailler au fouet les jaunes d'œufs, mélanger les deux masses et cuire à la nappe comme pour une crème anglaise (85 °C). Ajouter les feuilles de gélatine ramollies à l'eau froide, laisser refroidir et terminer en incorporant la crème fouettée.

2. Pour le croustillant de gaufre, travailler légèrement au fouet le nougat, le chocolat au lait fondu et le beurre en pommade. Bien mélanger, puis ajouter délicatement les brisures de gaufres. Garnir de cette pâte des moules à tarte de 16 cm de diamètre sur une épaisseur de 0,5 cm. Réserver au congélateur pendant 4 heures.

au café

3. Pour le biscuit aux noisettes, monter les blancs en neige avec le sucre et ajouter la poudre de noisettes. Étaler sur une plaque recouverte de papier sulfurisé des cercles de 16 cm de diamètre. Cuire au four 30 minutes à 170 °C. Dans un moule de 18 x 3,5 cm, déposer un disque de biscuit sur du film alimentaire. Garnir d'une couche de crème, d'un disque de croustillant, d'une couche de crème, terminer par un disque de biscuit et masquer de crème. Déposer au congélateur.

4. Marbrer la surface du gâteau avec du caramel fondu et glacer à la gelée miroir. Décorer de fruits de saison et disposer tout autour un grillage en chocolat.

Crème de chocolat

Préparation	1 heure
Cuisson	12 minutes
Difficulté	★★★

Pour 8 personnes

Crème de chocolat au gingembre :
90 ml de lait
70 ml de crème fraîche
3 jaunes d'œufs (75 g)
10 g de Maïzena
30 g de gingembre confit
180 g de chocolat extra amer

Meringue italienne :
4 blancs d'œufs (125 g)
125 g de sucre

Pâte sablée :
330 g de farine
165 g de beurre, 1 œuf
85 g de sucre
80 g de sucre glace
1 pincée de sel, 2 g d'émulsionnant
Crème au citron :
100 ml de jus de citron
100 g de sucre
200 g de beurre
zeste de 2 citrons
1 œuf
40 g de sucre
Décoration :
sucre
quelques fruits de saison

Voici bien longtemps que les Maures ont quitté l'Espagne, où leur séjour s'est accompagné d'un exceptionnel brassage de civilisations dont on peut encore voir les traces. En cuisine, c'est à leur influence que l'on doit la cuisson du riz, l'usage du safran… et bien d'autres principes dont s'inspire la pâtisserie de Francesco Torreblanca. C'est le cas de cette savoureuse combinaison de gingembre et de chocolat, qui résulte d'une longue tradition d'usage des épices.

Pour éviter la surprenante saveur du gingembre frais, notre chef recommande la version confite, beaucoup plus tendre, moelleuse et digeste. D'abord blanchi pour diminuer sa force, le gingembre est pelé, coupé en rondelles et cuit à la vapeur avec le sucre.

Vous pourrez utiliser un four à micro-ondes si vous enrobez le gingembre d'un film alimentaire : la vapeur qu'il dégage se révèle un puissant adjuvant pour l'attendrir, tandis que le sucre caramélise en surface. Ce procédé vous permet d'obtenir un gingembre parfaitement adapté à cette recette.

Reste à choisir le second partenaire, un chocolat peu sucré et de préférence très riche en cacao (64 % minimum). Le criollo, mélange très recherché de fèves de Côte-d'Ivoire et du Venezuela, passe pour l'un des meilleurs produits que l'on peut utiliser ici. Les plus raffinés se feront un devoir de n'accepter que le « diamant noir », le criollo du Pacifico, plus pur encore et de ce fait un peu plus acide.

1. Pour la crème de chocolat au gingembre, faire bouillir dans une casserole le lait avec la crème, puis mélanger les jaunes avec la Maïzena et réaliser une crème pâtissière. Pour la meringue italienne, monter les blancs d'œufs en neige et verser dessus le sucre chauffé à 121 °C. Mélanger la crème pâtissière et la meringue chaude, puis ajouter le gingembre confit et le chocolat fondu.

2. Pour la pâte sablée, faire une fontaine avec la farine, y mélanger le beurre ramolli, puis tous les autres ingrédients. Travailler le tout et laisser reposer au frais. Foncer un moule de 18 cm de diamètre et cuire à blanc à 180 °C pendant 12 minutes. Pour la crème au citron, faire bouillir le jus de citron avec le sucre, le beurre et le zeste. Battre l'œuf et le sucre, mélanger les deux masses, porter à ébullition quelques minutes et passer au chinois.

au gingembre

3. Entourer le fond de pâte sablée d'une bande de Rhodoïd de 4 cm de hauteur. Garnir le fond de pâte avec la crème au citron, la caraméliser et réserver 2 heures au congélateur.

4. Terminer en recouvrant le biscuit de crème de chocolat au gingembre et remettre à nouveau 2 heures au congélateur. Démouler, saupoudrer de sucre et caraméliser. Décorer de fruits de saison.

Préparation   *2 heures*
Cuisson   *20 minutes*
Difficulté   ★ ★ ★

Pour 8 personnes

Pâte sablée : voir p. 296

Crème pâtissière au safran (voir p. 292) :
250 ml de lait
6 jaunes d'œufs (120 g)
90 g de sucre
30 g de Maïzena
10 stigmates de safran
3 feuilles de gélatine

Meringue italienne :
90 g de sucre
25 ml d'eau
2 blancs d'œufs (70 g)
25 g de sucre

Décoration
300 g d'abricots
sucre
quelques fruits de saison
motifs en chocolat (facultatif)
coulis de fruits de la Passion ou d'abricots
(facultatif)

Il est certain que les doigts gracieux de la véritable Dulcinée du Toboso, objet de tant de convoitises, durent participer plus d'une fois à la cueillette du safran de la Mancha, cette terre d'aventures pour héros en mal de moulins à vent. On cueille les stigmates de safran au petit jour, avant que le soleil se lève, au moment précis où se referme la fleur du crocus – et cet aromate, qui compte parmi les plus précieux, viendra parfumer le dessert que Francisco Torreblanca, par un clin d'œil littéraire, a baptisé du nom de l'héroïne de Cervantès.

En raison du fort pouvoir colorant du safran, mais aussi de son goût très prononcé, vous le doserez toujours avec prudence (il est même préférable d'exécuter toute la crème la veille, sa conservation au réfrigérateur ne posant aucun problème).

Il n'est pas mauvais non plus de toaster légèrement les pistils de safran sous la salamandre juste avant de les ajouter à la crème : ce petit coup de chaud vous permettra de tirer le meilleur parti de cet ingrédient riche en surprises et sans doute largement imprévu dans un tel dessert.

Pour que ce gâteau rende honneur à son nom, vous le coifferez d'une rangée d'abricots mûrs de taille moyenne, dont on apprécie les oreillons charnus d'une élégante couleur jaune orangé. Le prestige réclame enfin du coulis, d'abricots ou de fruits de la Passion, mais vous pourrez choisir *ad libitum* tout autre fruit de saison.

1. Préparer la pâte sablée, puis la mettre au frais. Beurrer un moule à tarte de 18 cm de diamètre, le foncer avec la pâte et cuire à blanc 15 minutes au four à 180 °C.

2. Confectionner la crème pâtissière additionnée de stigmates de safran et de feuilles de gélatine préalablement ramollies à l'eau froide et égouttées.

3. Pour la meringue italienne, chauffer le sucre et l'eau à 121 °C, puis verser en filet sur les blancs d'œufs montés en neige ferme avec le sucre. Laisser tourner en deuxième vitesse jusqu'à complet refroidissement. Mélanger délicatement la crème pâtissière et la meringue. Garnir des moules à tarte de 16 cm de diamètre, puis les congeler.

4. Sortir du congélateur un disque de crème pâtissière au safran et le déposer à l'intérieur du fond de pâte sablée. Caraméliser la crème au fer rouge. Couper les abricots en quartiers, les saupoudrer de sucre et les caraméliser également au fer rouge. Les disposer tout autour de la crème pâtissière et décorer le dessus de fruits de saison ou de motifs de chocolat.

Préparation	1 heure 20 minutes
Cuisson	30 minutes
Difficulté	★

Pour 8 personnes

Pâte feuilletée :
500 g de farine
400 g de beurre
15 g de sel
125 ml d'eau
100 g de beurre fondu
25 ml de xérès

Crème pâtissière (500 g)
et confiture de cheveux d'ange (150 g) :
voir pp. 292 et 291

Décoration :
150 g de pâte d'amandes
150 g de pignons de pin
sucre

Nul besoin de s'armer d'une tondeuse et de se poster aux portes du paradis dans l'espoir d'y récolter ces fameux *cabellos de angel*, les cheveux d'ange dont on garnit cette pâtisserie de Catalogne. Il s'agit de longs filaments que l'on extrait d'une variété de courge lentement cuite à feu doux pendant une bonne heure et demie, jusqu'à former une masse de consistance molle. C'est ce que l'on appelle sous d'autres latitudes les spaghetti végétaux.

Une fois isolés de la courge et rafraîchis, ces filaments sont cuits avec du sucre comme pour une confiture, le cas échéant parfumés (à l'essence de bergamote, par exemple, ou de fleurs d'oranger), et leur usage en pâtisserie connaît quelques variantes selon le bon vouloir des artisans.

L'une des clefs du mediterraneo tient ensuite à la qualité de la pâte feuilletée, que l'on réalisait jadis au saindoux et qui ne connaît plus aujourd'hui que le beurre de qualité. Vous aurez à cœur de la cuire très lentement à une température plutôt douce (100 °C), pour qu'elle soit à la fois assez cuite en profondeur et bien croustillante en surface.

La crème pâtissière doit naturellement se présenter avec légèreté et suffisamment d'arôme pour couvrir d'éventuels relents de farine ou de Maïzena. Cet entremets est en général plutôt facile à préparer, si ce n'est qu'il exige un excellent vin de xérès (dont il existe de fort bons crus). C'est de cette région du Sud de l'Espagne que Christophe Colomb partit pour les « Indes » en 1498.

1. Pour le feuilletage, mélanger 150 g de farine et 400 g de beurre. Laisser reposer 1 heure au réfrigérateur. Pétrir le reste des ingrédients et laisser reposer 1 heure au réfrigérateur. Abaisser le mélange, y incorporer la masse précédente et tourner d'un tour simple, un double et un simple à intervalles d'1 heure. Garder au frais. Le lendemain, donner un autre tour. Abaisser et découper des disques de 18 cm de diamètre.

2. Réaliser 500 g de crème pâtissière. Déposer un disque de feuilletage sur une plaque de cuisson et le recouvrir d'une fine couche de cheveux d'ange.

3. Recouvrir les cheveux d'ange d'une couche de crème pâtissière et déposer par-dessus le second disque de feuilletage. Bien appuyer sur les bords pour les coller ensemble et les pincer pour fermer le gâteau.

4. Détendre la pâte d'amandes avec un peu d'eau. En masquer entièrement l'entremets, recouvrir de pignons de pin et saupoudrer de sucre. Cuire au four 25 à 30 minutes à 190 °C. Servir tiède.

Préparation	*2 heures*
Cuisson	*7 minutes*
Difficulté	★ ★

Pour 8 personnes

Pâte à truffes au cacao :
500 ml de crème fleurette
50 g de sucre
35 g de cacao en poudre

Biscuit alhambra :
375 g de mélange poudre d'amandes/sucre
   (en quantités égales)
5 œufs (250 g)
7 blancs d'œufs (175 g)

25 g de sucre
110 g de farine

Jaunes d'œufs cuits :
750 g de sucre
225 ml d'eau
1/2 gousse de vanille
2 g de crème de tartre
12 jaunes d'œufs (250 g)
5 œufs (225 g)

Crème Chantilly :
500 ml de crème fleurette
50 g de sucre

Décoration :
sucre pour caraméliser
motifs en chocolat

Les frères Goncourt improvisèrent un jour pour les besoins d'une cause architecturale l'adjectif « alhambresque », susceptible de célébrer quelque bâtiment digne du palais des rois maures de Grenade. Cette expression n'est aujourd'hui pas très courante, mais l'on ne saurait trouver meilleur qualificatif à ce dessert coloré dont le véritable nom rappelle une ascendance monastique (c'est fréquemment le cas en Espagne).

Ce délicat dessert d'origine catalane est donc « alhambresque ». Il est assez riche en calories et peut se conserver très longtemps. On notera qu'il ne comporte pas de beurre et que seules les amandes lui confèrent un minimum de graisse (celle que l'on extrait pour confectionner l'huile d'amandes douces).

Parmi les nombreuses recommandations de Francisco Torreblanca, retenons qu'il faut utiliser une crème pasteurisée, mais non stérilisée, et la monter légèrement sans dépasser les doses de sucre prescrites. Pour mener à bien l'opération, il est indispensable que tous les ingrédients et ustensiles soient à la même température, c'est-à-dire 0 °C.

Pour éviter que la cuisson des jaunes d'œufs ne les fasse virer à une autre couleur assez peu plaisante (le vert foncé), vous utiliserez prudemment la crème de tartre ou l'acide tartrique – ou tout simplement le jus de citron. La dernière précaution consiste à caraméliser gracieusement le san marcos juste avant de le servir avec une crème épaisse.

1. Pour la pâte à truffes, monter la crème en chantilly, puis ajouter le sucre et le cacao. Pour le biscuit alhambra, mélanger la poudre d'amandes et le sucre avec la moitié des œufs, puis monter au fouet avec le reste des œufs. Monter les blancs d'œufs en neige bien ferme avec le sucre, mélanger les deux masses et terminer en incorporant la farine tamisée. Dresser sur une plaque recouverte de papier sulfurisé et cuire au four 7 minutes à 280 °C.

2. Pour les jaunes d'œufs cuits, préparer un sirop en portant à ébullition le sucre, l'eau, la gousse de vanille et la crème de tartre à 38° Beaumé. Ajouter les jaunes d'œufs battus et passer au chinois. Cuire le tout sans cesser de remuer jusqu'à ce que le mélange arrive à ébullition. Laisser refroidir pendant 1 heure et garder au réfrigérateur.

Marcos

3. Monter la crème Chantilly avec le sucre. Dans un cadre rectangulaire (moule à opéra), déposer un fond de biscuit alhambra, masquer de pâte à truffes, ajouter une abaisse de biscuit, une couche de chantilly et terminer par une abaisse de biscuit. Mettre au congélateur pendant 7 heures.

4. À la sortie du congélateur, masquer toute la surface de l'entremets avec les jaunes d'œufs. Saupoudrer de sucre et caraméliser. À l'aide d'une lame de couteau trempée dans l'eau chaude, égaliser le tour du gâteau. Décorer de motifs en chocolat noir ou au lait.

Tarte au lai

Préparation   *1 heure 30 minutes*
Cuisson   *10 minutes*
Difficulté   ✳ ✳

Pour 8 personnes

Biscuit aux amandes et cannelle :
6 œufs (300 g), 250 g de sucre
250 g de poudre d'amandes
1 cuil. à café de cannelle en poudre
Gelée de pommes :
2 l de jus de pommes
   (obtenu à partir des chutes)
2 kg de sucre, 40 g de pectine
20 feuilles de gélatine

Gélatine au vin de muscat :
200 ml de vin de Moscatel (muscat)
125 ml de sirop de glucose

1 kg de gélatine de pommes
Crème de lait à la vanille :
250 ml de lait, 1 gousse de vanille
5 jaunes d'œufs (100 g)
100 g de sucre
250 g de chocolat blanc de couverture
4 feuilles de gélatine
600 ml de crème fleurette fouettée
Gélatine blanche :
500 g de gélatine au vin de muscat
325 g de chocolat blanc de couverture
Décoration :
gousses de vanille, plaquettes de chocolat
pétales de roses caramélisés
Accompagnement :
coulis de cerises

Il faut toujours prendre garde à ne pas verser trop de cannelle dans les préparations, car cette épice a un goût très prononcé. Il n'en demeure pas moins qu'il est traditionnel, dans la région de Valence, de consommer aux premiers beaux jours le lait additionné de cannelle dans une version de granité (*granizado*). Dans le cas présent, toute la difficulté de la recette consiste à savoir doser habilement les amandes et la cannelle en poudre.

Il est recommandé de réaliser vous-même la gélatine de pommes utilisée pour le dessert, avec la peau des fruits ajoutée à un mélange de pectine et d'eau. Une émulsion, puis une addition de glucose et quelques temps au congélateur vous procurent une gélatine naturelle, légèrement acide et facile à conserver.

Vous apprécierez certainement la saveur que lui confère en plus le fameux Moscatel, ce petit vin de muscat de la région de Jávea (non loin d'Alicante) dont les connaisseurs célèbrent volontiers l'arrière-goût de miel. Une fois convaincu de la facilité de cette préparation, vous pourrez même faire varier son arôme avec d'autres muscats, du sauternes ou même du champagne.

La préparation de la crème de lait à la vanille réclame une infusion préalable de 24 heures au moyen d'une gousse soigneusement grattée. Pour éviter tout incident, vous respecterez exactement la température de cuisson à 85 °C. La crème ainsi réalisée peut se conserver à 8 °C pendant trois ou quatre jours et même se congeler, si nécessaire.

1. Pour le biscuit, clarifier les œufs. Monter les blancs en neige avec le sucre, ajouter les jaunes légèrement battus, la poudre d'amandes et la cannelle. Dresser sur une plaque recouverte de papier sulfurisé et cuire 7 minutes à 230 °C. Pour la gelée, cuire les pelures dans l'eau, égoutter et mettre le même poids de sucre que de jus. Porter à ébullition, ajouter la pectine, la gélatine et chinoiser. Terminer en chauffant le vin, le glucose et la gélatine de pommes. Réserver.

2. Pour la crème de lait à la vanille, faire bouillir le lait avec la gousse de vanille. Travailler les jaunes d'œufs avec le sucre, mélanger les deux masses et cuire à la nappe comme une crème anglaise. Ajouter le chocolat blanc coupé en petits morceaux et la gélatine ramollie à l'eau froide. Laisser refroidir et incorporer la crème fouettée.

de cannelle

3. Monter l'entremets à l'envers dans un moule de 18 x 3,5 cm. Déposer sur un plateau une feuille de film alimentaire, poser dessus un moule et garnir en alternant deux couches de crème et deux couches de biscuit, en commençant obligatoirement par la crème. Réserver au congélateur pendant 4 heures. Pour la gélatine blanche, faire chauffer la gélatine de vin de muscat avec le chocolat blanc.

4. Sortir l'entremets du congélateur, le poser sur une grille et glacer avec la gélatine blanche. Décorer de gousses de vanille coupées en deux dans la longueur, séchées au four, puis passées au blanc d'œuf et au sucre. Entourer de plaquettes de chocolat et garnir en dernier lieu de pétales de rose caramélisés. Servir accompagné d'un coulis de cerises.

Préparation — *1 heure 30 minutes*
Cuisson — *7 minutes*
Difficulté — ★ ★

Pour 8 personnes

Biscuit aux amandes :
5 œufs
250 g de sucre
250 g de poudre d'amandes
zestes râpés de 2 citrons
gingembre confit

Crème au citron :
200 ml de jus de citron
200 g de sucre
250 g de beurre
zestes râpés de 4 oranges
8 œufs (400 g)
200 g de sucre
Sirop de citron :
250 ml d'eau
125 g de sucre
jus d'1/2 citron
Décoration :
cacao en poudre
gelée miroir (voir p. 294)
cornet de chocolat blanc
fruits de saison

La province d'Alicante produit en grande quantité des fruits justement réputés. C'est notamment dans la vallée du Segura inférieur que se multiplient orangers, citronniers et abricotiers, au sein d'un vaste paradis de vergers et de vignes. Francisco Torreblanca est originaire de cette région, ce qui explique sans autre commentaire pourquoi la pâtisserie Torel, depuis 1989, lui rend un hommage sous la forme de cette tarte aux citrons.

La base est un biscuit aux amandes ; celles-ci sont de la variété marcona, riche en huile (que l'on doit conserver au frais). La grande fécondité des amandiers de ce type est bien connue, de même que leur maturité tardive (en octobre). On déguste impérativement les amandes marcona dans l'année.

Les amandes seront longuement broyées pour en extraire l'huile et jusqu'à obtenir une pâte homogène qui dispense d'ajouter de la farine au biscuit.

Mais toute la force de la recette réside dans le contraste entre les citrons d'Alicante, assez acides, et la forte saveur du gingembre confit (qu'il faut naturellement employer avec beaucoup de parcimonie). Le jus d'un citron de cette qualité réclame une bonne quantité de sucre (500 g environ) pour former un sirop passable, compte tenu de la fraîcheur du fruit d'origine. Notre chef recommande enfin d'accompagner cette tarte d'une sauce à l'orgeat de souchet (*horchata de chufa*), spécialité de la ville d'Alboraya, dans la région de Valence.

1. Pour le biscuit aux amandes, clarifier les œufs. Monter les blancs en neige ferme avec le sucre et ajouter petit à petit les jaunes d'œufs, la poudre d'amandes, les zestes de citrons râpés et le gingembre confit. Étaler sur une plaque recouverte de papier sulfurisé et cuire 7 minutes à 230 °C.

2. Pour la crème au citron, faire bouillir le jus de citron, le sucre, le beurre et les zestes de citrons râpés. Travailler les œufs et le sucre, mélanger les deux masses, puis porter à ébullition 2 à 3 minutes. Passer au chinois et laisser refroidir. Pour le sirop de citron, faire bouillir l'eau, le sucre et le jus du demi-citron.

citrons d'Alicante

3. Déposer sur le plan de travail un moule de 18 cm de diamètre et 3,5 cm de hauteur. Le chemiser d'une bande de biscuit de 3 cm de hauteur. Découper deux abaisses de biscuit. Monter l'entremets en garnissant alternativement de biscuit imbibé de sirop de citron, puis de crème au citron, en commençant par la crème. Réserver 4 heures au congélateur.

4. À la sortie du congélateur, renverser le gâteau et démouler. Moucheter le tour de cacao en poudre et glacer le dessus d'une gelée miroir. Décorer d'un petit cornet de chocolat blanc et garnir de fruits de saison.

Tarte capuchina

Préparation	*1 heure 30 minutes*
Cuisson	*15 minutes*
Difficulté	✳ ✳

Pour 8 personnes

Biscuit malaga :
10 jaunes d'œufs (200 g)
1 œuf (35 g)
200 g de sucre
7 blancs d'œufs (170 g)
35 g de sucre
35 g de farine
30 g de cacao en poudre
70 g de poudre d'amandes grillées
85 g de beurre

Crème au chocolat :
90 ml de lait, 100 ml de crème fleurette
5 jaunes d'œufs (100 g)

30 g de sucre, 50 g de sucre glace
250 g de chocolat de couverture (64 %
   de cacao)
500 ml de crème fouettée

Sirop à la vanille :
250 ml d'eau, 125 g de sucre
1/2 gousse de vanille

Biscuit capuchina et glaçage au chocolat :
   voir pp. 289 et 295

Décoration :
gousse de vanille caramélisée
pétales de roses caramélisés

On reconnaît l'ordre des Capucins, sous-groupe des Frères mineurs constitué au XVIᵉ siècle, à ce qu'ils portent la barbe et surtout un long capuchon. C'est à cette branche des Franciscains, soumis au strict respect de règles sévères, que la tarte capuchina rend hommage. Le glaçage au chocolat dont elle se pare en dernier lieu évoque la couleur de leur habit.

Concrètement, c'est un biscuit très fin riche en amandes et susceptible de se conserver longtemps. Il ne doit pas offrir une trop forte douceur (ce serait aller contre la règle franciscaine), c'est pourquoi on utilise en glaçage un chocolat à forte teneur en cacao (au moins 64 %).

Francisco Torreblanca se flatte d'avoir soumis sa tarte au *nihil obstat* des capucins, eux-mêmes producteurs d'un chocolat. L'expérience fut très concluante, tout comme auprès des trappistes : c'est encore une fois l'occasion de rappeler la part essentielle que jouent dans la pâtisserie espagnole les traditions forgées par des siècles de présence des ordres monastiques.

Les vénérables couvents et monastères d'Espagne regorgent de recettes similaires aux côtés des austères traités de théologie. Mais n'avons-nous pas, en France, les aimables productions des pères chartreux liquoristes, les fromages des différentes Trappes, et bien sûr nos religieuses au chocolat, si dodues sous leur plissage de chantilly ?

1. Pour le biscuit malaga, monter les jaunes et les œufs avec le sucre. Monter les blancs en neige ferme avec le sucre. Mélanger délicatement les deux masses avec une spatule, puis ajouter la farine, le cacao en poudre et la poudre d'amandes grillées. Terminer par le beurre fondu. Étaler sur une plaque recouverte de papier sulfurisé et cuire au four 6 à 8 minutes à 240 °C.

2. Pour la crème au chocolat, faire bouillir le lait et la crème fleurette. Travailler les jaunes d'œufs avec le sucre et le sucre glace. Mélanger au fouet les deux masses et cuire à la nappe comme une crème anglaise. Hors du feu, ajouter le chocolat coupé en petits morceaux. Laisser refroidir à 30 °C et incorporer la crème fouettée. Pour le sirop à la vanille, porter à ébullition dans une casserole tous les ingrédients.

au chocolat

3. Monter l'entremets à l'envers : placer sur un carton à gâteau une feuille de film alimentaire, y poser un cercle de 18 cm de diamètre et de 3,5 cm de hauteur. Garnir d'une couche de crème au chocolat et placer au centre un disque de biscuit capuchina de 16 cm de diamètre. Couvrir de crème au chocolat et fermer avec un disque de biscuit malaga. Réserver 4 heures au congélateur.

4. Préparer le glaçage au chocolat. Faire sécher au four la gousse de vanille vidée, la tremper dans le blanc d'œuf et l'enrober de sucre. Mettre au four à 180 °C pour que les cristaux se forment. Démouler le gâteau, le poser sur une grille et le recouvrir de glaçage au chocolat. Décorer de pétales de roses caramélisés et de la gousse de vanille.

Préparation	*1 heure 45 minutes*
Cuisson	*20 minutes*
Difficulté	✶ ✶

Pour 8 personnes

Biscuit aux amandes : voir p. 288
Crème jijona :
200 g de nougat de Jijona
100 g de chocolat de couverture au lait
250 ml de crème fleurette
5 feuilles de gélatine
500 ml de crème fraîche fouettée

Amandes caramélisées :
65 g de sucre
125 g d'amandes mondées
15 g de beurre
Glaçage au chocolat :
180 ml de sirop à 30° Beaumé
60 ml de sirop de glucose
60 ml de crème fleurette
40 g de cacao en poudre
2 feuilles de gélatine
Décoration :
amandes entières caramélisées
feuilles de cerisier cristallisées
lamelles de chocolat
miroirs de chocolat

Réputée pour la qualité de ses raisins secs et de son turrón, un compromis au miel entre la pâte d'amandes et le nougat, la ville de Jijona, dans la province d'Alicante, n'a pas de raison d'envier la notoriété que vaut à Montélimar son excellent nougat. Il y a même une appellation contrôlée « turrón de Jijona », qui rend obligatoire l'utilisation exclusive de miel de romarin et l'amande marcona. On traduit en français turrón par « touron » (le mot existe depuis 1715) et plus souvent nougat.

C'est cette même amande marcona qu'il vous faudra choisir pour la caraméliser à sec, en procédant lentement et d'abord par le sucre : le caramel doit être clair et donc n'en comporter qu'une quantité raisonnable.

Pour le biscuit aux amandes, tout à fait classique, vous devrez au préalable faire légèrement griller les amandes. Vous ajouterez le miel à 60 °C pour travailler la pâte en souplesse. Pour la crème jijona, il convient de passer au gros tamis le touron, afin d'en conserver quelques morceaux croquants dans le gâteau final.

Pour le biscuit, la cannelle sera employée avec parcimonie. Cette épice (qui rappelle avec finesse et distinction le souvenir des Maures qui régnèrent sur l'Espagne au Moyen Âge) devra, pour dégager tout son arôme, être utilisée en bâtonnet, râpée au dernier moment et passée au tamis fin.

1. Confectionner le biscuit aux amandes. Pour la crème jijona, passer au tamis le nougat de Jijona, le mélanger au chocolat fondu et ajouter la crème bouillante, ainsi que la gélatine ramollie à l'eau froide. Laisser refroidir le tout à 30 °C et incorporer la crème fraîche montée en chantilly.

2. Pour les amandes caramélisées, chauffer le sucre à sec avec les amandes mondées. Une fois la caramélisation terminée, ajouter le beurre. Déposer les amandes sur du papier sulfurisé huilé, en conserver quelques-unes pour le décor et concasser les autres.

de Jijona

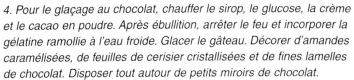

3. Monter à l'envers dans un moule de 18 cm de diamètre et de 3,5 cm de hauteur. Déposer sur une plaque une feuille de film alimentaire et y placer le moule. Monter en alternant deux couches de biscuit et deux couches de crème jijona parsemée d'amandes caramélisées, en commençant par la crème. Réserver 4 heures au congélateur.

4. Pour le glaçage au chocolat, chauffer le sirop, le glucose, la crème et le cacao en poudre. Après ébullition, arrêter le feu et incorporer la gélatine ramollie à l'eau froide. Glacer le gâteau. Décorer d'amandes caramélisées, de feuilles de cerisier cristallisées et de fines lamelles de chocolat. Disposer tout autour de petits miroirs de chocolat.

Recettes de base

Biscuit

Recette : Tarte à la crème de fraises, de Franz Augustin

Ingrédients :

6 œufs – 250 g de sucre – 250 g de farine – 50 g de beurre

Préparation :

Travailler dans la cuve du batteur les œufs et le sucre jusqu'à l'obtention d'un ruban. Mélanger à l'aide d'une spatule en bois la farine tamisée et ajouter en dernier le beurre fondu tiède.

Recette : Anneau de nougat à la vanille de Bourbon, d'Éric Baumann

Ingrédients :

4 petits œufs (175 g) – 1 jaune d'œuf (25 g) – 125 g de sucre – 75 g de farine – 75 g de fécule – 100 g de beurre

Préparation :

Chauffer les œufs et le sucre à environ 32 °C, puis battre cette masse jusqu'à l'obtention d'un ruban. Ajouter la farine et la fécule tamisées. Incorporer délicatement le beurre chaud à la fin.

Recette : Royal, de Bernard Proot et Gunther Van Essche

Ingrédients :

A : 4 petits œufs (175 g) – 225 g de mélange poudre d'amandes/sucre en quantités égales (tant pour tant) – zeste râpé d'1 orange – B : 5 blancs d'œufs (185 g) – 125 g de sucre – 75 g de farine – 100 g de noix moulues – 50 g de beurre fondu

Préparation :

A : Dans la cuve du batteur, travailler au fouet les œufs, le tant pour tant et le zeste d'orange râpé. B : À part, monter les blancs d'œufs avec le sucre ; mélanger délicatement les deux masses, la farine, les noix et le beurre fondu. Étaler sur une plaque recouverte de papier sulfurisé et cuire au four environ 10 minutes à 180 °C.

Biscuit à la cuillère

Recette : Palette aux fruits du temps, de Christian Cottard

Ingrédients :

8 jaunes d'œufs – 100 g de sucre – 8 blancs d'œufs – 150 g de sucre – 190 g de farine – 1/4 de sachet de levure chimique

Préparation :

Monter les jaunes d'œufs avec 100 g de sucre. Dans un autre récipient, monter les blancs d'œufs en neige avec 150 g de sucre. Incorporer les blancs d'œufs aux jaunes, puis ajouter la farine tamisée avec la levure.

Recette : Amandine, de Pierre Hermé

Ingrédients :

A : 10 blancs d'œufs (360 g) – 150 g de sucre – B : 18 jaunes d'œufs (360 g) – 100 g sucre – 180 g de farine type 405

Préparation :

A : Monter les blancs d'œufs en neige avec 150 g de sucre. B : Mélanger au fouet les jaunes d'œufs et 100 g de sucre. Incorporer le premier mélange au second. Ajouter en dernier la farine tamisée à la spatule. Étaler le biscuit dans un cadre sur 1 cm d'épaisseur et peigner en biais avec le peigne à biscuit. Cuire à 220-230 °C, buée ouverte.

Recette : Fleur de fraises des bois et groseilles, de Pierre Hermé

Ingrédients :

A : 10 blancs d'œufs (360 g) – 150 g de sucre – B : 18 jaunes d'œufs (360 g) – 100 g sucre – 160 g de farine type 405

Préparation :

A : Monter les blancs d'œufs en neige avec 150 g de sucre. B : Mélanger au fouet les jaunes d'œufs et 100 g de sucre. Incorporer le premier mélange au second. Ajouter en dernier la farine tamisée à la spatule. Dresser en spirale des disques de biscuit à la douille n° 8. Cuire à 220-230 °C, buée ouverte.

Biscuit au chocolat

Recette : Chocolat au goût de cassis, de Lucas Devriese

Ingrédients :

12 œufs (600 g) – 360 g de sucre – 225 g de farine – 75 g de Maïzena – 55 g de cacao en poudre

Préparation :

Monter au batteur les œufs avec le sucre jusqu'à l'obtention d'un ruban. Ajouter en mélangeant délicatement à l'aide d'une spatule en bois la farine, la Maïzena et le cacao tamisés. Suivant l'usage, étaler sur une plaque recouverte de papier sulfurisé ou dans des moules beurrés et farinés. Cuire au four 25 minutes environ à 180 °C.

Biscuit au chocolat sans farine

Recette : Riviera, de Pierre Hermé

Ingrédients :

190 g de beurre – 90 g de sucre glace – 12 g de cacao en poudre – 5 jaunes d'œufs (100 g) – 2 petits œufs (75 g) – 225 g de chocolat de couverture Manjari fondu – 10 blancs d'œufs (340 g) – 125 g de sucre

Préparation :

Dans le bol du robot, battre au fouet le beurre, le sucre glace et le cacao. Ajouter progressivement les jaunes et les œufs entiers, puis le chocolat fondu. Pour terminer, incorporer les blancs d'œufs montés en neige et serrés avec le sucre. Dresser en spirale sur du papier sulfurisé à l'aide d'une douille n° 9. Faire cuire 20 à 25 minutes à 180 °C.

Biscuit aux amandes

Recettes : Tarte aux citrons d'Alicante et tortada de Jijona, de Francisco Torreblanca

Ingrédients :

5 œufs – 250 g de sucre – 250 g de poudre d'amandes – zeste d'1/2 citron – 1 cuil. à café de cannelle

Préparation :

Clarifier les œufs. Monter les blancs d'œufs en neige bien ferme avec le sucre, puis ajouter petit à petit les jaunes d'œufs, la poudre d'amandes, le zeste de citron et la cannelle. Étaler finement sur une plaque recouverte de papier sulfurisé et cuire au four 6 à 8 minutes à 230 °C.

Pour la tarte aux citrons d'Alicante, remplacer la cannelle par le gingembre confit.

Biscuit cacao

Recette : Caraïbe, de Bernard Proot et Gunther Van Essche

Ingrédients :

A : 10 jaunes d'œufs (200 g) – 75 g de sucre – 135 g de mélange poudre d'amandes/sucre en quantités égales (tant pour tant) – B : 5 blancs d'œufs (175 g) – 60 g de sucre – 70 g de farine – 45 g de cacao en poudre – 70 g de beurre

Préparation :

A : Travailler les jaunes d'œufs, le sucre et le tant pour tant. B : Monter les blancs d'œufs en neige avec le sucre. Verser les jaunes d'œufs sur les blancs montés, ajouter délicatement la farine et le cacao tamisés, puis terminer en incorporant le beurre fondu. Étaler sur une plaque recouverte de papier sulfurisé et cuire 6 minutes à 240 °C.

Biscuit capuchina

Recette : Tarte capuchina au chocolat, de Francisco Torreblanca

Ingrédients :

10 jaunes d'œufs – 1 gousse de vanille – sirop de vanille

Préparation :

Travailler les jaunes d'œufs avec les graines de la gousse de vanille. Verser la masse dans un moule à manqué beurré et cuire 20 minutes à la vapeur dans un récipient hermétiquement fermé. À la fin de la cuisson, arroser immédiatement le biscuit de sirop de vanille bien chaud. Laisser refroidir 12 heures au réfrigérateur.

Biscuit de Savoie

Recette : Michaël's Stella, de Michaël Nadell

Ingrédients :

A : 8 jaunes d'œufs – 200 g de sucre – 200 g de farine – 60 g de Maïzena – B : 8 blancs d'œufs – 125 g de sucre – 25 g de beurre – 30 g de sucre pour le moule

Préparation :

A : Travailler les jaunes d'œufs avec le sucre en fouettant énergiquement. Ajouter la farine et la Maïzena tamisées. B : Monter les blancs d'œufs en neige avec le sucre. Incorporer d'abord un tiers des blancs au mélange sucre-jaunes d'œufs, puis mélanger à l'aide d'une spatule en bois le reste des blancs. Beurrer et sucrer un moule à génoise. Verser l'appareil et cuire au four 40 minutes environ à 180 °C.

Biscuit duchesse

Recettes :
Venise, de Bernard Proot et Gunther Van Essche

Duchesse au vin blanc, Mont-blanc et Mousse de framboise «à la Lucas», de Lucas Devriese

Ingrédients :

4 œufs (200 g) – 100 g de sucre – 20 g de mélange poudre d'amandes/sucre en quantités égales (tant pour tant) – 100 g de farine

Préparation :

Monter les œufs avec le sucre, puis incorporer délicatement le tant pour tant et la farine tamisée. Il faut 600 g de pâte à biscuit pour garnir une plaque de 40 x 60 cm. Cuire à four chaud 6 minutes environ à 250 °C.

Biscuit génoise aux noisettes

Recette : Tourte à la noisette et au chocolat, d'Éric Baumann

Ingrédients :

250 g de pâte de noisettes – 20 ml d'eau – 8 jaunes d'œufs (160 g) – 3 blancs d'œufs (100 g) – 50 g de sucre – 75 g de farine

Préparation :

Travailler la pâte de noisettes avec l'eau, puis ajouter petit à petit les jaunes d'œufs. Battre les blancs d'œufs en neige ferme avec le sucre. Mélanger délicatement les deux masses à l'aide d'une spatule en bois, puis incorporer la farine. Cuire au four environ 20 minutes à 170 °C.

Biscuit japonais

Recette : Tourte au kirsch de Zoug, d'Éric Baumann

Ingrédients :

8 blancs d'œufs (250 g) – 225 g de sucre – 190 g de poudre de noisettes – 35 g de farine

Préparation :

Monter les blancs d'œufs en neige ferme avec le sucre. Tamiser la poudre de noisettes et la farine, puis les incorporer délicatement aux blancs d'œufs à l'aide d'une spatule en bois. Cuire au four 10 minutes à 150 °C.

Biscuit joconde

Recette : Bananier, de Lucas Devriese

Ingrédients :

A : 4 œufs (175 g) – 125 g de sucre – 225 g de mélange poudre d'amandes/sucre en quantités égales (tant pour tant) – zeste râpé d'1 orange – B : 6 blancs d'œufs (190 g) – 50 g de sucre – 75 g de farine – 75 g de beurre fondu

Préparation :

A : Travailler les œufs, le sucre, le tant pour tant et le zeste d'orange râpé. B : Monter les blancs d'œufs avec le sucre. Mélanger la préparation précédente avec les blancs en neige, puis ajouter délicatement la farine et le beurre fondu.

Recettes : Fleur de fraises des bois et groseilles et Riviera, de Pierre Hermé

Ingrédients :

1 œuf – 95 g de sucre glace – 115 g de poudre d'amandes – 30 g de farine – 25 g de beurre fondu – 3 blancs d'œufs (100 g) – 20 g de sucre

Préparation :

Monter au batteur l'œuf, le sucre glace et la poudre d'amandes jusqu'à l'obtention d'un ruban. Ajouter la farine à petite vitesse. Faire fondre le beurre (tiède). Monter les blancs d'œufs en neige et les serrer avec le sucre. Mélanger un tiers du mélange œufs-sucre avec le beurre, amalgamer l'ensemble des deux masses, puis incorporer les blancs d'œufs à la spatule. Bien mélanger le tout, plus que nécessaire, afin de faire retomber le biscuit en partie. Sur une plaque à pâtisserie recouverte de papier sulfurisé, étaler le biscuit sur une épaisseur de 3 mm. Cuire au four 4 à 5 minutes à 220 °C. Il faut 450 g de biscuit pour une plaque de 40 x 60 cm.

Recette : Nadell's cappuccino, de Michaël Nadell

Ingrédients :

A : 120 g de poudre d'amandes – 1 cuil. à soupe d'huile d'amandes – 120 g de sucre – 3 œufs – 40 g de beurre fondu – B : 3 blancs d'œufs – 25 g de sucre – 20 g de farine type 550 – 20 g de Maïzena

Préparation :

A : Battre au fouet la poudre d'amandes, l'huile d'amandes, le sucre et les œufs jusqu'à ce que le mélange soit blanc. Ajouter le beurre fondu. B : Monter les blancs d'œufs en neige avec 25 g de sucre. Incorporer d'abord la farine et la Maïzena tamisées à la préparation précédente, puis délicatement, à l'aide d'une spatule en bois, les blancs d'œufs montés.

Recette : Piémontais, de Christian Nihoul

Ingrédients :

300 g de pâte d'amandes – 3 petits œufs (125 g) – 35 g de farine – 4 blancs d'œufs (125 g) – 25 g de sucre – 25 g de beurre

Préparation :

Dans la cuve du batteur, mélanger la pâte d'amandes, les œufs entiers et la farine. Monter les blancs d'œufs en neige avec le sucre. Mélanger les blancs montés avec la préparation à base de pâte d'amandes et finir en ajoutant le beurre. Étaler finement le biscuit sur une plaque de cuisson et le rayer à l'aide d'un peigne spécial. Mettre au congélateur, puis recouvrir de biscuit joconde au chocolat. Cuire au four 10 minutes environ à 180 °C. Pour le biscuit joconde au chocolat, remplacer 25 g de farine par 25 g de cacao en poudre.

Recette : Gourmands, de Bernard Proot et Gunther Van Essche

Ingrédients :

A : 4 petits œufs (175 g) – 125 g de sucre – 225 g de mélange poudre d'amandes/sucre en quantités égales (tant pour tant) – zeste râpé d'1 orange – B : 6 blancs d'œufs (190 g) – 50 g de sucre – 50 g de farine – 50 g de beurre fondu

Préparation :

A : Monter les œufs, le sucre, le tant pour tant et le zeste d'orange râpé. B : Monter les blancs d'œufs avec 50 g de sucre. Mélanger les blancs montés à la préparation précédente, puis ajouter délicatement la farine et le beurre fondu.

Biscuit joconde rayé

Recettes :

Venise, de Bernard Proot et Gunther Van Essche

Bavaroise au thé et chocolat et Mousse de framboise « à la Lucas », de Lucas Devriese

Ingrédients :

A : 4 petits œufs (175 g) – 125 g de sucre – 225 g de mélange poudre d'amandes/sucre en quantités égales (tant pour tant) – zeste râpé d'1 orange – B : 6 blancs d'œufs (190 g) – 50 g de sucre – 75 g de farine – 50 g de beurre fondu

Préparation :

A : Monter les œufs, le sucre, le tant pour tant et le zeste d'orange râpé. B : Monter les blancs d'œufs en neige avec le sucre. Mélanger les deux masses, puis ajouter délicatement la farine et le beurre fondu. Étaler finement la moitié du biscuit sur une plaque recouverte de papier sulfurisé, la rayer avec un peigne spécial et la mettre au congélateur. Parfumer l'autre moitié à la gelée de framboises (seulement pour la recette de la mousse de framboise) et en recouvrir d'une fine couche le biscuit durci. Cuire au four 5 minutes environ à 200 °C. Pour le biscuit joconde au chocolat, remplacer la gelée de framboises par du cacao en poudre.

Biscuit roulade nature

Recette : Mousse légère au citron, d'Éric Baumann

Ingrédients :

A : 10 jaunes d'œufs (200 g) – 100 ml de sirop à 28° Beaumé – 75 g de sucre – B : 7 blancs d'œufs (200 g) – 45 g de sucre – 125 g de farine

Préparation :

A : Fouetter les jaunes d'œufs, le sirop et le sucre. B : Battre les blancs d'œufs en neige avec le sucre. Mélanger les deux masses. Terminer en incorporant la farine tamisée à l'aide d'une spatule en bois. Cuire au four sur une plaque recouverte de papier sulfurisé ou dans un moule, environ 20 minutes à 220 °C.

Biscuit roulade spécial

Recettes : Tourte à la noisette et au chocolat, Tourte au caramel à la Baumann, d'Éric Baumann

Ingrédients :

150 g de poudre d'amandes – 150 g de sucre glace – 40 g de farine – 4 œufs (200 g) – 30 g de beurre – 4 blancs d'œufs (130 g) – 20 g de sucre

Préparation :

Mélanger la poudre d'amandes, le sucre glace et la farine avec la moitié des œufs ; travailler au fouet en incorporant petit à petit le reste des œufs, puis le beurre fondu. Monter les blancs d'œufs en neige ferme avec le sucre. Mélanger délicatement les deux masses à l'aide d'une spatule en bois. Dresser sur une plaque recouverte de papier sulfurisé, comme le biscuit joconde rayé.

Biscuit Sacher

Recette : Gâteau de la Hanse, d'Adolf Andersen

Ingrédients :

140 g de beurre – 80 g de sucre – 1 pincée de sel – 1/2 gousse de vanille – 4 jaunes d'œufs (70 g) – 3 blancs d'œufs (90 g) – 40 g de sucre – 70 g de farine

Préparation :

Travailler en crème le beurre, le sucre, le sel et les graines de vanille. Faire fondre le chocolat au bain-marie. Incorporer les jaunes d'œufs et le chocolat refroidi dans la masse au beurre. Monter les blancs d'œufs en neige avec le sucre. En ajouter un tiers à la masse précédente, puis mélanger délicatement à l'aide d'une spatule en bois le reste des blancs d'œufs ainsi que la farine.

Caramel pour mousse

Recette : Rose des sables, de Pierre Hermé

Ingrédients :

130 ml de glucose – 200 g de sucre – 30 g de beurre – 330 ml de crème fleurette fouettée

Préparation :

Faire fondre le glucose sans le faire bouillir, ajouter le sucre et cuire jusqu'à l'obtention d'un caramel. Décuire avec le beurre, incorporer la crème fleurette fouettée et cuire à nouveau à 103 °C. Laisser refroidir totalement.

Citrons confits maison

Recette : Riviera, de Pierre Hermé

Ingrédients :
135 g de citrons coupés en quatre – 5 g de sucre – 50 ml d'eau –
1/2 gousse de vanille – 1/2 étoile d'anis – quelques grains de poivre de
Sarawak écrasés

Préparation :
*Couper les citrons en quatre et les faire blanchir dans trois eaux
successives. Dans une casserole, rassembler le sucre, l'eau, la
vanille, la demi-étoile d'anis et le poivre de Sarawak écrasé. Porter
à ébullition, ajouter les morceaux de citron blanchis et cuire à feu
doux 1 heure 30 minutes à 2 heures. Laisser macérer au moins une
nuit.*

Confiture de cheveux d'ange

Recette : Mediterraneo, de Francisco Torreblanca

Ingrédients :
6 calebasses (petites courges) – 2 citrons – 1 bâton de cannelle – un
peu de sucre

Préparation :
*Couper les calebasses en quatre. Les placer dans une casserole,
les recouvrir d'eau et porter à ébullition. Retirer les grains noirs et
enlever les cheveux d'ange qui se trouvent à l'intérieur de la
calebasse, sous la coque. Il est nécessaire de bien nettoyer à l'eau
froide et de bien essorer les cheveux d'ange. Porter à ébullition les
cheveux d'ange, les citrons coupés en deux et la cannelle tout en
remuant. Réserver 12 à 14 heures. Le lendemain, porter de
nouveau à ébullition en ajoutant la moitié du poids de sucre
précédent. Conserver au frais dans une boîte hermétique.*

Crème à la vanille

Recette : Gâteau de Schöppenstedt à la crème,
d'Adolf Andersen

Ingrédients :
300 ml de lait – 40 g de sucre – 1 pincée de sel – 1/2 gousse de vanille
– 2 jaunes d'œufs (30 g) – 18 g de fécule de blé

Préparation :
*Porter à ébullition 250 ml de lait, le sucre, le sel et la gousse de vanille
fendue. Ôter la gousse de vanille juste avant l'ébullition, en gratter le
contenu et remettre le tout dans le lait. Battre les jaunes d'œufs avec le
reste du lait et la fécule de blé, puis verser en remuant dans le lait
bouillant. Porter à ébullition et retirer du feu.*

Recette : Anneau de nougat à la vanille de Bourbon,
d'Éric Baumann

Ingrédients :
50 g de sucre – 500 ml de lait – 1/2 gousse de vanille – 6 jaunes d'œufs
(125 g) – 50 g de sucre – 35 g de poudre de flan

Préparation :
*Porter à ébullition le sucre, le lait et la gousse de vanille. Ôter la gousse
de vanille, puis en gratter son contenu et remettre les graines dans le
lait. Travailler les jaunes d'œufs avec le sucre jusqu'à ce que le
mélange blanchisse. Ajouter la poudre de flan, puis verser doucement
le lait chaud. Réintroduire le tout dans la casserole et porter à nouveau
à ébullition. Réserver au frais.*

Crème anglaise

Recette : Mille-feuille praliné-pistache, de Lucas Devriese

Ingrédients :
500 ml de lait – 150 g de sucre – 1 gousse de vanille – 6 jaunes d'œufs

Préparation :
*Porter le lait à ébullition avec la moitié du sucre et la gousse de
vanille fendue dans la longueur. Dans un récipient, blanchir au fouet
les jaunes d'œufs et le reste de sucre. Verser un peu de lait sur le
mélange sucre-jaunes d'œufs. Remettre le tout dans la casserole
en remuant sans arrêt avec une spatule en bois. Le mélange ne doit
surtout pas bouillir. Continuer de remuer hors du feu jusqu'à complet
refroidissement, puis passer au chinois.*

Crème au beurre

Recette : Gâteau du port de Hambourg, d'Adolf Andersen

Ingrédients :
5 œufs (250 g) – 200 g de sucre – 1 pincée de sel – 500 g de beurre –
50 g de chocolat demi-amer – 5 cuil. à café de rhum (25 ml) – 5 cuil. à
café d'arak (25 ml)

Préparation :
*Monter en sabayon au bain-marie les œufs, le sucre et le sel. Quand
la masse a atteint la température du corps, retirer du feu et
continuer à battre jusqu'à complet refroidissement. Travailler le
beurre en pommade jusqu'à ce qu'il devienne blanc et crémeux, et
y incorporer progressivement le sabayon.*

Recette : Anneau de nougat à la vanille de Bourbon,
d'Éric Baumann

Ingrédients :
A : 120 ml de lait – 60 g de sucre – 1/2 gousse de vanille – B : 5 jaunes
d'œufs (100 g) – 60 g de sucre – C : 1 blanc d'œuf (40 g) – 10 g de
sucre – D : 80 g de sucre – 30 ml d'eau – 400 g de beurre

Préparation :
*A : Porter à ébullition le lait, le sucre et la vanille. B : Travailler au fouet
les jaunes d'œufs et le sucre, verser un peu de lait chaud, remuer et
remettre le tout dans la casserole. Cuire à la nappe (82 °C) comme une
crème anglaise, puis laisser refroidir. C : Monter le blanc d'œuf en
neige avec le sucre. D : Chauffer le sucre et l'eau à 121 °C et verser
doucement sur les blancs d'œufs montés. Battre le beurre en
pommade, y incorporer progressivement la préparation à la crème
anglaise et terminer en ajoutant la meringue italienne.*

Recette : Palermo, de Maurice et Jean-Jacques Bernachon

Ingrédients :
250 ml de lait entier bouilli – 1/2 gousse de vanille – 1 pincée de sel –
2 jaunes d'œufs – 75 g de sucre – 50 g de farine – 50 ml de lait froid –
50 g de beurre

Préparation :
*Rassembler dans une casserole 250 ml de lait, la gousse de vanille et
le sel, porter à ébullition et maintenir bouillant pendant 2 minutes. Dans
un saladier, battre vigoureusement les jaunes d'œufs et le sucre.
Incorporer la farine, puis les 50 ml de lait froid afin d'éviter les
grumeaux. Ajouter le lait bouilli sans cesser de remuer. Verser le tout
dans la casserole, porter à ébullition et maintenir bouillant pendant
3 minutes en remuant constamment avec un fouet. Laisser refroidir.
Lorsque la crème pâtissière est presque froide, incorporer le beurre
ramolli mais non fondu.*

Recette : Mazarin aux noix, de Michaël Nadell

Ingrédients :
250 g de sucre – 145 ml d'eau – 3 œufs – 500 g de beurre

Les chefs pâtissiers

Adolf Andersen

Né le 10 août 1936

Établissement
Konditorei Café-Confiserie Andersen
Hambourg — Allemagne

Héritier d'une dynastie de pâtissiers apparue vers 1910, Adolf Andersen est le propriétaire éponyme d'une pâtisserie pourvue de multiples succursales hambourgeoises. C'est pourtant dans des salons très « design », conçus par l'architecte Meinhard von Gerkan, qu'il fait goûter au public ses créations, inspirées « de recettes ancestrales, des techniques les plus modernes et d'un bon goût personnel... », ce dernier notamment forgé lors de son apprentissage à Brunswick, chez M. Voigt.
Fervent amateur de randonnées cyclistes à travers la nature, Adolf Andersen pratique également la pêche et s'intéresse de près au jazz contemporain.

Franz Augustin

Né le 12 avril 1954

Établissement
Demel k.u.k. Hofzuckerbäcker
Vienne — Autriche

Est-il encore besoin de présenter Demel, jadis fournisseur attitré de la cour impériale et royale, pâtissier par excellence de la double monarchie ? Dans cet établissement qui a depuis longtemps conquis ses lettres de noblesse, Franz Augustin est responsable de la production (Backstubenleiter) depuis avril 1994, après de solides apprentissages en pâtisserie chez Baumert (1969-1974) et chez Nahodil (1974-1989).
À son amour déterminé pour les plus alléchantes traditions viennoises répond un intérêt marqué pour le cinéma sous toutes ses formes. Il apprécie en outre le bowling et multiplie les voyages d'agrément.

Éric Baumann

Né le 29 septembre 1961

Établissement
Confiserie-Pâtisserie Baumann
Zurich — Suisse

Très soucieux de perfection en toutes choses, Éric Baumann a fait ses classes à la Raderschule de Zurich (1988-1990) avant de s'exercer dans des pâtisseries renommées, à Bienne, Saint-Gall et Zurich. Il a même passé quelque temps à Mulhouse, chez Gérard Bannwarth. En 1990, il a ouvert son propre établissement à Zurich, et entretient d'excellents rapports avec le cercle des Confiseurs (dont il est membre depuis 1993) et l'Association internationale des Relais desserts (qu'il aspire à rejoindre).
Ce jeune chef débordant d'énergie pratique encore l'équitation et même le jogging deux fois par semaine avec tous les membres de son laboratoire.

Jean-Jacques Bernachon

Né le 27 octobre 1944

Établissement
Chocolaterie-Pâtisserie Bernachon
Lyon — France

Le fils de Maurice Bernachon s'est d'abord distingué pendant son apprentissage à Bourgoin-Jallieu dans l'Isère (pâtisserie Marchand), avant de monter pour divers stages à Paris chez Suchard, à Amsterdam chez Blooker et à Bâle (école La Koba). En 1967-1968, on le retrouve chez Bocuse dont il est aujourd'hui le disciple, avant de travailler dans la pâtisserie familiale.
Ce passionné de sports collectifs tels le football et le rugby aime aussi les exercices solitaires, comme le golf et la promenade. Il consacre beaucoup de temps à l'art contemporain et à la lecture, et voyage avec un plaisir sans cesse renouvelé.

Maurice Bernachon

Né le 10 janvier 1919

Établissement
Chocolaterie-Pâtisserie Bernachon
Lyon — France

La couronne du « roi du chocolat » ne s'est pas tressée en un jour : c'est d'abord à Pont-de-Beauvoisin, chez le pâtissier Deboges, puis à Lyon avant-guerre (chez Lauthome et chez Coillard) que Maurice Bernachon a fait ses classes. Après une blessure de guerre, il a repris en 1942 ses quartiers lyonnais chez Durand, au 42 du cours qui s'appelle aujourd'hui Franklin-Roosevelt et où son établissement, après un bref intermède à Trévoux, a pris depuis les années cinquante une allure de symbole.
Décoré du Mérite agricole et des Arts et Lettres, ce complice de Paul Bocuse se passionne pour les fleurs, la lecture et le football.

Christian Cottard

Né le 17 juillet 1959

Établissement
Pâtisserie Christian Cottard
Antibes — France

Issu d'une famille de pâtissiers de Menton, Christian Cottard a figuré parmi les finalistes du concours de meilleur ouvrier de France en 1986 et 1989 et a été sacré champion de France du dessert en 1989. Cette même année, il s'est installé à Antibes après des passages remarqués à L'Oasis de La Napoule, à l'Hôtel de Paris et au Louis XV de Monaco, avec Alain Ducasse. Soucieux d'avoir « du goût pour tout ce qui est beau », il a participé à des événements de la Côte d'Azur : le mariage d'Yves Mourousi, l'anniversaire de Charles Vanel...
Très sportif (ski, planche à voile) et porté sur la photographie, il apprécie particulièrement la vie de famille.

Lucas Devriese

Né le 3 janvier 1964

Établissement
Pâtisserie Lucas
Knokke-Heist — Belgique

Disciple du célèbre Jef Damme chez lequel il a passé, à Gand, les années 1985-1989, Lucas Devriese a ouvert en 1989 son établissement à la place de l'ancienne charcuterie de ses beaux-parents, dans cette ville de Knokke où il avait fait jadis ses premières armes, à la pâtisserie Notre-Dame, sous l'autorité de M. Roelens. Il est aujourd'hui membre de l'association Top Desserts.

Ce motard accompli, qui ne dédaigne pas d'enfourcher un vélo, aime beaucoup manger au restaurant et rend volontiers hommage à son épouse Hilde, dont la présence le stimule dans toutes ses entreprises personnelles et professionnelles.

Philippe Guignard

Né le 13 mars 1963

Établissement
Maison Guignard Desserts
Chef pâtissier : Laurent Buet
Orbe — Suisse

« Un véritable esprit d'équipe » : c'est l'objectif que poursuit Philippe Guignard en dirigeant depuis 1989 la boulangerie-pâtisserie-confiserie, agrémentée en 1992 d'un salon de thé-restaurant, qui porte son nom. La rencontre d'Albert Bise, un ami « fou de gastronomie », a provoqué sa vocation et son enthousiasme. Avec son chef pâtissier Laurent Buet, il se flatte de remporter auprès du public un succès… croissant, en alliant « le beau, le bon et le propre ».

Féru de management, Philippe Guignard ne cultive pas seulement « les mille facettes de la gastronomie » : il aime la nature et pratique le vélo, le tennis et le football, en actif supporter du club d'Yverdon.

Pierre Hermé

Né le 20 novembre 1961

Établissement
Pâtisserie Fauchon
Paris — France

Héritier d'une dynastie de boulangers pâtissiers, Pierre Hermé a de surcroît bénéficié d'un apprentissage chez Lenôtre. Son talent s'est ensuite affirmé en Belgique et au Luxembourg jusqu'en 1986, date de son entrée chez Fauchon comme chef pâtissier. En 1994, le guide Champérard lui a conféré le titre de meilleur pâtissier de France. Il est membre actif du club des Croqueurs de chocolat et de l'Association internationale des Relais desserts.

Persuadé qu'« imaginer et créer ne sont rien sans partager et transmettre », ce passionné d'art contemporain se définit lui-même comme hédoniste, voire épicurien. Il aime la lecture et pratique volontiers le squash.

Helmut Lengauer

Né le 1er février 1961

Établissement
Hôtel Sacher
Vienne — Autriche

C'est naturellement dans les cuisines du célébrissime Hôtel Sacher, gloire de la capitale autrichienne, que se fabrique la véritable sachertorte, ce gâteau d'une mémorable finesse conçu pour le Congrès de Vienne et que l'on doit à Franz Sacher, cuisinier de Metternich. Helmut Lengauer a repris en 1985 les rênes de la tradition et maintient aujourd'hui le prestige établi de cet hôtel dont la pâtisserie symbolise tout un art de vivre européen.

Grand amateur de musique classique (on ne saurait s'en étonner), il pratique en hiver le ski dans les stations proches de Vienne et le tennis le reste de l'année.

Michaël Nadell

Né le 31 décembre 1946

Établissement
Nadell Pâtisserie
Londres — Angleterre

Michaël Nadell semble guidé par le chiffre 7 : après son apprentissage à la Westminster Hotel School de Londres, il a passé 7 ans au Mayfair, 7 ans à l'Hôtel Intercontinental et reçu 7 médailles d'or à Londres et à Francfort pour ses réalisations en sucre tiré. La modeste entreprise qu'il a créée en 1980 compte aujourd'hui plus de 50 personnes et il s'est même vu décerner en 1994 le titre de chef de l'année Catey Award.

Spécialiste de la pêche et du jardinage, il ne manque jamais d'associer à son succès son épouse Stella, à laquelle il dédie l'une de ses réalisations pour *Eurodélices*.

Christian Nihoul

Né le 8 octobre 1946

Établissement
Pâtisserie Nihoul
Bruxelles — Belgique

Réputée depuis un siècle, la pâtisserie familiale Nihoul s'est installée en 1910 avenue Louise à Bruxelles et jouit notamment de la faveur des souverains belges : Christian Nihoul, en charge de la maison depuis 1964, a eu par exemple l'honneur de réaliser pour la reine Fabiola un violon en chocolat. Il a multiplié par ailleurs les contacts à l'étranger (États-Unis, Corée, Exposition universelle de Séville) et même ouvert deux succursales au Japon. Il est membre de l'Académie culinaire de France.

Notre chef a pratiqué l'escrime et se passionne pour la formule 1. Il s'intéresse aussi à la bande dessinée et dispose de connaissances étendues en informatique.

Flavio Perbellini

Né le 8 novembre 1954

Établissement
Pasticceria Ernesto Perbellini
Bovolone (Vérone) — Italie

Depuis Luigi Perbellini, qui fonda l'établissement en 1862, cinq générations de Perbellini pâtissiers se sont succédé jusqu'à Flavio, qui a fait ses études à l'Institut technique de Forti avant de venir en France pour des stages à l'école Lenôtre et au Taillevent. Lauréat du concours de pâtisserie de Mestre en 1986, il perpétue avec ses frères Giovanni Battista et Enzo une tradition familiale séculaire.

Amoureux passionné de sa ville de Vérone, il s'intéresse de très près à son histoire et pratique à ses moments de loisir la peinture figurative, dans la veine de Botticelli. La natation est son sport préféré.

Bernard Proot

Né le 30 juillet 1954

Établissement
Chocolaterie-Pâtisserie Del Rey
Anvers — Belgique

C'est en 1975, dans une pâtisserie nommée… Del Rey, que le jeune Bernard Proot a fait ses premiers pas, sous l'œil attentif de M. Marchand. Après deux ans pour « retenir la qualité » chez Paul Wittamer à Bruxelles, il a ouvert en 1983 sa propre chocolaterie-pâtisserie, doublée depuis 1993 d'un salon de dégustation. Il est membre de l'Association internationale des Relais desserts et de l'association Top Desserts.

« On peut toujours dépasser ses propres limites » : telle est la devise de ce chef qui aime sa famille, le cinéma et la bonne chère, et apprécie le squash et le basket (surtout lorsque joue son fils Jan).

Francisco Torreblanca

Né le 5 février 1951

Établissement
Pasteleria Totel
Elda (Alicante) — Espagne

Francisco Torreblanca dirige depuis 1978 la pâtisserie Totel, l'une des plus réputées d'Alicante, cette colonie grecque et romaine qui fit jadis la prospérité du royaume de Valence. Il y collectionne les succès: meilleur artisan pâtissier d'Espagne en 1988, il a même reçu en 1990 à Madrid le titre de meilleur pâtissier d'Europe. Il est enfin membre de l'Association internationale des Relais desserts et sa renommée dépasse largement les frontières.

C'est encore un grand amateur de peinture qui consacre une part importante de ses loisirs à la musique classique. Côté sport, il pratique principalement le footing.

Gunther Van Essche

Né le 11 août 1965

Établissement
Chocolaterie-Pâtisserie Del Rey
Anvers — Belgique

Le collaborateur de Bernard Proot à Anvers est d'abord passé chez Paul Wittamer à Bruxelles, puis à la pâtisserie Étienne à Ophasselt. Il a reçu en 1994 le prix national et international Mandarine impériale, puis en 1995 le prix Prosper Montagné qui désigne le meilleur pâtissier de Belgique, et a enfin remporté la même année la coupe du monde de la pâtisserie à Lyon, avec Rik De Baere et Pierre Marcolini.

Suffit-il pour cela d'«être perfectionniste», comme il le dit? Il faut aussi beaucoup de talent, le souci de créer toujours du neuf – et de longs moments de détente, pendant lesquels il pratique le jardinage, le fitness et le jiu-jitsu.

Glossaire

ABAISSER : étaler une pâte au rouleau sur un plan de travail afin de lui donner une épaisseur constante. Par extension, on emploie le terme d'abaisse pour chacune des parties d'une pâte coupée dans son épaisseur.

ABRICOTER : *voir* glaçage à l'abricot.

APPAREIL : mélange de plusieurs ingrédients : crème, lait, beurre, levure, farine, farce, épices, etc.

AROMATISER : ajouter des arômes ou des essences pour donner une saveur particulière.

ARÔME : arômes et essences confectionnés à partir de fleurs, de plantes ou d'épices liées pour des excipients, alcools ou huiles (arôme d'amandes amères, arôme à base de vanille, de citron, etc.).

BAIN-MARIE : eau bouillante dans laquelle on met un récipient contenant la préparation que l'on veut faire chauffer lentement et sans contact avec le feu. Mettre de l'eau à chauffer dans une grande casserole qui accueillera le récipient. Le niveau d'eau doit être tel qu'elle ne puisse pas s'écouler dans le récipient. Au bain-marie, on peut monter des mousses ou des crèmes, faire ramollir des feuilles de gélatine ou du chocolat.

BATTRE : remuer vigoureusement un appareil au fouet, notamment des préparations à base d'œufs (blancs en neige, omelette, etc.).

BATTRE À CHAUD : monter une mousse ou une préparation aux œufs dans un bain-marie chaud.

BATTRE À FROID : battre une préparation à base d'œufs ou une mousse dans un bain froid jusqu'à complet refroidissement.

BEURRE CLARIFIÉ : beurre décanté après avoir fondu. Ce procédé permet d'éliminer le petit lait et la caséine contenus dans le beurre.

BEURRE EN POMMADE : beurre ramené à température ambiante (mais non fondu), présentant une consistance souple.

BEURRE MALAXÉ : beurre assoupli à la main, susceptible d'être intégré à une pâte de consistance moyenne.

BEURRER : appliquer du beurre sur les parois d'un moule pour que la préparation se démoule plus facilement.

BLANCHIR (FAIRE) : en cuisine, tremper brièvement des fruits dans de l'eau bouillante et refroidir rapidement pour que la peau se détache plus facilement. En pâtisserie, transformer par l'action du fouet un mélange d'œufs et de sucre.

CANDIR : *voir* confire.

CARAMEL : sucre fondu qui se colore en brun clair ou brun foncé sous l'effet de la chaleur.

CHEMISER : saupoudrer de sucre, de farine, d'amandes ou de noix broyées les parois ou le fond d'un moule préalablement beurré. Garnir de papier sulfurisé le fond d'un moule.

CHIQUETER : entailler par intervalles le bord d'un feuilleté pour augmenter sa capacité de gonflage à la cuisson.

CISELER : couper en fines lanières ou en petits dés des aliments solides (fruits frais ou confits, feuilles de menthe, etc.).

COMPOTER : faire cuire à feu doux des fruits jusqu'à semi-décomposition.

CONFIRE (FAIRE) : placer des fruits, des fleurs, des écorces de fruits ou des graines (cerises, gingembre, fleurs de violettes, écorces de citrons ou d'oranges) dans un sirop de sucre concentré. En séchant, le sucre cristallise et créé une croûte typique, épaisse.

CONGELER : faire séjourner un aliment ou une préparation dans un congélateur, que ce soit pour faire durcir une crème ou pour une conservation de longue durée. Ce procédé facilite souvent la découpe ultérieure d'un gâteau.

COUCHER : dresser une pâte à la poche à douille sur une plaque à pâtisserie. Ce procédé est employé pour les éclairs, les meringues, etc.

COULIS : sauce confectionnée à partir de purée de fruits, de jus de citron et de sucre.

CROQUANT : préparation faite à partir de noisettes ou d'amandes et de sucre caramélisé.

CUISSON À BLANC : procédé de cuisson au four d'une pâte sans garniture. Poser sur le fond du papier sulfurisé avec des légumes secs (pois chiches) ou des billes métalliques spécifiques, afin que les bords ne s'affaissent pas.

CUISSON À L'ÉTOUFFÉE : procédé de cuisson au four, dans un récipient clos, sans évacuation d'air.

CUISSON AU FOUR : procédé de cuisson de la pâte ou des préparations à base de pâte (soufflé…) dans un four, à chaleur sèche.

DÉCUIRE : allonger à l'eau froide un sirop de sucre en cours de cuisson pour l'empêcher de caraméliser.

DÉGLACER : dissoudre à l'eau les croûtes résiduelles de sucre sur le bord d'un moule, après cuisson d'un fondant.

DRESSER : en cuisine, disposer une préparation terminée sur un plat de service. En pâtisserie, façonner des formes avec de la crème à l'aide d'une poche à douille.

ÉCALER : ôter la coquille (écale) des fruits secs (amandes, noix, noisettes, etc.).

ENROBER : couvrir entièrement d'une couche épaisse.

ÉPLUCHER À VIF : retirer la peau ou l'écorce, généralement d'un agrume ou d'un légume.

ÉTALER : étaler de la pâte à l'aide d'un rouleau en bois afin de lui donner la forme souhaitée.

ÉTIRER, TIRER : procédé utilisé pour satiner le sucre cuit par extensions successives.

ÉTUVER : passer à l'étuve pour dessécher certains ingrédients, voire aider leur fermentation ; cuire à couvert à feu doux.

FAÇONNER : donner une forme arrondie, molle et lisse à la pâte. Rassembler la pâte en une boule lisse sur le plan de travail et l'aplatir légèrement.

FARINER : enduire un moule d'une légère couche de farine pour éviter l'adhérence des mets en cours de cuisson.

FLAMBER : verser de l'alcool chauffé sur une préparation et l'enflammer. L'alcool brûle avec une flamme bleue et donne un arôme caractéristique qui rend le dessert plus fin.

FONCER : garnir l'intérieur d'un moule avec une pâte.

FOND : biscuit ou pâte servant de base au montage d'un gâteau (génoise, meringue, etc.).

FONDANT : préparation à base de sucre servant à glacer un dessert.

FONTAINE : farine déposée en couronne sur un plan de travail ou dans un plat.

FOUETTER : battre au fouet une préparation, généralement pour la faire mousser.

FRAPPER : faire refroidir dans de la glace.

FRÉMIR (FAIRE) : faire cuire lentement à la limite de l'ébullition.

FRIRE (FAIRE) : faire cuire une pâtisserie en la plongeant dans de l'huile végétale chaude.

GARNIR : remplir d'une crème ou d'une autre préparation un fond de tarte prévu pour la recevoir ; ajouter un décor spécifique à un gâteau.

GÉLATINE : matière qui se présente sous la forme de feuilles ou de poudre. Les feuilles de gélatine se ramollissent dans de l'eau froide pendant 5 à 10 minutes. Essorer puis faire dissoudre dans une préparation chaude. La gélatine en poudre se dissout dans de l'eau, sur feu doux, en remuant continuellement.

GLAÇAGE À L'ABRICOT : application de confiture d'abricots chaude sur une pâtisserie, soit en couche de surface transparente, soit en couche de séparation.

GLACER : recouvrir finement des fruits, des crèmes ou des pâtisseries avec de la gelée, de la confiture ou de la gomme arabique.